MOMO DÉMÉNAGE !

André Montmorency

MOMO DÉMÉNAGE !

Autobiographie non autorisée

Révision : France de Palma
Conception graphique et mise en pages : Folio infographie
Couverture : Olivier Lasser
Photo : Pierre Dionne
Illustration : Bébé attrapant le soleil avec sa queue, André Montmorency

Imprimé au Canada
ISBN 2-923351-17-7
Dépôt légal – 4ᵉ trimestre 2005
Bibliothèque nationale du Québec

Merci à Susie Lamarche et France de Palma
pour leur étroite collaboration !

Préface

Si ce Momo de tous les diables a autant de vies que ses chats, on n'a pas fini d'en lire… et d'en rire. Lui qui a jadis profité d'un livre de recettes pour nous présenter sa grand-mère n'arrêtera, semble-t-il jamais, de se redécouvrir et de s'exhiber. Même le passage du temps, qui ne lui fournit que plus de matière, n'a pas su le ralentir. Voilà qu'il récidive.

L'auteur des pages qui suivent adore se raconter. Pendant que nos yeux glissent sur ses mots, son style parlé fait qu'on l'entend, presque comme s'il nous en faisait lui-même la lecture. On y gagne sa présence qui, depuis ces heures inoubliables où son talent d'acteur était au service des enfants, fait partie de notre patrimoine. On aura beau tout savoir de lui, on l'écoutera encore.

André Montmorency est dans une quête incessante et il en connaît le moteur. Nous ne sommes pas ici devant un quelconque personnage qui ne réalise pas l'ampleur de ce qu'il nous révèle. Ses butinages d'un amant à un autre, d'une maison à une autre, d'un métier à un autre, ne le trompent pas sur le mal de vivre que plus d'un psy, qui l'attirent et lui font peur à la fois, lui feraient constater. S'il n'était pas aussi fou, il y aurait de quoi avoir peur.

Mais la force de cet énergumène, sa réussite qui nous le rend si attachant, c'est que son âme d'artiste lui a fait convertir son mal en art. Et c'est de son art de vivre qu'il nous entretient encore une fois, à travers des aventures où la tristesse de fond a été submergée et noyée par la drôlerie qui les a toutes marquées. On prévoit encore une vingtaine d'autobiographies du même auteur avant qu'il ne se retrouve chez Lucifer.

Claude Charron

La première maison… Cowansville

J'ai une crotte sur le cœur.

En 1974, j'ai perdu « La ferme de Cowansville » et cette histoire-là n'est toujours pas réglée. J'ai l'impression de m'être fait avoir, flouer…

Posséder une maison n'a jamais fait partie de mes rêves. Pour un gars de la ruelle Labrecque, l'accès à la propriété n'avait rien d'évident.

J'ai eu cette propriété parce que je vivais avec quelqu'un. C'était complémentaire. Ça s'inscrivait dans la réussite du couple. Renouant après une rupture, il nous fallait d'urgence un « bébé », donc, on a eu la ferme. Puis, je l'ai perdue. On ne va pas revenir là-dessus.

Je suis en deuil de « Cowansville ». Et je me vengerai toute ma vie de n'avoir pu exploiter tout le potentiel de cette ferme-là.

Toutes mes maisons sont des vengeances…

Deuxième maison
4682 Saint-André

Montréal, février 1978

Je vais avoir 40 ans. Je ne sais plus ce qui m'arrive, ma vie est foutue. Je ne suis plus vraiment en couple et, surtout, je n'ai plus de maison. Je vivote au Rockhill, puis au 1400, avenue des Pins Ouest, appartements de passage où j'engloutis néanmoins de véritables fortunes en attendant qu'il se passe quelque chose. Un bon matin, n'ayant plus une maudite cenne pour payer mon loyer, je décide de m'acheter une maison!

Je réveille Tooth – mon tout nouveau chum de 18 ans – en lui glissant à l'oreille: «*Lève-toi vite. Nous allons nous acheter une maison!*» Dès que quelqu'un débarque dans ma vie, je deviens NOUS! Et nous vivons heureux jusqu'à la fin des temps…

Je connais une courtière immobilière qui œuvre surtout dans Notre-Dame-de-Grâce. C'est l'agente des comédiens, en tout cas, de tous ceux avec qui je joue au Rideau Vert. «*Pas plus de 35 000$, j'ai pas de cash, mais je veux être à Notre-Dame-de-Grâce. Pas question que je retourne dans l'Est.*» C'est que je suis devenu un p'tit gars de l'Ouest, moi. J'y vis et j'y travaille, dans l'Ouest! Écoute, j'ai même vécu à Westmount! Alors, les racines, très peu pour moi!

«*Je veux bien vous trouver une maison à Notre-Dame-de-Grâce*, me répond la dame, *mais pour 35 000$, vous n'aurez* *pas du tout ce que vous cherchez. Ce qu'ont payé vos amis, c'était il y a 20 ans!»* Du coup, je désespère. *«Mais, vous avez une chance inouïe! J'ai là une petite dame de 88 ans qui, ébranlée par une crise cardiaque, veut vendre au plus tôt pour léguer sa fortune aux Pères du Très Saint-Sacrement...*

— *Et, elle est où, cette maison?*

— *Rue Saint-André au nord de Mont-Roy...*

— *Ah non! Non, non, non! Moi? Vivre sur le Plateau? Jamais!»*

Il faut dire que le Plateau, à l'époque... *«Écoutez, me dit-elle, c'est une chance exceptionnelle. La dame demande 23 000 $. Elle veut vendre tout de suite. Je suis passée voir ça, ce matin, et c'est trèèèèès très joli...»* Bon, qu'est-ce que ça coûte d'aller voir? Nous nous retrouvons donc, mon nouveau chum et moi, au 4682 de la rue Saint-André où nous attend, clé en main, la courtière immobilière.

Je regarde cette petite maison-là, son toit d'ardoise, sa lucarne intacte, mignonne comme tout. C'est, effectivement, trèèèèès très joli!

Sur la façade de la maison, deuxième d'une série de quatre demeures identiques, est clouée une plaque où se lit «À la mémoire des arbres de la rue Saint-André, abattus le...» Heureusement, de jeunes érables viendront bientôt les remplacer. Comme voisin, il y a Claude Tousignant, le célèbre peintre, devant chez qui pousse un magnolia géant qui dépasse le toit... Il y a une belle cour arrière pour faire un petit jardin... Des puits de lumière un peu partout...

Je visite la maison en jetant, dans ma tête, tous les murs par terre, question d'imaginer l'espace. Je me sens bien. Le jeune chum aime ça itou. Qu'importe la rue Mont-Royal, le Plateau dont je ne voulais pas, la petite maison me séduit. Donc, j'achète!

On s'entend sur une offre à 18 000 $, dont 6 000 $ comptant. Je n'en ai pas le premier sou. Je suis fou, bien sûr, mais ce sera toujours ainsi, et je trouverai toujours l'argent.

Nous allons voir la petite dame. Elle accepte tout, sur le champs, et ne demande rien de plus. Pauvre femme, elle mourra peu de temps après.

Ça y est, j'ai une maison! Si je trouve 6 000 $... De retour avenue des Pins, je fais l'inventaire de mes biens. Une belle grande table de travail, payée 60 $ en 1958 à la Butte à Mathieu, une armoire québécoise ramassée pour pas cher dans les années 60, une lithographie de Lemieux et un véritable, un authentique Marc-Aurèle Fortin, grand comme ça, acheté 350 $ « à tempéraments » 25 ans plus tôt dans une galerie de la rue Crescent. Question de vérifier si l'Art est, tel qu'on le dit, un bon placement, j'appelle Dédé Gagnon qui, sans barguigner, m'achète le Marc-Aurèle Fortin pour 1 000 $. J'appelle Camille Goodwin, mon agente artistique.

— *Tu sais, mon Lemieux, la litho que tu aimais tellement pis que j'ai payée 125 $...*

— *Oui, oui, apporte-moi ça, je t'en donne 500 $.*

L'armoire québécoise, je la vends 750 $ à un voisin. Mais je garde la table...

Et, comme à chaque fois que je veux vraiment quelque chose – je dois émettre des phéromones particulières – le boulot arrive. Je ne me souviens plus très bien, un ou deux doublages, plus un spécial télévisé du dimanche soir qui me rapportait 2 500 $. Ça, c'est un vrai cadeau parce qu'à l'époque, j'étais surtout un gars de théâtre et, depuis Friponneau, la télévision me boudait un rien.

* * *

Les 6 000 $ déposés, je peux enfin emménager au second étage de ma maison, début avril, en plein printemps. Je suis fou de joie, mais... j'ai une locataire, au premier. Ce n'est pas qu'elle soit méchante, au contraire, mais je dois m'en débarrasser puisque, dans mon délire, j'ai prévu raser tous les murs du rez-de-chaussée et soutenir l'étage à l'aide d'une poutre de 40 pieds qui traversera la maison, de la façade au jardin, comme à la ferme de Cowansville. Je veux recréer, faire revivre Cowansville à la ville! Les innombrables partys que connut cette masure me donneront presque raison.

Me fiant à mon incroyable sens des affaires, je descends voir ma locataire. Je veux qu'elle parte immédiatement, ou presque, mais j'ai tellement de la peine, c'est terrible! La pauvre femme a élevé ses trois enfants dans cette maison et, là, moi, je la mettrais à la porte? Ti-cul de derrière chez Dupuis Frères, je suis un petit pauvre comme elle. Et, parce que j'accède à la propriété, je la sacre dehors? Je trouve ça horrible!

Planté au milieu du salon, gêné à mort, je ne sais plus comment lui demander ça. Oui, je comprends son désarroi et je suis prêt à faire ma part. Pour la dédommager de ce départ précipité, je lui offre l'équivalent de trois mois de loyer, soit 1 000 $, *cash*. De plus, je lirai les annonces et chercherai avec elle. Je veux qu'elle parte heureuse!

«*Mon Dieu que vous êtes fin*», qu'elle me répond, les larmes aux yeux, en glissant les billets soigneusement pliés dans sa poche de tablier. «*Ça va faire du bien pour le déménagement! 1000 dollars! Ça, c'est sûr! Mais, inquiétez-vous pas, monsieur Montmorency. On a trouvé un beau petit logement sur la rue Mentana, juste à côté. On part dans deux jours!*» Bon, ça vient de me coûter 1 000 piastres!

J'aurais pu, bien sûr, attendre, garder la locataire, amortir mon achat, d'autant que le deuxième, avec l'aide de Tooth, se transforme joliment en petit nid d'amour. Murs et plafonds sont blancs. Les fougères s'éclatent sous les puits de lumière. Bientôt, une baignoire romaine trônera à deux pas du lit et une balançoire pendra au cœur du salon. Tout à fait bucolique! Mijotant ces projets, j'aurais pu vivre, sans problème, une année bien tranquille avec un compagnon qui, première dans ma vie, s'occupe de la maison avec infiniment plus de zèle que moi. Mais, rien à faire, il me fallait au plus tôt mettre en branle le chantier du bas.

Exit, donc, la madame, et place aux démolisseurs ! Moments sublimes, plaisirs indicibles du rénovateur, les murs éventrés, les monceaux de gravats, le *plywood* empilé, les tuyaux et les fils qui pendouillent, impudiques, la poussière touffue, l'odeur forte des plâtres et des peintures fraîches hantent mes insomnies. J'éclaire à la bougie les destructions du jour. Les formes et les couleurs se précisent peu à peu. Bref, c'est merveilleux !

* * *

La vie de couple s'installe gentiment dans l'appart du haut pendant que je m'active à démolir tout l'appart du bas. Une fois passée ma première rage de *crowbar*, une aimable voisine, courtière immobilière avec qui j'attends patiemment ma piqûre anti-tétanos à l'urgence de Saint-Luc après que son chien m'eut mordu le mollet – ça crée des liens, ça, madame ! – ma voisine d'en face, dis-je, me réfère quelques ouvriers que j'aurais dû engager *illico*, sans discuter, mais…

Opter pour le plus bas soumissionnaire ? Faites jamais ça ! C'est épouvantable ! Prenez ma belle poutre de 40 pieds. Elle doit entrer directement, depuis la rue, par la fenêtre. Le trou est déjà fait dans le mur du jardin, un trou de 12 pouces x 12 pouces dans mon beau mur de brique. Je suis énervé comme un pou quand le camion montre son nez au coin de Mont-Royal et Saint-André. L'aventure commence…

Les gars s'installent, les voisins sortent, et la fabuleuse poutre traverse lentement ma maison, de part en part. Heureusement, tous les murs ont disparu, sauf un bout de mur de soutènement qui est abattu une fois la solive bien assise dans ses mortaises arrière et avant. Pour remplacer le bout de mur, un des gars pose une autre poutre, à la verticale, quelque part vers le milieu. Il installe ça en moins de deux, donne un gros coup de masse… *« C'est fait', monsieur Montmorency! »*

Je suis seul cette journée-là, mon jeune nouveau chum étudie à Sainte-Thérèse et ne revient qu'en fin de semaine. Mais, je suis tellement content de ma jolie poutre, que je me fais un party, une soirée de chandelles pour moi tout seul! Mon Dieu que je suis bien! Je redescends deux ou trois fois contempler ma belle poutre, puis je remonte me coucher, ravi. Chose rarissime, je ferme la porte de la chambre et m'endors comme un bébé. À l'aube, tout excité à l'idée de retrouver ma poutre avant l'arrivée des ouvriers, je m'apprête à descendre… Non! justement, je ne peux pas descendre! Ma porte est complètement coincée! Le chambranle est tout croche… La maison a bougé! Pourtant, y a ma poutre!

J'attrape le téléphone et j'appelle l'ouvrier: *« Venez vite, je suis coincé, prisonnier dans ma chambre! »*

Il habite Boucherville. Pendant deux heures, sans café, ni journaux, ni cigarettes, dans la crainte constante de voir le plancher s'écrouler, j'attends. Enfin, il débarque. Je lui crie depuis ma fenêtre: *« J'comprends pas, y avait pourtant un pouce et demi de jeu hier soir… »* Le gars entre par la fenêtre du jardin et vérifie l'installation… Savez-vous ce qu'il avait fait, l'épais, en posant sa poutre verticale? Il l'avait mise drette au milieu de la place, à peu près à 4 pieds et demi de l'assise de pierre qui soutient le plancher. Parce que lui, il trouvait ça plus beau au milieu! Et moi, niaiseux, je ne m'en suis pas rendu compte!

Pour me sortir de là, il faut *jacker* la maison! Donc, on *jack*! Millimètre par millimètre, le chambranle se redresse. J'essaie d'ouvrir la maudite porte aux trois secondes. Puis, vers 11 h 30, c'est la libération!

Les poutres sont à leur place, les ouvriers sont là, on repart le chantier. Le reste va très vite: pas d'armoires de cuisine, juste de grandes tablettes pour les assiettes, pas de portes, ça respire – j'ai refait ça depuis, t'as de la place, j'adore ça. Tout l'espace est ouvert, salle à dîner, salon, cuisine où tu t'installes en grosse gang au comptoir... Vraiment, c'est le bonheur !

* * *

Et à cette époque, je deviens Pygmalion ! Pour mon jeune chum, je suis l'illustre Friponneau. Il a tout juste 18 ans, il en avait donc 8 ou 9 à l'époque de *La Ribouldingue*. Lui, c'est clair, il vient vivre chez Friponneau ! Et moi, je vais jouer au père ! La sexualité n'est d'ailleurs pas très... enfin... ce n'est pas une priorité.

Entendons-nous bien. Moi, le nirvana tantrique, je l'ai atteint dès le premier soir avec mon tout premier chum, Denis, le gars de Cowansville. J'ai connu le *jour des merveilles*, trois fois par semaine, pendant 13 ans. On a tout essayé. On a eu ben du fun. La baise fut le ciment de notre couple. Mais, après ça, moi, j'ai eu besoin de vacances, donc, je joue au père !

Le jour où mon jeune chum me dit : « *Je pense que je veux devenir acteur !* », je mets tout en branle pour trouver le bon rôle, pour lui donner des cours et... maquiller l'audition qu'il devait passer au Cégep Lionel-Groulx ! Écoutez, ce gars-là est un être charmant, mais, en tant que metteur en scène et professeur de théâtre, je vois très vite les défauts... Physiquement, pourtant, il a du chien, il danse très bien, mais dès qu'il arrive sur scène, ça ne fonctionne plus. Il bouge mal ! Premier défi, trouver deux scènes où il n'aura pas à se déplacer. Pour la scène dramatique, c'est toujours moins compliqué : tu l'assois sur une chaise, tu lui tritures un peu les émotions et tu le fais brailler. En général, ça passe. Mais, pour la scène de comédie, il faut du mouvement. Je trouve une pièce de Federico Garcia Lorca, écrite pour un théâtre de marionnettes. Et que je me garroche à droite et que je me garroche à gauche, les bras emmaillotés dans les manches cousues d'un tricot de coton, il joue les guignols trois minutes avec une maladresse tout à fait convaincante… Et il est accepté comme élève!

Mais, ça n'a pas marché, évidemment! On ne maquille pas impunément une audition! Il décide alors de se lancer dans la production de costumes de théâtre, et la maison devient, bien sûr, un atelier de couture. Et ça coud là-dedans, madame! Nous dévalisons les manufactures de la rue Chabanel pour dénicher, pas trop cher, des cuirs chics de fin de ligne dont il fait de longues blouses envahies de lacets… Moi – avec les yeux de l'amour faut croire – je trouve ses vêtements absolument ravissants!

Mes pauvres amis ont tous été obligés d'acheter au moins une blouse pour l'encourager, cet enfant-là! Y pouvaient pas ne pas! Ils venaient manger chez nous, ils achetaient donc une blouse! Mais, je ne les voyais jamais porter les maudites blouses!

* * *

À cette époque, côté métier, je suis entre deux. Je fais de la mise en scène depuis 1970, c'est surtout ça qui m'importe, l'acteur s'estompe un peu. À la télévision, je suis de la distribution d'une émission fort ennuyante, de celles qui sonneront le glas de la section Jeunesse de Radio-Canada. Les pédagogues, déjà bien installés à Radio-Québec, viennent de mettre le pied dans la baraque. On est soudain très didactique! Et c'est plate! Plate, plate, plate! Hélène Roberge est responsable de la réalisation. Elle sort à peine de *Nic et Pic*, que de joyeux souvenirs, et s'ennuie autant que nous de la folie des émissions d'antan. «*Hélène*, que je lui dis, *j'ai un cadeau pour toi! Je vais t'écrire une belle série!*» Je n'ai aucune idée de ce que je vais écrire, mais je rentre chez moi et, pendant le week-end, je tape les synopsis des deux premiers épisodes et la bible de *Siocnarf* – «François» à l'envers – série d'aventures dans la 4e dimension. Je deviens auteur!

Je vais porter mon «œuvre» à Hélène, le dimanche après-midi. Elle est emballée. Dès le lendemain, elle lance la machine pour faire 13 émissions et nous sommes en production moins de 3 mois plus tard. Pour soutenir visuellement le passage du monde réel à celui de la 4e dimension, lieu de toutes nos aventures, la réalisatrice fait dessiner des lentilles spéciales qui déforment l'image et qui ont servi, depuis, dans toutes les émissions de variété de Radio-Canada. C'est la merveilleuse Hélène Roberge qui a eu cette idée-là.

La production débute et je me mets à écrire. Durant 2 à 3 mois, j'écris. Je m'installe dans mon bureau à l'arrière de la maison et, pendant que le petit va prendre ses cours de production à Sainte-Thérèse, j'écris, j'écris, j'écris… Le petit aimerait bien faire les costumes de *Siocnarf*. Il a dessiné toutes les maquettes…

En bon Pygmalion, je les montre à Hélène en essayant très fort de pousser mon poussin! «*Ça serait le fun que mon chum fasse les…*» Je n'ai pas le temps de finir ma phrase qu'elle me regarde de travers! Ce n'est pas comme ça que ça marche dans la boîte, comprends-tu! Le chum est bien déçu, mais tout de même assez content d'avoir été considéré, ne serait-ce qu'un court instant, par une grande réalisatrice de Radio-Canada.

* * *

Ma petite pièce du fond, mon nid d'écrivain, donne sur la cour, les hangars, les cris des enfants qui jouent dans la ruelle. Et, pendant toute la période de rédaction de la série, je redeviens l'enfant de la ruelle Labrecque et j'écris pour moi, quand j'étais petit. Au départ, je n'ai pas de plan, je pars d'une belle idée. Je suis emporté par l'histoire, puis y a la folie qui s'en mêle et je me retrouve, à la 12e et avant-dernière émission, avec assez de matière pour en écrire encore 10!

Je vais voir Hélène: «*Écoute, y a pas de fin à mon histoire, qu'est-ce qu'on fait?*» La direction consent, miraculeusement, à une extension et je peux terminer mon histoire, en 20 émissions.

Pendant que j'écris ma saga quadri-dimensionnelle dans mon petit réduit accompagné par le bruit des jeux des enfants, je ne démolis pas! Comme quoi, chez moi, la *crowbar* est essentiellement activée par le vide, le flou, l'entre deux mises en scène, l'entre deux productions. Mon état dit «normal» est à ce point fébrile que, faute de pièce à écrire, à jouer ou à monter, je change les murs de place!

* * *

Siocnarf se termine et, avec lui, mes juteux cachets d'auteur. Comme je n'écris plus, je démolis! Murs, clôtures, hangars cèdent sous la *crowbar*. Je dépense, je m'endette, le moindre petit doublage paie un bout de mur, un papier peint, une *fixture*!

Je suis dans la merde, ce qui n'aide en rien les relations de couple. Et, si mes souvenirs sont bons, je pense que je l'ai trompé... Je n'ai pas trompé souvent dans ma vie, mais ça s'est toujours su et c'est toujours la catastrophe! Il y a donc rupture.

Heureusement, et c'est merveilleusement déculpabilisant, le petit jeune vole de ses propres ailes. Il est maintenant à l'École nationale de théâtre, en train d'étudier le costume avec François Barbeau! Finalement, j'ai bien réussi mon affaire! Il va faire carrière, créer des costumes en Allemagne, ouvrir des boutiques, enseigner son art et me revenir, quelque 20 ans plus tard, beau grand gars sensible dont je suis assez fier qu'il ait été... mon premier fils.

* * *

Le téléphone sonne. C'est Filiatrault qui appelle pour m'offrir le rôle de Christian. Et, là, ça change tout. Ça change vraiment tout! Je ne vous raconterai pas l'histoire de *Chez Denise*, c'est trop long, vous lirez mes autres livres. Mais, premier impact de Christian, les sous commencent à rentrer, ce qui me permet de payer les dettes et de finir le bas.

Arrive alors dans ma vie un jeune auteur de 22 ou 23 ans. Belle gueule, belle tête. Dès l'abord, il semble savoir ce qu'il veut. Et comme j'ai, maintenant, les moyens de lui offrir la lune… Mais, si Tooth succomba au charme de Friponneau, c'est Christian qui séduit l'Auteur. Le soir même!

Je lui fais visiter ma jolie maison toute retapée, ça se décide en deux-trois becs échangés entre la cuisine et le corridor. Dès le premier émoi, oups, c'est lancé! Tu lui offres tout de suite de partager ta vie! C'est comme ça que ça marche! Au premier bec, me voilà reparti, c'est le nouvel homme de ma vie! Et ça durera 8 ans!

Les travaux sont terminés, la maison confortable, les dettes remboursées, y a même un petit bureau aménagé en haut pour mon Auteur de chum. Christian nous fait bien vivre, on s'offre deux voyages par année sur les plages du Sud et le resto tous les soirs. On reçoit beaucoup. On boit beaucoup aussi. Beaucoup de gin tonic et beaucoup de bons vins. Je me couche tous les soirs un rien guerlot… Ça va bien! C'est comme une lune de miel avec lui. La sexualité n'est pas trop mal. Mais, on boit, on boit, on boit de plus en plus.

* * *

J'ai, dans mon salon, un beau plancher de pin que mon ami Philippe Dagenais, décorateur post-moderne, a couvert d'un grand tapis beige en matière synthétique. Sur le mur, face au divan, j'ai posé un foyer préfabriqué où dansent joliment fumerolles et flammèches. Juste à droite, il y a la grande télé et, tout autour, des tablettes où sont posés disques précieux et livres d'art, comme un ouvrage magnifique sur Jérôme Bosch, dont je me suis servi pour *Le Concile d'Amour*, ma toute première mise en scène.

Un samedi soir de belle flambée, juste après les *Nouvelles*, on éteint la télé, le feu crépite encore faiblement et deux ou trois tisons éclatent sur la grille. On monte se coucher. Une petite heure plus tard, une odeur de fumée me réveille : *« As-tu éteint ta cigarette, en bas, avant de monter ? »* L'Auteur, endormi, fait : *« Ouais, ouais, ouais… »* Bon, je vais aller voir, on ne sait jamais… Je descends l'escalier et… ARRRRRRRH !!! le coin foyer, la télé, les disques, les vidéos et les livres d'art, tout est en train de flamber ! Le feu monte jusqu'au plafond et menace ma belle grande poutre cowansvillienne !

C'est une première dans ma vie ! Aurai-je du sang-froid ? Très calme, je regarde le feu, je me retourne vers le haut : *« Hey ! l'Auteur ! Descends vite, le feu est pris ! »* Et, là, j'ouvre la porte ! Niaiseux ! Le feu reprend de plus belle ! Je vois deux petites pattes descendre l'escalier dans la fumée, puis… deux petites pattes remonter !

— *Qu'est-ce que tu fais ? Pourquoi retournes-tu en haut ?*

— *Ben, je m'en vais chercher mon roman !*

C'est vrai, il écrit un roman. Les flammes atteignent le plafond, mais il va chercher son roman ! Ce qui est très, très noble de sa part…

Donc, je sors et je m'en vais chez mon voisin, monsieur Tousignant, lui dire de sortir vite ses enfants et sa femme, parce qu'il y a le feu. Je suis très fier d'avoir pensé à ça ! Les gens commencent déjà à s'attrouper. Quelqu'un appelle le 911 – moi, j'ai complètement oublié – et les pompiers se ramènent. Là, ça flambe !

On reste dans l'entrée avec les pompiers qui entrent, qui sortent, avec leurs haches et leurs tuyaux, et enweye donc ! Y a même un inspecteur de pompier qui arrive, en habit, avec un bel imperméable noir, chic le monsieur... Il n'a pas de casque sur la tête. Il inspecte tout, monte au deuxième, redescend, va jusqu'au fond, se faufile parmi les pompiers, regarde le foyer brûler, revient dehors et me dit en sortant: «*Mes félicitations, Monsieur Montmorency, vous avez une bien jolie maison.*» Ce n'est pas un inspecteur, le gars, c'est un passant qui s'offre une visite!

Enfin, les pompiers partent et on se retrouve, l'Auteur et moi, petits culs terreux, miséreux, autour de ma vieille table qui pensait avoir tout vu et qui, sauvée *in extremis* du sinistre, me suit encore aujourd'hui. Le coin télé n'existe plus, l'appareil est à moitié fondu et ça pue! On ne peut pas rester ici, il faut aller à l'hôtel! Il est 3 h 34, dimanche matin, je n'ai pas de cartes de crédit et je ne peux quand même pas réveiller Camille Goodwin, mon agente, au beau milieu de la nuit... Bon, on part faire le tour des hôtels en s'expliquant... Moi, en principe, je suis connu! Je suis une vedette de la télé! Mais, aucun hôtel de l'Ouest ne me reconnaît! Au Queen Elizabeth, ils ne veulent rien savoir, pas plus qu'à la grande tour, sur la rue Université, en descendant... qui a changé de nom 15 fois... Ils ont été bêtes, mais bêtes! J'ai beau insister: «*Écoutez, je vais vous expliquer, c'est parce que je viens de passer au feu, ma comptable, le bureau est fermé... Pouvez-vous me garder jusqu'à lundi, on va appeler tout ce beau monde-là lundi matin...*» Rien à faire! Finalement, c'est l'Hôtel du Parc qui nous a hébergés. On a été très bien reçus, tous les deux, c'était vraiment formidable! Eux, ils ont compris. Eux, ils me connaissaient. Je suis Christian! Une grosse vedette! Pour eux, c'est quasiment les Rolling Stones, ça!

Ils me protègent des journalistes et filtrent les appels, je suis Mick Jagger, comprends-tu! «*C'est* Écho Vedettes *qui appelle, doit-on vous passer la communication, monsieur Montmorency?*» Ben voyons! Ma maison a brûlé, c'est du bonbon pour les médias! Déception à la réception, je ne recevrai que cette seule et unique demande d'entrevue!

Comme je ne veux pas poser devant les restes du sinistre, *Écho Vedettes* envoie un photographe qui réussit à entrer chez moi. Il sort la télé à moitié brûlée, l'installe sur le gazon et fait des *beauty shots* qui se retrouvent à la une du journal avec, en encadré, une photo d'archive où j'ai l'air complètement désespéré, l'œil poché et la gueule ouverte. En grosses lettres rouges on peut lire «SOUFFRANCE BRÛLE!!!»

Il faut trois ou quatre jours pour nettoyer la maison et préparer les déclarations d'assurances. J'essaie tant bien que mal de remplir les papiers, de ne rien oublier… Mais je me dis que, de toute façon, le gars de l'assurance va venir et je répondrai à ses questions… Il arrive et semble ravi d'être là, même qu'il est presque dans les pommes tellement il est heureux de m'avoir devant lui, pour vrai de vrai… «*Quand je vais dire ça à ma femme! Quand je vais dire ça à ma femme!!!*» La dite épouse est une fana finie de Christian! Il a donc rempli ses papiers et il a tout accepté! Pas un disque, pas un cadre, pas un meuble, pas un livre qui ne soit remboursé par l'assurance – même mon beau Jérôme Bosch est remis en état, à leurs frais, par la Tranchefile, excellent atelier de reliure, rue Saint-Laurent!

Ils ne se ressemblent pas tous, les gars des assurances. Lors d'un dégât d'eau où le bain du 2e a coulé sur le beau mur en tapisserie du salon – un splendide tissu qui valait une fortune – le gars qui débarque chez moi ne me porte pas dans son cœur depuis la petite école. Que j'ais réussi alors qu'il végète dans les assurances quand il voulait devenir acteur, ça le fait chier. J'ai donc eu droit à 700$ pour des dégâts d'au moins 3 000$!

* * *

Malgré l'ébauche de roman qu'il a sauvée des flammes, mon Auteur n'a toujours pas produit. Moi, je fatigue et, un soir, je lui fais la grande scène de l'Acte II. Il quitte le champ de bataille et disparaît dans son bureau pendant 5 jours. Je suis certain qu'il se pogne le cul en léchant son honneur blessé... En tout cas, on ne se parle pas pendant une bonne semaine. Puis, un matin, il pose son manuscrit sur la table de la salle à dîner.

Une pièce de théâtre merveilleusement construite, un personnage très attachant... Ciel, mon Auteur est donc un auteur ! Un vrai ! *« Écoute... On monte ta pièce, je ne sais pas où, ni comment, mais on la monte ! »*

Le soir même, il m'amène sa grande copine, Danielle Fichaud, pour qui il a écrit la pièce. Et cette petite fille-là, qui sort à peine du Conservatoire, débarque chez moi, un des metteurs en scène les plus *hot* en ville, pour me faire la première lecture d'un texte de 80 pages qu'elle découvre en même temps que moi. Je l'assois à la table, ma fameuse table à 60 $ sauvée des flammes, je m'installe de l'autre côté, avec l'Auteur, et là, faut qu'elle me joue ça ! Sans aucune indication ! *« Okay, joue-moi le rôle... c'est une pute de la Main... Vas-y, je t'écoute ! »* Pauvre petite, elle commence. Je l'écoute religieusement, puis on débarrasse la table et on s'apprête à manger.

Il y a toujours un party quand je fais des premières lectures avec mes groupes d'acteurs, histoire d'apprendre à se connaître tout de suite. Ça fait gagner au moins 15 jours sur les répétitions.

Donc, on commence à manger, tout va bien, l'échange est agréable, mais je la sens un peu mal à l'aise, parce que je lui parle du personnage sans rien lui dire de son jeu. Pas de *« Bravo ! »*. Pas de *« Génial ! »*. J'ai sûrement jeté un *« C'est bon, c'est bon ! »*, mais comme tout le monde aurait fait avant de laisser décanter...

— *André, c'est parce que... quand est-ce que tu vas me le dire, si je l'ai, le rôle ?*

— *Ben, voyons donc ! Tu l'as, le rôle ! Tu l'avais à la page 5, le rôle ! C'était la première répétition !*

—*Ah!*

— *On continue la semaine prochaine, tu me donneras ton horaire…*

Soulagement immédiat, mais je perçois encore une certaine appréhension. C'est qu'à l'époque, j'ai la réputation de mettre tout le monde tout nu en scène… «*Ben, écoute, une putain qui rentre chez elle, toute seule dans son lit, elle va pas mettre une jaquette, non?*» Elle jouera donc en bobette toute la deuxième partie, avec ses beaux seins nus illuminant la scène très intime du Pont Tournant, à Belœil.

Alors, commence, pour moi, la vie rêvée. La première pièce, c'était assez merveilleux! T'as un auteur heureux, un metteur en scène heureux, une interprète heureuse! Un grand moment de création et d'amitié avec Danielle et la bande de jeunes qui se greffent au couple à la toute veille d'une grande crise.

* * *

Le party dure un bon bout de temps. La pièce marche bien. Elle se promène dans les cafés-théâtres, et aboutit à La Licorne. Et y a du monde! Mais après l'euphorie de la création commune, dans un couple dont la sexualité est fragile, tout peut basculer. On buvait trop, c'est certain. Mais, ça ne nous dérangeait pas, de boire, à l'époque… enfin… ça commençait à déranger.

Je me rend compte que je le désire de moins en moins. C'est devenu quelqu'un avec qui je travaille. Lui reste accroché. Je culpabilise, j'angoisse, je bois, je finis ça aux Ativan, parce que je n'ai plus envie de ça, plus envie de cette vie-là. Ce n'est plus un amant, je ne le désire plus, et j'en ai encore pour 6 ans! Parce que, étant un fanatique du couple, j'essaie malgré tout. Je reste avec lui malgré tout! Je fais du *patchage* à coup de voyages. Je lui trouve des contrats. Je pousse sa carrière. Vu son sens inné de la réplique, Filiatrault lui commande des dialogues et des chansons pour ses revues de fin d'année dans *Chez Denise*. Je fais tout pour que sa carrière fonctionne et qu'il fasse assez d'argent pour songer à partir sans que j'aie à le mettre à la porte… Si je fais bien ma job de Pygmalion, je culpabiliserai moins d'avoir embarqué ce petit gars-là dans l'univers de l'écriture.

En attendant ce jour, j'angoisse et je mélange pilules et gin tonic à un rythme suicidaire. À un point tel que, dans un élan de lucidité, je me traîne à une rencontre des Alcooliques Anonymes. Très efficace ! Je serai un an sans boire, de peur de vivre une seconde fois une soirée aussi déprimante !

* * *

Je promène Christian en province, j'anime des défilés de modes, Christian est *hot, hot, hot*, mais c'est vraiment l'envahissement total. Je suis toujours parti en tournée à Sept-îles, Sherbrooke ou Shawinigan, et je me fais régulièrement pogner les fesses par des *mononc'* paquetés dans les soirées dansantes où je suis le prix de présence… Ça n'aide pas un couple, ça non plus !

Alors, l'Auteur et moi, on s'est parlé, sérieusement. Faut prendre un peu de recul. « *Va-t-en, t'sé ! Fais quelque chose !* » Parfait, il est d'accord. Il part donc étudier à Paris, pour six mois. C'est juste assez longtemps…

Et, moi, j'ai comme une petite envie… Je n'ai jamais trompé les gars avec qui je vivais. Bon, c'est arrivé à l'occasion, mais c'était par accident ou alors tout à fait incontournable et j'aurais été bien fou de pas en profiter. Mais, à part ça, je suis un gars fidèle ! Mais je me dis : « *Bon, six mois dans ma vie… Quand on n'aime plus, est-ce que ça compte ?* » Et vient la grande question : doit-on en parler à l'autre ? Au fond, pourquoi pas ? « *Écoute, tu t'en vas de ton bord, moi, je reste ici… Si jamais quelque chose arrive, on s'en parle-tu ? On se le dit-tu ? On se le raconte-tu ? Tsé, ça peut ajouter du piquant aussi… !* »

29

Je veux briser le moule. J'étais la petite femme à la maison, au début, à Cowansville. Cloué au poêle à faire les repas avec ce qu'il y avait de meilleur pour mon chum. C'était bien plus important que d'aller jouer au théâtre! L'essentiel, c'était de réussir mon couple! J'étais devenu la reine du foyer sans que personne ne me l'ait demandé. Mais, là, je suis tanné.

* * *

Une fois le chum parti, je décide d'aller faire un petit tour dans le mythique parc Lafontaine, à deux pas de chez nous. Je n'ai jamais fait ce genre de truc. Moi, j'ai toujours été en couple, dès le départ, avec le premier gars. Je n'ai même pas eu le temps de cruiser dans les bars, de marcher la rue Sainte-Catherine en m'attardant devant les vitrines pour saisir un regard. Ce domaine un peu trouble du *cruisage* de rue et de la chasse dans les parcs, ça ne fait pas partie de ma culture.

Alors, je me retrouve – j'ai quoi, 45 ans? – ému comme un enfant d'école aux abords du grand parc. Je n'ai même pas le temps de marcher trois minutes, qu'arrive un grand jeune homme avec de beaux cheveux tout noirs sur les épaules. Moi, les longs cheveux sur les épaules… Ils pouvaient bien être laites, les gars, avoir deux nez dans la face, s'ils avaient de beaux cheveux longs… Alors, évidemment, je trouve le gars charmant, on se parle un peu et je l'invite chez nous. Je suis Christian, je suis connu, ça aide.

Sexuellement, je ne me souviens même pas de ce qui s'est passé, rien de spécial, faut croire, mais je lui parle, entre autres, de mon chum. J'avais le droit de parler de mon chum puisque j'en parlerais à mon chum! Alors, je lui montre des photos que j'ai prises de l'Auteur, de belles photos, une série de 8 x 10, assez bien réussies. L'aventure dure une petite semaine, gros max 15 jours, puis il repart et je n'ai plus de nouvelles de lui. Je retourne au parc Lafontaine, mais je ne le vois plus… Un entracte amusant, éphémère, sans conséquence.

Fidèle à notre entente, j'envoie une cassette à Paris où je raconte à l'Auteur ma petite incartade. Je reçois un long téléphone où il m'apprend avec force détails qu'il est tombé amoureux d'un Parisien hétéro et psy! Une histoire tellement romanesque – ils se laissent des messages sous les poubelles des Jardins du Luxembourg – que je comprends très très rapidement qu'il est en pleine fabulation. Juste une petite vengeance pour me rendre la pareille.

D'où, la question : « *Doit-on tout dire ?* » Maintenant, je ne dirai plus jamais rien! Je garderai ça dans mon jardin secret. C'est complètement ridicule, d'ailleurs, y a pas un être humain qui peut supporter ça. Visiblement, avec l'Auteur, c'est une erreur. Mais ça ne va pas tellement plus loin, on n'en reparle plus, ça meurt, c'est du moins ce que je crois…

* * *

Non, ça ne meurt pas! Mon Dieu, c'est même loin de mourir! L'Auteur revient de Paris au mois d'août. Moi, je fais Christian tout l'été, quatre soirs semaine, juin-juillet-août, à Grand-Mère où je vis à l'hôtel. Et je me fais réveiller, presque tous les matins du mois d'août, vers 5 h 15, par des appels anonymes. Je ne comprends pas, personne ne parle, la ligne fait *krrrrrrrrahhhhhhiiich* et puis on raccroche. C'est très désagréable!

Je rentre enfin à Montréal, la vie reprend avec l'Auteur, mais, entre nous, ça traîne de la patte… Je sens comme une amertume chez lui. Il n'a pas digéré mon petit flirt!

Les mois passent. Nous sommes en hiver. C'est une belle soirée, il tombe une petite neige dehors. Je me suis endormi très tôt, vers 10 heures. Et, tout à coup, à 2 heures du matin, je me fais réveiller par l'Auteur.

— *HHHHa! y a quelqu'un dans la maison!*

— *Quoi?*

— *Y a quelqu'un, chut! Y a quelqu'un dans la maison...*
As-tu... As-tu entendu la porte?

— *Hein?*

— *Crisse, faut qu'on aille voir...*

Il descend en vitesse. Bing! Bang! Clonk! La porte claque. Le voleur s'est sauvé? Y a plus un bruit. Courageusement, je descends. Mon chum est bouleversé! Il me pique une de ces crises d'angoisse! J'allume dans le salon... Le choc! Dans la grande pièce du bas, sur de longs fils tendus comme une corde à linge, sont épinglées les photos de l'Auteur, les fameux 8 x 10 que j'ai montrés à l'autre gars... sur toutes les photos, tous les yeux sont brûlés à la cigarette! J'ai peur, vous ne pouvez pas savoir comment! Pis l'autre, il a encore plus peur que moi!

— *Ça ne peut être que lui!*

— *Lui qui?*

— *Bin! Ton score du parc Lafontaine! Tu y avais pas donné ta clé, toi, à ce gars-là?*

Est-ce que j'ai donné ma clé, moi, à ce gars-là? Écoute, je suis tout mêlé! Je suis devant cette aberration et je trouve ça abominable! En même temps... J'ai comme un gros doute! Mais, ça se peut tellement pas que mon chum m'ait fait ça! Ça se peut pas qu'entre 10 heures et deux heures du matin, il soit descendu, ait brûlé ses propres photos et les ait accrochées artistiquement... Ça se peut pas!!!

Sauf, qu'au moment où je suis à me demander si, justement, ça ne se pourrait pas – parce qu'il a parfois des idées bizarres, l'Auteur – je reviens vers l'entrée et je jette un coup d'œil par la fenêtre. Je n'ai pas remarqué tantôt, mais, maintenant que je connais l'histoire, je vois bien qu'il n'y a pas de traces, pas de pas dans la neige. Plus de doute, c'est lui! Lui qui a fait tout ça! Je vis avec... un fou! J'AI PEUR!

J'aurai l'ultime preuve de sa folie en vérifiant, quelques jours plus tard, les comptes de téléphone des derniers mois.

Y sont inscrits – à son numéro à lui, sauf que c'est moi qui paie les factures – tous les appels que j'ai reçus la nuit, au mois d'août, à l'auberge de Grand-Mère! Alors, j'ai tout compris!

Mais, allez donc savoir pourquoi j'ai continué à vivre avec lui encore un long bout de temps. J'ai balayé ça de ma vie, je n'ai pas voulu voir, je n'ai pas voulu croire... C'est en le racontant ici, c'est en me remémorant les moindres détails que je réalise la folie de ces années-là. Ce qui survit, avec l'Auteur, c'est la relation de travail. Autrement, pour moi, c'est fini!

* * *

Je suis tanné de Christian. Les shows, les lancements, les défilés, les tournées, les *mononc'* lubriques, je ne suis plus capable! Je laisse donc tomber. Et, là... là, on boit! Mais, ON BOIT!

Je me retrouve, un soir, sous ma bonne vieille table, saoul mort. Je jette un regard glauque sur le monde cruel et me dis calmement: « *C'est le temps de tirer la plogue!* » Un téléphone passant par là, je me ravise. « *Ah, non... Kin, j'vais appeler la psychiatre à la place...!* »

Heureusement pour moi qu'il y a à l'époque une psychiatre vedette qui reçoit du bien beau monde! Tout ce qu'il y avait comme chanteuses un peu intellectuelles et songées se retrouvaient chez elle. À un point tel que je lui ai dit: « *Qu'est-ce que vous attendez pour monter une comédie musicale? Je vais vous faire la mise en scène!* » J'ai passé des moments exceptionnels avec cette femme. Ça a duré quatre ans, mais j'ai appris! Si je suis fou, je sais pourquoi!

* * *

Après la période Christian, je commande une pièce à l'Auteur, dans laquelle je jouerais un personnage haut en couleur : ma mère ! Le Théâtre Malenfant, une troupe d'anciens élèves du Cégep avec laquelle je me suis embarqué à Terrebonne, est intéressé. L'Auteur connaît le personnage, il me connaît bien, moi aussi. L'écriture va bon train, mais je me retrouve alors avec tous les chapeaux : celui du metteur en scène, celui du chum de l'auteur, celui du père de l'auteur, celui de l'acteur principal, celui de la mère de tout ce beau monde et, surtout, celui de la vedette qui doit remplir, tous les soirs, ce petit théâtre de 130 places. S'il y a 129 entrées, je fais une crise d'angoisse parce que je n'ai pas fait ma job de vedette. Et je traîne ça à la maison et ça devient infernal... D'autant plus que tous les soirs, avant d'aller jouer, je me tape un demi-litre de vin blanc, assaisonné de quelques Ativan, et j'arrive paniqué au petit théâtre Malenfant, à Terrebonne, pour jouer ma mèèèèère !

Remarquez, j'ai des problèmes à régler avec ma mère. Pas des comptes, juste des problèmes et c'est ma psy qui s'en occupe, mais je me suis servi de tout ça pour alimenter l'Auteur et nourrir le personnage.

Ma mère était une personne drôle, elle n'avait pas toujours le sens de l'humour, mais elle était drôle, ce qu'elle faisait était drôle. Elle marchait sur la rue Saint-André, en pleine forme, et il suffisait qu'elle entre chez moi et aperçoive ma belle-mère – la mère de mon chum qu'elle détestait cordialement – pour qu'elle écrase dans l'escalier et perde un peu connaissance, juste assez pour qu'on s'occupe d'elle ! Remise de son émoi, elle prenait alors un malin plaisir à faire l'inventaire de mes biens en lançant d'une voix claire, étonnamment forte pour qui sortait de l'agonie : « *La lampe antique, ici, là... C'est bien à toi, ça, mon homme ?* »

C'était un si beau personnage, ma mère ! Cette femme-là voulait devenir chanteuse, mais elle était comme moi, elle dépensait toutes les paies de Pôpa pour s'acheter des bibelots et changer son décor... Bien sûr, en créant le personnage j'ai outrepassé le réel, tant dans le geste que dans l'intention. C'est tout le problème de l'auteur, d'ailleurs, l'ampleur du geste, son décodage. C'est aussi un problème d'acteur. Jusqu'où pousser le trait sans caricaturer et jusqu'où être vrai, sans trahir.

Je dois me résoudre à prévenir ma mère et, pire encore, à l'inviter à venir voir le show. Rien qu'à l'idée…

— *On est en train de faire une comédie sur vous…*

— *Qu'est-ce que vous faites là, mes bonyennes?*

J' ai le culot d'inviter cette femme-là à venir se voir, en public. À venir se faire dire, par son fils, ses quatre vérités en pleine face, devant 129 personnes! T'as beau te dire que c'est un personnage pis que c'est du théâtre…

Je m'octroie 10 jours de représentation, pour posséder le rôle et être certain de ne pas avoir le trac. Puis, le onzième soir – c'est un théâtre de 15 rangées, 130 places – je la fais mettre à la 10e rangée. Question de ne pas la voir, parce que je sais qu'elle réagit beaucoup quand elle vient au théâtre. Elle veut que les gens autour d'elle sachent bien que c'est son fils qui est là, sur la scène. Elle a toujours fait ça. Elle est donc à la 10e rangée, tout à côté de la porte qui donne sur le hall d'entrée.

Durant toute la première partie, ça va, j'entends quelques soupirs… Sur scène, je fouille dans tous mes piluliers et je raconte avec fierté que, moi, Béatrice Robidas, je prends 289 pilules par mois. Évidemment, il y a le faux évanouissement où je traverse la scène, mes jambes me lâchent, je défaille et fait mine de tomber, je m'accroche au comptoir du snack-bar et le public rit… Je ne sais pas comment elle prend ça, pour l'instant.

Le premier acte se termine et mon assistante, qui est dans la salle, me raconte plus tard que dès le tomber de rideau, dès qu'on allume en salle, ma mère se précipite vers la sortie. Première devant la porte, elle fait semblant de choir, comme je l'ai fait sur scène quelques minutes plus tôt. Tous les gens qui attendent debout derrière elle, tous les gens qui sortent pour l'entracte la voient faire…

On la ramasse un peu, on lui ouvre la porte, elle entre dans le hall et se dirige d'un pas ferme vers le mur d'en face où il y a l'affiche de la production qui me représente, déguisé en elle jouant dans des pots de pilules. Elle fonce vers l'affiche, l'étudie soigneusement et se retourne avec grâce devant la centaine de personnes qui débouchent alors dans le hall et la regardent, intrigués… *« Y a bien menti! C'est pas 289 pilules que je prends dans le mois, c'est 392! »* Et, là, elle devient la vedette!

Puis, vient la deuxième partie, pendant laquelle la femme de l'histoire est séquestrée chez elle par ses enfants, pour garder le dépanneur. Un soir, elle décide d'aller quand même à une épluchette de blé d'Inde. Elle met tous ses atours, elle sort sa robe-cocktail retaillée dans sa robe de noces, dans des tons de bleu avec de la dentelle. Elle a un beau petit chapeau. Elle est debout dans l'escalier, elle revient de l'épluchette et parle de son passé sur une musique à la *Gone with the wind*. Et, tout à coup, dans un grand silence, j'entends ma mère qui crie de la salle: *« Coudon, c'est ma robe de noces, ça! Y est-tu allé chercher ça dans mon coffre en cèdre? »*

L'odeur de cèdre… Premier souvenir olfactif, le visage plongé dans le grand coffre au pied du lit de ma mère. C'est sa première folie de femme mariée, achetée à crédit chez Woodhouse à raison d'un dollar par semaine. C'est sa fierté.

Mais, elle n'a jamais eu l'ombre d'une robe qui ressemblait à ça!

* * *

Moi qui ai mis fin à Christian précisément pour redevenir acteur, dans tout le sens du terme, ce soir-là je découvre que les gens, dans la salle, c'est Christian qu'ils viennent voir! C'est Christian déguisé en femme! *« Ah, souffrance! »* que j'entends… *« Souffrance, qu'y est drôle! »* Moi, l'Acteur, l'acteur sérieux du Rideau Vert, du TNM, de la NCT et tout ça, j'étais devenu, à mon corps défendant, un véritable artiste de variétés ! Et c'est sur scène que je vis ça ! Les *madames* n'écoutent même pas, elles attendent le prochain *number* de Christian déguisé en femme, avec sa petite voilette et ses talons cubains... Pendant la partie *Gone with the Wind*, le monde est mort de rire ! Ça non plus, ça aide pas l'angoisse !

Tu regardes le monde de la première rangée. C'est évident, ils ne comprennent rien. Et, toi, t'as juste le goût de vomir. Tu te dis : « *Je peux quand même pas leur renvoyer dans la face !* » Mais la brave Louise Bourque vient à la rescousse. Elle n'a pas à être là, parce que sa mère parle dans son dos durant ce monologue. Alors, Louise fait semblant qu'elle n'entend rien pendant qu'elle me masse les épaules, parce que j'angoisse, j'angoisse, j'angoisse...

Jusqu'au soir où je suis sorti de scène pour aller vomir mon âme dans d'affreuses douleurs, derrière le théâtre. On m'a transporté au CLSC de Terrebonne. Pour tout le monde, moi y compris, je fais une crise cardiaque ! Au CLSC, ça dépasse leur entendement, ils n'ont pas les machines dernier cri. Je pars en ambulance pour l'Hôtel-Dieu de Montréal. Robert Marien me tient la main tout au long du trajet.

J'arrive à l'Hôtel-Dieu, on me branche sur des machines, des trucs et des machins, sur des moniteurs avec le *beep hummm, beep humm, beep huum*, de mes fonctions vitales. J'ai tout ça tout autour de moi, je suis branché de partout, y a plein de beau monde sur mon cas... Je passe toute la batterie de tests et les médecins ne trouvent rien ! Le diagnostic pointe de plus en plus vers la crise d'angoisse. Carabinée, certes, mais crise d'angoisse tout de même. Pas mon pauvre petit cœur !

Comme je suis branché, je prends du mieux ! On s'occupe de moi ! Il y a des médecins, des gardes malades, des infirmiers, qui me rentrent des affaires un peu partout… Moi, je suis heureux, puisqu'on s'occupe de moi ! Comme ma vraie mère !

La crise d'angoisse s'estompe. Il est deux heures du matin et j'ai le goût de fumer une bonne cigarette pour me remettre de tout ça ! Alors, je me débranche et je sors dans le corridor pour m'en griller une. Soudain, toute une armée d'infirmiers débarquent au pas de course du fond du corridor en poussant une civière. Ils ont eu le code 92 ou j'sais pas quoi, parce que je suis mort ! Je suis tout simplement mort et, là, il faut qu'ils viennent me ranimer.

« *Monsieur Montmorency, faites-nous plus jamais ça !* » Il est bleu marine, l'interne de service ! Je comprends que c'est traumatisant pour eux. Je demande pardon, ils me rebranchent et les heures passent. À cinq heures du matin, je ne dors toujours pas. J'ai hâte de rentrer chez moi. Je décide donc d'aller fumer une autre petite cigarette. Je me redébranche… et, là, ils m'ont mis à la porte !

Quinze ans plus tard, j'ai besoin d'un conseil médical pour une mise en scène. Un des personnages de *Tricotée serrée* de Michel Duchesne, joué par Raymond Cloutier, fait une crise cardiaque et j'ai vraiment besoin de savoir comment ça se passe. « *Appelle donc Maisonneuve-Rosemont.* » J'appelle à Maisonneuve-Rosemont, on me passe le médecin-chef en cardio : « *Vous ne vous souvenez pas de moi ?* » C'est le beau petit interne qui courait à mon secours dans les couloirs de l'Hôtel-Dieu !

* * *

Je n'ai pas repris le rôle de ma mère après cette fausse alarme. On m'a remplacé au théâtre. Puis, a suivi un long trou d'un an. Ce qui ne facilite en rien la vie du couple ! Pour survivre, je commande à l'Auteur une dernière pièce qui sera un four. C'est très, très, très *heavy* comme pièce…

Écoutez, je vais vous faire un aveu, cette dernière pièce-là, je l'ai montée saoûl, je l'ai vue saoûl tous les soirs, je ne sais même pas si c'était bon! Je trouvais que ça frôlait le chef-d'œuvre, puis je braillais. Tous les soirs! Caché au balcon du Quat'sous, surplombant la vingtaine de spectateurs qui restaient de glace, je braillais.

À la scène comme à la ville, je traîne mes malheurs de couple. C'est épouvantable! L'Auteur est devenu mon fils! Un fils, tu baises pas ça! Même le travail se déglingue. Et je découvre, finalement, que ce que j'avais à lui apporter, comme être humain et comme artiste, ça y est, on a fait le tour! Mais je ne sais pas rompre! J'ai tellement pris de responsabilités avec ce gars-là, je l'ai tellement *coaché*, j'ai tellement soutenu l'écrivain que je me sens une vraie responsabilité de père. Un amant, tu le câlisses dehors, mais ton fils?

Puis, l'Auteur s'est arrêté d'écrire. Puis, l'alcool a eu le dessus…

Et j'ai suivi…

* * *

J'ai failli perdre la maison. Car une fois Christian terminé, tous les beaux petits cachets des défilés de mode, des *one man show*, c'est terminé itou. Ce qui ne change rien à mon train de vie puisque que, pour l'Auteur, une journée sans resto est une journée perdue. J'écume donc avec lui tous les restaurants de Montréal et on s'abreuve solide! Avant, pendant, après. J'ai dépensé une fortune à traîner mon Auteur avec qui ça va très sérieusement mal, d'ailleurs. Justement parce que je commence à manquer d'argent. « *Bon, c'est fini, les restaurants!* » Il me fait la grande crise, lui qui passe ses longues journées, enfermé dans un bureau, à suer sang et eau – sans écrire une maudite ligne – sur son prochain chef-d'œuvre! On est repartis au restaurant…

Je risque de perdre la maison. À l'époque – la loi a changé depuis – tu pouvais toucher immédiatement ton fonds de pension de l'Union des Artistes si tu sortais du syndicat. Depuis, ils imposent un délai d'un an. J'ai décidé de profiter de l'occasion et, en sortant de l'Union, j'ai touché 35 000 $.

Mais, il faut que je travaille, moi. Il faut que je revienne à l'Union, sinon je n'ai pas le droit de faire de la pub ni du doublage, les vaches à lait de l'acteur. Il faut un minimum de 30 permis par année pour rentrer à l'Union. Alors, là, vous ne pouvez pas savoir. Là, je les ai fourrés d'aplomb!

Aujourd'hui, ils ne peuvent plus poursuivre, j'espère, il doit bien y avoir prescription! Mais, j'ai littéralement inventé plein d'émissions et inscrit tous les talk-shows, même ça ne me donnait pas de permis car je n'y allais pas pour jouer, je ne faisais pas mon métier d'acteur! J'ai réussi, en moins de 2 mois, à réintégrer l'Union en faisant toutes sortes de bricoles et d'émissions bidons. La petite nouvelle à la caisse de l'Union, elle m'aimait tellement qu'elle m'aurait donné un permis juste pour visiter Radio-Canada!

Le 35 000 $ couvrant les dettes, je n'ai plus une cenne! Et, je ne m'attends pas à ce qu'on m'offre un grand rôle comme Christian demain matin.

* * *

Heureusement, je vais jouer à Ottawa pour André Brassard dans une pièce de Feydeau, *Le Ruban*, où je décroche le prix du meilleur acteur, octroyé par les abonnés du CNA. Ça rassure. De retour à Montréal, je reçois le coup de fil d'un metteur en scène de bonne réputation qui monte une revue à Québec. «*Pourquoi tu prends pas Montmorency?*» lui avait dit Brassard. Je m'en vais donc à Québec faire cette revue qui est plate à chier, mais le metteur en scène me découvre – c'est la toute première fois qu'il travaille avec moi – et, miracle, m'offre *Le Bourgeois gentilhomme!*

Je suis fou de joie, c'est le rêve de ma vie ! Depuis le jour de mes 15 ans, où j'ai vu Louis Seignier de la Comédie Française, et cette merveilleuse comédienne dont j'oublie le nom, dans la grande scène du rire de Nicole, la grosse soubrette, avec ses tétons trémulant sur le bord du fauteuil… Et on m'offre cette pièce ! Mais, là, pour *Le Bourgeois*, va falloir être sérieux ! Va falloir que je travaille ! Je ne boirai pas, c'est sûr ! Plus de boisson, plus de pilule ! Et, c'est ce qui m'a sauvé la vie.

Je m'exile à Québec. Le couple touche à sa fin, parce que, évidemment, pendant les deux mois idylliques que je vis avec *Le Bourgeois*, à préparer mon rôle, à travailler le matin, à marcher dans la vieille ville, à penser à autre chose qu'à mes problèmes de couple, je tombe en amour ! Il faut que j'aie un phare, dans cette distribution, un regard pour qui jouer, pour partager la joie. Et, je tombe en amour avec un des danseurs de la troupe.

* * *

Je tombe amoureux le soir de la première lecture, au Trident, en décembre – il est arrivé en retard – mais je ne déclare ma flamme qu'à la dernière, en février. On se quitte en rêvant de l'île d'Orléans où Paul Hébert reprend *Le Bourgeois* tout l'été.

Je reviens rue Saint-André où je vis, dans l'attente, trois mois d'enfer avec l'Auteur. Trois mois où je fuis tout le temps, tout le temps, tout le temps. Je raconte n'importe quoi. Je ne parle surtout pas du danseur. Tous les prétextes sont bons pour descendre à Québec, retrouver mon danseur au Graffiti, sur la rue Laurier. Vient enfin la reprise, je repars à Québec, mon amour décuple… et je deviens lyrique ! Ah, tiens, je recommence à écrire ! Ma psychanalyse est terminée, il me faut un autre exutoire.

J'habite rue Couillard, dans la maison d'un écrivain, juste à côté d'un petit café où je m'attable tous les jours pour épancher mes flots d'amour. J'écris à mon danseur des lettres, des poèmes, des hymnes et des odes… J'écris un long récit de 80 torrides pages où je crie mon amour à ce pauvre danseur. Je vis mon Bourgeois gentilhomme, maladroit de candeur et de passion brouillonne.

L'avant-dernier week-end, nous partons tous les deux à Cape Cod. Je vais pouvoir reboire, avec lui, les dry martini que j'allais boire à chaque fois que j'avais un nouveau chum. Je l'amène donc à Dennys Port où on servait, à l'époque, des dry martini avec d'énormes olives – j'ai fait neuf heures d'auto, moi, pour ces olives-là! Les olives sont bien au rendez-vous, mais rien d'autre, hélas. Il ne se passera rien! Je grignote mes olives, le beau rêve est fini.

* * *

Tous mes voyages – sauf en Europe, évidemment, parce que là-bas ils ne connaissent pas –, toutes mes incursions dans toutes les villes américaines, Boston, New York ou Dennys Port, tous mes parcours sont jalonnés de dry martini avec des olives plus ou moins grosses, dans des verres plus ou moins grands, avec des pieds de toutes les couleurs.

Au Blue Tide de Dennys Port, où tout était bleu, les dry martini, témoins de mes histoires d'amour, étaient servis dans une vasque dotée d'un pied bleu nuit, avec une majestueuse olive! J'avais amplement le temps de goûter très longuement l'olive – probablement macérée toute la nuit dans une solution de gin – avant de prendre la première vraie gorgée… je pourrais écrire un traité sur le dry martini.

De retour à Québec – où je recommence à boire en me persuadant que je saurai me limiter au dry martini de 5 heures –, je reprends mes habitudes au Graffiti. Chaque fois, je gueule après les garçons et le barman: «*Haaaaa! mon Dieu que vous êtes Européens! Vous savez tellement pas faire le dry martini, vous autres! Vous mettez beaucoup trop de vermouth!*»

Alors, un jour, on m'apporte un dry martini parfait. Et, comme les garçons étaient tannés de m'entendre parler des olives, ils me décorent le tout d'une brochette d'olives. Écoutez, ce dry martini-là, c'est le meilleur que j'ai bu dans ma vie! J'avais enfin un port d'attache, moins loin que Boston ou Dennys Port, je pouvais aller à Québec boire un dry martini enfin digne de ce nom! Et puis, quel beau prétexte pour revoir, une fois de temps en temps, mon intouchable danseur...

Plusieurs mois plus tard, par un après-midi gris où j'attends l'Adonis, ma place au Graffiti est prise. J'avais une petite table, pour moi tout seul, près de la porte où, sans que j'aie à demander, on m'apportait ce divin dry martini. Mais, là, pas de chance. Donc, on m'installe juste à côté du bar. Le barman me salue d'un grand sourire, prend un verre, y jette de la glace, remplit de gin, y pose trois olives en brochette et met ça devant moi.

— *Bin, là! Exagérez pas! Faudrait peut-être penser à mettre le vermouth!*

— *C'est depuis qu'on n'en met plus, monsieur Montmorency, qu'on est tranquilles avec vous!*

Ça fait des mois que je tinke au dry gin sans le savoir!

* * *

Je rentre rue Saint-André, mon long récit en main. Je retrouve l'Auteur que je n'aime plus! C'est complètement sorti de ma vie, tout ça! J'ai redécouvert la passion! La passion amoureuse, la passion du théâtre et de l'écriture. Le plaisir de brailler tout seul, le matin, parce que je suis merveilleusement malheureux en amour... de triompher enfin comme acteur, parce qu'on a repris le show et que c'est le gros *hit*!

Je reviens donc au bercail, avec mon long récit de 80 pages, et j'avoue à mon chum, l'Auteur qui, lui, en principe, m'aime encore bin gros: «*Faut que je te lise quelque chose...*

j'ai écrit une grande lettre d'amour… Pour la première fois de ma vie! » J'espère – illusion – recréer un petit lien, partager l'émotion, vibrer ensemble, au moins… Sauf que la lettre, c'est pas à lui qu'elle s'adresse! Que veux-tu que je te dise, un long poème de 80 pages où tu dis à quel point l'autre est beau et fin, où tu racontes tous tes fantasmes, où tu fais l'éloge de son anus étoilé – que t'as jamais vu, d'ailleurs… T'es sérieusement parti, là! Et la poésie *flye* pas à peu près!

Je suis de retour à Montréal, je veux lui lire ça à l'Auteur! Je veux partager. C'est épouvantable! Il est malheureux comme les pierres et c'est la rupture! Nous faisons chambre à part, ça devient invivable. Il faudrait que je lui dise que c'est fini, là. Mais, je n'ai pas le courage de le mettre à la porte! Pour simplifier les choses, je décide de vendre la maison.

L'Auteur, je l'ai entretenu pendant 8 ans. Il n'a jamais mis une cenne dans cette maison-là, je ne lui dois rien, mais je suis incapable de l'envoyer tout nu dans la rue, alors, je lui dis: «*Écoute, c'est décidé, moi, je vends la maison. On se sépare, mais je vais te donner 10 % de ce que la maison va rapporter.* »

* * *

Peu de temps après la lecture fatale, je vais voir ma voisine d'en face, la courtière immobilière dont le chien sanguinaire m'a croqué le mollet. J'ai payé, souvenez-vous, 18 000 $, et je demande, neuf ans plus tard, 144 000 $. Elle arrive avec son affiche «Maison à vendre» qu'elle accroche au balcon. Dix minutes plus tard, on sonne à la porte, c'est la voisine de biais qui entre en déclarant: «*Je veux votre maison!* »

C'est une Belge, la dame, et ça fait des années qu'elle rêve de ma maison. Elle ne négocie pas, elle accepte tout de suite de payer les 144 000 $ demandés! Je m'attendais à vendre autour de 133 000 $, au mieux 135 000 $. «*Je me suis toujours dit que le jour où monsieur Montmorency vend sa maison, moi, je lui donne le prix qu'il veut! Savez-vous?»* En moins de 15 minutes, le tout est réglé! Ça vient de me coûter combien? C'est quoi la commission sur 144 000$?

Mais la dame Belge, elle veut que je décrisse vite fait. Je repars donc avec la femme d'en face, la courtière au chien mordeur, pour me trouver une nouvelle maison. Elle a quelque chose, rue Montcalm. Le gars demande 102 000$, je paierai 97 500$, ça valait 60 000$, lui a payé 54 000$, vous voyez le genre? Comme je voulais sacrer mon camp de la rue Saint-André, j'ai signé, j'ai payé et je me suis embarqué, mais ça, c'est une autre histoire…

Rue Saint-André, c'est le bout pénible, la maison est vendue, il faut que les affaires sortent… Je donne les disques à l'Auteur, je garde les CD… Je lui remets 12 000$ sur les profits de la vente et il sort de ma vie.

* * *

Mais j'ai oublié de vous raconter quelque chose de très, très important : le jardin! Quand j'ai quitté la ferme de Cowansville, vous comprenez bien qu'il me fallait un jardin! Fallait au moins que j'aie un bout de terrain avec un arbre et quelques fleurs! Sur ce petit terrain de 20' x 24', embryon de tous mes jardins, j'ai planté un marronnier dès mon arrivée. Je voulais un gros arbre tout comme à Cowansville, où un énorme érable ombrageait la colline. Un érable, ça prend trop de temps à pousser. Mais, un beau marronnier, en dix ans, ça grimpe vite. Pour lui donner de l'espace, j'ai fait abattre les hangars… Oh, mon Dieu, vous auriez dû voir, en arrière des hangars!

* * *

M'est alors apparue la faune de la ruelle, jusque-là ignorée. Il y avait, entre autres, un monsieur qui habitait juste de l'autre côté. Un gars assez particulier, célibataire, un vieux grigou. La maison lui appartenait, il vivait au deuxième étage et n'avait pas loué le rez-de-chaussée depuis au moins 10 ans. Toutes sortes de légendes couraient sur son compte. Les enfants le disaient méchant et mieux valait ne pas frapper à sa porte. De toute façon, il ne répondait pas. Il me parlait de temps en temps… Un petit bonjour, sans plus.

Puis, il y avait la voisine d'à côté, la grosse Cécile sur son balcon, la voisine potineuse qu'on a tous eue, mythomane sur les bords – le genre qui te raconte qu'elle a gagné 500 000 $ à la Loto mais que le chèque s'est perdu dans la malle. Selon elle, le vieux grigou n'avait, de sa vie, jamais mangé autre chose que des hot dogs et il laissait s'accumuler, dans son rez-de-chaussée pas loué où il ne pénétrait jamais, les tracts et dépliants livrés régulièrement via le petit guichet de la porte d'entrée.

Eh! bien, le monsieur est mort et elle avait dit vrai, la Cécile! C'était plein, plein, plein de dépliants en bas… Et il y avait, en haut, des poubelles pleines de sacs de pains à hot dog, pleines de pellicules de cellophane comme celles qui entourent les saucisses…

Et, mon Dieu! J'allais l'oublier, celui-là! Il y avait le monsieur exterminateur de pigeons! Il s'y est pris à 4 reprises pour vider mon hangar. Il posait sa grande cage et revenait deux jours plus tard récolter les pigeons prisonniers. Les trois derniers, des trop fins pour se laisser prendre, il les a tirés au douze! En pleine ville! « *Vous en faites quoi, des pigeons capturés ?* » que je lui demande, soudain inquiet. « *Bin, on les mange, c't'affaire!* »

* * *

J'ai cru pendant des années être le p'tit gars de la ville en quête des hangars si poétiques de son enfance. C'est 25 ans plus tard que je découvrirai que, les hangars, je suis plus capable! Maintenant, j'ai besoin d'ouverture, de liberté. Mais, à l'époque… Né dans la ruelle, je détestais franchement la campagne. Il y a eu Cowansville, mais c'était pas la mer…

Et la campagne sans la mer me rappelait trop le camp de santé Bruchesi. J'avais la grande chance d'avoir une tante qui était morte de tuberculose. On m'a donc envoyé, quand j'étais tout petit, gratis, deux ans de suite, au Camp du Lac l'Achigan. Deux mois perdu dans la marmaille, deux mois sans voir mes parents. Je braillais tout le temps et je faisais pipi au lit… Je m'enfermais sous mes couvertures, le soir, et j'étais malheureux à mourir! Alors, pour moi, la campagne, c'est mon plus mauvais souvenir d'enfant. J'ai compris, depuis, que c'est autre chose, la campagne, la vraie, la grande, pas la prison d'enfance ni le nid à touristes. Elle est au Lac-Saint-Jean, sur la Côte-Nord, en Gaspésie…

Pour l'instant, je quittais sans regret, ou presque, mes vieux hangars, mon marronnier, mes voisins délicieusement bizarres, mes lilas japonais et le mur arrière de la cuisine ouvert à coup de masse, trois semaines avant la vente, sur la nouvelle terrasse…

Je m'étais amusé, dès la rue Saint-André, à faire un fou de moi, et je n'allais certes pas m'arrêter maintenant!

Troisième maison
2070 Montcalm

Montréal, octobre 1987

Je retourne dans le quartier de ma naissance. Je trouve ça plutôt amusant d'aller revivre dans ce coin-là. D'autant plus que, rue Montcalm au nord d'Ontario, ce ne sont que de nouvelles maisons, construites après *Septembre Rouge*, le gros incendie qui a failli raser tout le voisinage.

Juste en face du 2070, mon nouveau chez moi, il y a un beau grand parc avec un marronnier tout cuivré d'automne.

Et dès sept heures du matin, y a des restants de travestis, voguant sur des restants de nuit, qui font du pouce au coin de ma rue... C'est pas Westmount, c'est Amsterdam !

La maison est toute en hauteur, sur 3 étages, et sur le toit il y a une terrasse à laquelle j'ai accès par l'arrière et où on peut faire un mini-jardin suspendu, plus une cour arrière où, là aussi, un jardin est prévu.

Moi, je suis au 3ᵉ. L'escalier monte jusqu'au 2ᵉ dans une espèce de petit vestibule que je rêve de défoncer, dès la première semaine, pour envahir Grégoire, mon voisin du dessous. Et quand Grégoire partira, je compte bien lui acheter son étage et, en plus, mettre le gars du rez-de-chaussée dehors pour faire de son logement un immense jardin d'hiver.

* * *

Je ne sais pas si l'architecte ou le contracteur ont manqué de matériaux, mais c'était un peu spécial comme appartement... Dans le vestibule, s'ouvrent deux portes, une qui entre directement chez Grégoire et l'autre qui monte chez moi. En arrivant en haut, droit devant, il y a le salon creusé comme une piscine entièrement ceinturé de 2 marches. Dès la première visite, avant même de faire l'offre d'achat, j'ai tout de suite vu, contre le mur du fond, mon beau grand meuble noir, fait sur mesure après le feu avec l'argent des assurances, où sont encastrés télé, système de son, disques, CD, beaux livres... et, dans le creux de la piscine, un grand matelas de *airfoam*, joliment recouvert de cuirette et entouré de 42 000 coussins. Un « baisodrome » exceptionnel!

En remontant du salon, pour aller vers la salle à dîner et la chambre, il y a deux autres marches à monter. Faut pas trop boire, ça devient vite dangereux...

Dans la chambre, j'ai un grand lit, mais pas de tête de lit. C'est simple, c'est zen, minimaliste. Pour le reste, je mets mes démons en veilleuse, je n'ai pas une cenne à mettre là-dessus, mes coussins m'ont coûté une fortune et il se passe autre chose dans ma vie.

* * *

Je commence à vivre seul. Sûr, ça va être la catastrophe! J'ai toujours cru ça. Mon besoin obsessif de réussir le couple, ma difficulté à rompre, c'est ça. C'est la peur de la solitude. Et, j'ai eu besoin du 2070 Montcalm pour pouvoir, tous les jours, me dire : « *Ben, voyons donc, me semble que, finalement, j'aime ça, être tout seul!* »

J'en profite pour partir à la découverte du parc Lafontaine. J'avais eu un petit avant-goût, quand l'Auteur était à Paris, mais là, je rattrape le temps perdu, le couraillage de jeunesse que je n'ai jamais connu. Enfin célibataire, je décide de m'envoyer en l'air! Les danseurs, la Boîte en Haut, les bars du Village, la *cruise* rue Sainte-Catherine et, surtout, les bosquets du parc Lafontaine, célébrés par Michel Tremblay.

Je suis donc allé voir – je suis d'abord voyeur – ce haut lieu de luxure. Première déception, les bosquets n'existaient plus mais j'ai rencontré beaucoup de monde que je ramenais chez moi. Ça coûtait à peu près 30 $, à l'époque. J'ai bien essayé autre chose, mais... Tu emmènes quelqu'un que tu trouves bien mignon au restaurant, tu lui fais la cour toute la soirée, ça te coûte au moins 100 $ avec le vin, tu le ramènes chez toi et, au moment de passer aux choses sérieuses, il te regarde d'un air angélique et te dit : « *Je ne sais pas si Jésus voudrait...* » Crisse! Un *Jesus Freak*!

Aussi bien d'aller marcher tranquillement au parc Lafontaine! Tu accostes un gars, il te regarde et sait exactement pourquoi tu es là, pis... on niaise pas!

Sauf que moi, je ne suis pas capable! J'ai un côté féminin très, très, très fort quand vient le temps de faire l'amour. Quand les femmes parlent de ça, moi, je comprends. Faut que j'aime, moi. Faut que je sois attiré autrement. Faut qu'il y ait quelque chose... intellectuellement!

J'allais donc faire mon tour vers les cinq heures de l'après-midi, à l'heure où tout le monde commençait à avoir faim. Je ramenais les gars chez nous, on prenait l'apéritif et je leur servais un plat tout à fait infaillible pour les rendre heureux, à savoir, mon légendaire pain de viande aux épinards de Sœur Angèle. Merci Sœur Angèle d'avoir participé à mes ébats sans votre consentement.

* * *

Je ne vous raconterai pas tous les gars – enfin, *tous les gars*, je ne veux pas passer pour un satyre, j'en ai peut-être vu 6 ou 7 en tout – et je ne vous conterai pas la baise non plus, parce que je n'en ai aucun souvenir! Ce dont je me rappelle, c'est la rencontre. Quand ils sont arrivés. De quoi on a parlé. Ce qu'ils faisaient dans la vie…

Mais, il y en a un que je ne risque pas d'oublier. Un jour, je m'en vais au parc Lafontaine et je vois arriver devant moi un grand gars avec des looooongs cheveux noirs sur les épaules… Comme vous savez, moi les longs cheveux… Je tombe, évidemment, sous le charme. Je l'invite donc à la maison. La première chose qu'il voit, en entrant, c'est le divan dans sa piscine avec les 42 000 coussins et la grande bibliothèque où trône la télé. Alors, là, il s'écrase et commence à pitonner… Bon, c'est un contemplatif.

Je prépare un petit dry martini, je sers le dry martini, m'assois à côté de lui et le laisse s'acclimater avant d'amorcer… Soudain, il lâche la télé, me regarde dans les yeux et me dit: «*Mon Christian! T'as l'air d'un gars correct. Faut que tu saches quelque chose.*» Il sort son *wallet*, ouvre son *wallet*, me montre une carte avec sa photo… Je ne vois pas trop, j'approche… «*Ouin, ouin, j'chu en libération conditionnelle…*» Oh, Seigneur!

Moi, je suis un peureux pour ces affaires-là. Tout de suite, je me dis: «*Va falloir que je pisse drette!*» On ne sais jamais! Je ne sais pas pourquoi il est allé en dedans ce gars-là! Alors, inspiré, je lance: «*Ah, c'est extraordinaire! Tu sais quoi? Les plus beaux souvenirs que j'ai des gars rencontrés au parc Lafontaine, bin c'est tous des gars qui étaient en libération conditionnelle!*» Lui, il se gonfle l'ego… Il ne fera pas honte aux autres, comprenez-vous? Déjà, ça part le truc…

Il y a quelques préliminaires pendant qu'on regarde un film de cul, et, tout à coup, il arrête les préliminaires, me lance un long regard langoureux, puis, ramène la tête vers l'avant et me dit, très sérieux: «*Mon Christian, j'ai quelque chose de ben important à te dire… Moi, tu comprends, je veux rentrer dans le droit chemin… Moi, ce que j'ai besoin de trouver dans la vie, c'est un monsieur d'à peu près 45-48 ans… qui est à l'aise financièrement… qui a un beau petit appartement… Pis* *que, moi, je pourrais être dans sa vie… Je pourrais faire le ménage, puis aller faire les courses… Là, là, il me donnerait 65 $ par semaine, pis je serais un gars heureux!* » Grand silence… Il se tourne vers moi: « *Qu'est-ce que t'en penses, mon Souffrance?* »

Je n'ai pas du tout envie de ça, moi! C'est pas une chance qui m'arrive, là! Je ne veux pas d'un gars qui va me torcher à 65 piastres par semaine!

— *Que ça tombe mal! Moi, tu comprends, je ne suis pas ici pour encore longtemps, là.*

— *Comment ça?*

— *Ben, j'ai une carrière de comédien. Et figure-toi donc que ça s'ouvre pour les États-Unis et la France… Justement, j'ai un petit quelque chose à faire aux États dès la fin de semaine prochaine… Je ne serai pas à Montréal! Je pars aux États-Unis pour faire mon petit rôle.*

— *J'pars avec toi!*

— *Tu peux pas partir, t'es en libération conditionnelle!*

— *On s'en sacre de t'ça!*

— *Ben, oui, mais t'as sûrement pas de passeport!*

— *Je connais des gars qui vont m'en faire un!*

Ahhhhhh! La couche de crémage de plus! Comment je vais me sortir de ça, moi?

On a mangé le pain de viande aux épinards et ça s'est terminé comme ça se termine toujours, ces histoires de cul-là dont je ne me souviens jamais…

* * *

C'est que, voyez-vous, je me souviens de la conversation mais pas de la baise… S'il y a eu baise! Parce que des fois, y en avait même pas! Moi, j'avais mon nénane avec le pain de viande aux épinards et le bon vin! Et la conversation, parfois, parce que je découvrais un milieu étonnant et ils me racontaient des histoires incroyables, les gars. Entre autres, comment les autres clients agissaient avec eux. C'est une horreur! C'est horrible à quel point ces gars-là sont méprisés par les gens qui leur donnent de l'argent!

Comme je faisais exactement le contraire, y m'ont jamais rentré de poignard dans le corps! De toute façon, moi, je réglais ça sur le pas de la porte. Ils entraient chez moi et je leur mettais 30$ tout de suite dans la poche en disant: «*On parle plus de ça!*» Et deux minutes plus tard, j'avais complètement oublié ça!

De plus, pour me protéger, d'autant que ça mettait du piquant, je disais toujours: «*Ah, que c'est le fun! Mon chum est parti en voyage d'affaires, c'est la première fois que je le trompe…!*» Question de montrer qu'il y avait une présence, une autre présence masculine, je m'étais donc inventé un chum, expert à l'ONU, qui voyageait beaucoup pour son travail…

* * *

Revenons à Kojak, parce qu'il s'appelait Kojak le grand gars avec les looooongs cheveux noirs, le repris de justice, le libéré sous conditions. Il est maintenant 9-10 heures le soir, et il ne décolle pas! Il est installé, là! Il vient vivre avec moi, comprenez-vous? Il n'a sûrement pas de place où aller, de toute façon… Alors, il se replogue sur la télé et tombe sur des annonces de numéros 1-900. De plus, puisqu'il aime le *heavy metal*, j'ai le malheur de sortir le seul disque *heavy metal* que j'ai, reliquat d'une mise en scène. Évidemment, il met le disque à fond la caisse. Il est presque minuit, Grégoire, en bas, doit grimper aux rideaux…

Je suis crevé, je vais me coucher en précisant que le lendemain matin, à cinq heure et demie, je m'en vais faire du doublage. Donc, je me couche. Lui, il fait des numéros 1-900, il appelle des pitounes! Je l'entends de ma chambre, sur fond de *heavy metal*: «*Allô, Bebé, comment ça va?*» Écoutez, je me sens complètement envahi et, en plus, il ne se couche pas, lui! Il écoute son *heavy metal*, il fait ses appels cochons puis, finalement, vers les 4 heures, il s'étend dans les coussins et s'endort enfin.

À 5 heures et demie du matin – j'ai mis le réveil –: «*Heille, vite, on s'en va!*» Il se ramasse sans un mot et sort avec moi. Le taxi m'attend, parce que je suis obligé de partir pour vrai, moi! De faire semblant, en tout cas. Je fais trois fois le tour du bloc, il n'y a plus traces de lui et je rentre chez moi, tranquille.

En fin d'après-midi, on sonne à la porte, et moi, niaiseux, j'y pense pas, j'ouvre… C'est lui!

* * *

C'est le retour des travailleurs et bientôt l'heure du souper, donc il revient! Il rentre chez lui! Dans sa tête, il vit avec moi, lui! Donc, je contre-attaque.

— *Tu sais, où je suis allé à matin faire du doublage? C'est effrayant ce qu'ils m'apprennent. Je peux pas aller aux États, parce que je fais un long métrage en France, figure-toi donc!*

— *HA! J'pars avec toi en France!*

Je ne sais plus quoi faire. Je réussis à le mettre à la porte autour de 9 heures du soir. Il vient sonner le lendemain matin et il revient sonner le soir, jusqu'au moment où je lui dis: «*Viens plus sonner, je m'en vais en France, et je n'ai pas été capable… ils n'ont pas les budgets pour que j'amène quelqu'un! Tu ne peux pas partir avec moi!*» Il est tout triste et me répond: «*Bin, j'vas t'attendre…*»

Et, je fais semblant que je suis parti en France! C'est-à-dire que le soir, je fais attention pour qu'il n'y ait pas de lumière, ou que ce soit toujours la même qui reste allumée. Je m'organise pour ne pas répondre au téléphone quand je ne sais pas qui m'appelle… Je ne réponds surtout pas à la porte, sauf quand j'ai commandé chez le dépanneur. Et j'ai dit à mes amis: «*Appelez-moi avant de passer, parce que, moi, je ne veux pas revoir ce gars-là!*»

Pendant environ 15 jours, toutes les nuits, vers 2 heures, on sonne à la porte! Je me lève et je vais voir, parce que j'ai une fenêtre en saillie qui me permet de voir qui sonne. C'est lui. Toutes les nuits, il sonne… Au bout de 15 jours, il arrête et je n'ai plus de ses nouvelles.

Mon voisin d'en bas, Grégoire, est conseiller auprès des détenus, il rencontre ces gens-là, c'est une espèce d'orienteur. Je lui parle donc de mon cas.

— *S'il revient, mon libéré conditionné, qu'est-ce que je fais? Comment je m'en débarrasse?*

— *Tu peux faire deux choses. Ou tu lui dis: « Tu t'en vas tout de suite, sinon j'appelle la police… » Ils ont peur de se refaire prendre, parce qu'ils retournent en dedans tout de suite, mais y a des risques de vengeance. Ou, alors, tu lui dis que t'es retombé en amour, qu'il y a quelqu'un d'autre dans ta vie. Tu joues sur ce sentiment-là… Des fois, on sait jamais…*

* * *

Les mois passent. J'ai invité des amis à manger, c'est la fameuse femme d'en face – celle qui m'a vendu ma maison et dont le molosse m'a grignoté le jambier extérieur – avec son chum, un assez beau gars, d'une trentaine années, bien pris, vraiment beau gars! On s'attarde autour d'un dernier verre quand, vers 2 heures moins vingt du matin, on sonne à la porte! Ahhhhh! je reconnais sa sonnerie! *« Chut! Taisez-vous! Toi, t'es ma sœur! Toi, t'es mon chum! T'es mon chum qui travaille à l'ONU, puis qui revient de six mois en Afrique. Okay, là? »* Ils n'y comprennent rien, parce que je ne leur ai pas raconté – ce qui m'étonne beaucoup, d'ailleurs. Je descends dans le petit vestibule, à l'étage au-dessous, et j'ouvre la porte sur Kojak.

Je lui avais dit, un jour, que j'aimais les cheveux blond châtain. Alors, il s'était fait teindre en blond lavasse pour me plaire… au fond, il n'était pas très joli, mais il avait de la gueule et l'air un peu sauvage avec ses p'tits yeux croches pis ses longs cheveux noirs sur les épaules… Mais en blond?

— *Ahhh! T'es revenu!* dit-il, ému. *Chu tellement content, j'me suis tellement ennuyé de toi! Ah! Chu content qu'on se revoit!* Il vient pour entrer et je lui barre la route.

— *Tu peux pas entrer!*

— *Pourquoi ça?* Là, t'as le vrai bum de prison!

— *Tsé, le gars de l'ONU, ben y est revenu…*

— *Ah ben, le tabarnak!* Il me pousse sur le mur. *M'a aller te l'sortir d'icitte!*

Je le saisis par les épaules. «*Oui, mais moi, j'ai un problème avec ça. Je ne veux pas que tu le crisses à la porte, je l'aime!*»

Il me regarde longuement, puis dit: «*Ah ben, coudonc… Ça me fait de la peine, mais… Chu content de t'avoir connu, mon André… Chu ben content de t'avoir connu!*» Il a reculé de trois pas, j'ai refermé la porte et je ne l'ai plus jamais revu…

* * *

Dès lors, j'ai mené une vie de barreau de chaise – les bars, la taverne Gambrinus, les allées du parc Lafontaine – jusqu'à ce que l'intellect reprenne le dessus, parce que là, l'intellect n'était pas très très nourri!

J'ai découvert, entre autres bonheurs, qu'en étant seul je pouvais enfin *bad-triper* tranquille, comme je *bad-tripais* chaque fois que je montais une pièce. Chaque fois que j'en étais rendu à la scène finale.

Pour *Le Malade imaginaire*, j'avais des techniques assez particulières. Je me levais très tôt le matin – comme toujours quand je crée – et je mettais le *Requiem* de Mozart. Pour vraiment me donner un gros coup d'émotion. Je ne m'en servirais pas dans la pièce, mais ça m'amenait à un état exceptionnel de réceptivité, de disponibilité aux images. Alors, assis au coin de ma bonne vieille table, porté par le *Requiem*, je reprenais la fin du *Malade*…

Sa chaise se transforme en grande civière d'hôpital. L'éclairage change, il est à l'urgence de Saint-Luc, dans le corridor, avec d'autres malades... Je voulais une image moderne. Je voulais...

Quand t'es en train de penser à ça chez toi, à un moment donné, ça fait mal. Parce que ça marche, ça marche pas... T'as d'autres idées qui viennent. Faut que tu nettoies tout ça. Et t'es dans un état! Moi, je suis tout à l'envers et ça se termine toujours par un gros mal de cœur. Puis, une fois que le *flash* semble être le bon, je vais vomir.

Ce qui me fait vomir, c'est l'image qui vient. Après le ballet final où tous les personnages sont suspendus dans les airs, avec Jean-Louis Roux en fond de scène, comme ça, y a le Malade qui meurt. Son fauteuil se transforme en civière d'hôpital. Les autres personnages redescendent du ciel, avancent vers lui et recouvrent son corps d'un grand linceul blanc.

À l'avant-scène, dans l'espèce de fosse d'orchestre qui tient lieu de rue où Toinette va vider les pots de chambre – des gens du TNM se sont désabonnés parce qu'il y a une dame au premier rang qui a reçu une poche de thé – s'ouvre alors une trappe, fosse commune où, comme Molière, le Malade sera mis en terre. Les valets viennent jeter le petit bonnet, le pot de chambre et tous les accessoires dans la fosse, pendant qu'un grand, grand, grand *spot* de salle d'opération descend des cintres, éclairant de plus en plus de sa lumière ultra blanche, insoutenable, le corps dans son blanc linceul, bascule vers la salle et se couche, aveuglant, comme un immense soleil... *Black out!*

Les spectateurs de la première, et tous les autres par la suite, éblouis et secoués, mettront au moins 2 minutes avant de faire un triomphe au *Malade*. Une simple merveille!

Alors, imaginez dans quel état je suis, quand je suis chez moi, tout seul, que je viens d'avoir ce flash-là et que commence à s'installer le doute... *«Ben oui, mais, technique-*

ment… *Oublie la technique!*» Et je me laisse emporter par Mozart qui, lui aussi, fut jeté à la fosse commune. C'est cette image-là qui, finalement, m'a *drivé*!

Donc, je suis dans cette torpeur fébrile et ça ne peut se terminer que lorsque j'aurai vomi. Ce n'est pas très long, en général, une demi-heure, trois quarts d'heure au plus. Y a le *Requiem* et là, enfin, je vois mon image finale. Je tiens la dernière image de mon show! Je répète depuis un mois et demi, et je n'ai jamais su comment mon show finirait. Mais j'apprends à m'attendre. Quand c'est prêt, ça arrive. Quand ça arrive, je suis malade. Quand j'ai vomi, je suis correct.

En bon Gémeaux que je suis, je me ramasse. La Vierge en moi reprend le dessus et s'en va dicter tout ça, très calmement, à 9 h, devant les acteurs et les techniciens. Tout le monde est emballé et ça va très bien. Mais le passage avant que ça ne se produise, l'orgasme créateur au plus intime de soi, ça, je ne peux pas l'éviter.

Vous vous rendez compte? C'est ça que je faisais subir à mes chums! C'est dans cet état-là qu'ils me voyaient! Moi, je n'étais plus capable de montrer ça au monde!

En tant que metteur en scène, tu espères que tu vas finir, un jour, par connaître assez ton métier pour éviter des moments aussi terribles… Et quand tu en arrives là, la mise en scène, ça ne te passionne plus!

* * *

Comme je ne suis plus en couple, j'ai des relations extraordinaires avec les acteurs parce qu'ils sont mon couple. Pendant *Le Malade imaginaire*, je suis en amour avec 17 personnes. Je leur écris à chacun une lettre d'amour! Et je vais tous les soirs au théâtre les voir jouer et leur dire que je les aime!

Un soir où je suis en coulisse en train de regarder pour la 28e fois Raymond Bouchard dans le rôle du Malade, Jean-

Louis Roux passe derrière moi et me dit : « *Es-tu bien sûr, André, qu'il n'y ait pas, de ta part, un rien de narcissisme dans tout cela ?* » Bin kin !

Mais après le théâtre, après le party dans la loge et le dernier verre, cordés serrés autour du bar dans le hall du TNM où tous les soirs, la gang de chez Duceppe venait nous rejoindre, chacun rentrait chez soi. Moi, je vivais ça seul. J'aurais eu besoin de continuer à partager tout ça…

* * *

Je trouve un jour, dans ma boîte vocale, le message d'un jeune homme qui étudie le cinéma à l'Université de Montréal. Il sait que j'ai monté *Wouf Wouf* de Sauvageau. Il est en train de faire un travail sur cette œuvre et voudrait me rencontrer pour m'interviewer. Je le rappelle et je devine, tout de suite, juste au son de la voix, quelqu'un d'absolument charmant, un peu timide, mais qui, déjà, allume une étincelle. Je ne tombe pas en amour au téléphone mais presque. En tout cas, j'ai hâte en maudit de le rencontrer, parce que je lui donne rendez-vous – j'ai toute ma journée de libre le lendemain – « *À 11 h 30, demain matin, venez frapper au 2070 Montcalm.* »

Je suis debout dès 6 h, j'ai hâte que le petit arrive ! Je ne sais pas ce qu'il veut exactement, ni ce qu'il va me poser comme questions. J'ai juste le son de sa voix en tête… « *Ben, voyons, t'as déjà vécu ça, des sons de voix ! Puis, quand tu vois arriver le chromo… oups !* »

Il est 9 h. Il est 10 h. Je ne me possède plus. Vers 10 h 15, je décide de descendre dans le vestibule jeter un coup d'œil dans le parc en face. Regarder le marronnier en fleurs. Je pleure celui de la rue Saint-André, coupé à la fin de l'hiver par la madame Belge qui m'a racheté la maison. « *C'est qu'il devenait bien gros votre arbre-ke, savez-vous ?* »

Sous le marronnier du parc, y a un ti-cul mignon comme tout avec une grosse, grosse, grosse valise… 2 billes noires, sous des cheveux tout frisés… Pas longs, les cheveux… Mais, tu te dis qu'il en a assez qu'une fois défrisés, ces cheveux-là, ça doit nécessairement retomber sur les épaules !

Je lui ouvre la porte. Y a déjà 15 minutes qu'il est sous le marronnier. Je l'invite à monter, une heure et quart avant le rendez-vous fixé.

* * *

Assis en lotus sur ma vieille table québécoise, j'évoque la première mouture de *Wouf Wouf*, qui fut un franc succès, au Cégep Lionel-Groulx. Mais ce qui intéresse le petit Duchesne – il s'appelle Michel Duchesne, le jeune homme – c'est la deuxième version, montée en 1974 pour la NCT.

Je joue, à l'époque, un petit rôle dans *Cyrano de Bergerac*, au Gésu. Et tous les soirs, je me plains de l'inutilité de ce rôle dans ma carrière d'acteur – je ne rêvais plus que de mise en scène. Mon vieux chum Benoît Marleau, fatigué de m'entendre, me dit : « *Arrête de brailler pis va offrir tes services à Gilles Pelletier !* » Je me lève d'un bond, je frappe à la porte de Gilles, qui jouait Cyrano, et je lui offre rien de moins que la création de *Wouf Wouf* de Sauvageau, 20 acteurs dont Jean-Louis Millette, musique d'André Gagnon, 4 musiciens en scène et de nombreux décors qui envahissent même l'allée centrale du Gésu. « *Que ça tombe bien !* me répond Gilles. *J'ai un budget de 10 000 $ pour un atelier de nuit. Passe me voir demain.* » Le lendemain, le contrat était signé. Succès critique, succès public, on joue à minuit… Et, même par un soir de tempête lorsque j'ai quitté Cowansville en pleine poudrerie, la salle est pleine ! Ma carrière de metteur en scène venait de se mettre en branle.

* * *

Imagine ! J'ai un beau petit gars devant moi qui me pose toutes sortes de questions, qui me fait parler de moi, de mes mises en scène et qui me ramène à mes gloires passées ! Tout pour que je tombe en amour ! En même temps, c'est génial, je sens le « père » renaître en moi ! Déjà, je le trouve brillant, cet enfant-là, de s'intéresser, si jeune, à *Wouf Wouf* de Sauvageau. De s'intéresser à quelque chose que j'ai monté, 14 ans plus tôt, tout au début de ma carrière de metteur en scène… Je sens que je vais refaire le même maudit *pattern* qu'avec l'Auteur.

On a commencé à 10 h 30, une fois la caméra installée, et on a fait la dernière cassette vers quatre heures de l'après-midi. Il n'arrête pas de changer ses cassettes, de me poser des questions. Et, pendant tout ce temps-là, je me dis : « *Qu'est-il vraiment venu faire ici ?* » Je sens bien que c'est pas ça qu'il veut…

On termine la dernière cassette, il ferme son truc et, tout à coup, me dit :

— *Moi aussi, j'écris !* Aaaah ! ça y est, on y arrive ! *Ouain, j'écris pis je suis venu vous voir parce qu'une injustice a été commise…*

— *Comment ça ?*

— *J'ai envoyé une pièce au Centre d'essai des auteurs dramatiques… Normalement, y est sensé avoir trois lecteurs, ils ont refusé ma pièce, mais il y a eu juste 2 lecteurs. Ça marche pas, l'affaire, là ! Il aurait fallu…*

Tiens, tiens, il est capable de se défendre, ce petit gars-là ! « *Écoute*, que je lui réponds, *est-ce que je peux le voir, ce texte ? Parce que je peux appeler au Centre d'essai des auteurs dramatiques, je fais beaucoup de choses avec eux ces temps-ci, et leur dire que je suis le 3ᵉ lecteur ! Je vais dire honnêtement ce que j'en pense, mais si tu veux que je lise…* » Il sort sa valise.

Il n'a pas juste apporté cette pièce-là ! Il a tout apporté ! Des pièces, des films, des nouvelles, son premier roman et, même, son prix littéraire gagné à l'école, à 9 ans… Tout !

Sa pièce, *Arrêtez aux signaux clignotants*, est un truc un peu adolescent. Je ne trouve pas ça extraordinaire, mais je découvre qu'il a le sens de la réplique, du *punch*, du *oneliner*

– c'est la grande qualité de ce texte qui, selon moi, ne méritait pas d'être refusé. Si on m'avait demandé d'être troisième lecteur, c'est cet élément-là que j'aurais apporté, en disant « *Non, non, non! Le petit gars, il a le sens du dialogue. Regardez, ça se dit bien. Moi, je suis acteur, regardez, ça vaut la peine qu'on l'accepte ce texte-là, puis qu'on fasse un atelier… On peut faire, au moins, un atelier de lecture avec des acteurs!* »

Alors, je monte au créneau, moi! Je suis en amour, là! Voilà un autre petit gars qui entre dans ma vie et qui a du talent! Mais en amour, entendons-nous, c'est pas sexuel! Je suis en amour! En même temps, je me dis que c'est exactement le genre de personne avec qui je pourrais, finalement, réussir mon couple! Parce que c'est toujours ça que j'espère…

Sur le pas de la porte, je lui dis : « *Rappelle-moi ce soir. Je vais lire ton scénario.* » C'est qu'il y a aussi un scénario de film, *Ah, vous dirais-je, maman*. Il s'en va, je m'installe à ma table… Ah non! C'est LÀ que je tombe en amour!

* * *

Écoutez! C'est Louisette Dusseault, le rôle! C'est le brio de Louisette, la façon dont elle parle… C'est un rôle pour Louisette! Et, là, j'ai un gros *flash*. Parce qu'un film, ça prend trois ans à réaliser, et que je ne suis pas le gars à attendre trois ans après Téléfilm Canada pour obtenir une subvention. J'appelle tout de suite le petit chez lui.

— *Ton scénario de film… Écoute, j'ai le goût de te lancer un défi. Ça te tenterait pas d'en faire une pièce de théâtre? T'as six jours pour faire ça…*

— *Pas de problème!*

— *En fait, tu sais le rôle, là, c'est un rôle pour Louisette Dusseault!*

— *Ben, c'est pour elle que je l'ai écrit…*

Aaaaaah! c'est un auteur! Un vrai! Quand tu écris un rôle pour Louisette Dusseault et que le premier metteur en scène venu te dit: «*Wow! C'est pour Louisette!*», c'est que quelque chose se passe quelque part!

Le lendemain, je téléphone au Centre d'essai des auteurs dramatiques, je réussis à leur faire comprendre qu'ils n'ont pas le droit de refuser cet auteur-là, qu'ils font une erreur!

Pour leur prouver, je décide de soumettre *Ah, vous dirais-je maman*, son scénario transformé en pièce – il l'a réécrit en 4 jours! Je demande un petit atelier. Normalement, ça se fait autour d'une table, mais, de temps en temps, il y a un atelier public. J'embarque Louisette, Jean-Louis Millette, Jean-Guy Viau, Joel Legendre... Je déplace tout, je bouscule tout parce qu'un jeune auteur est en train de venir au monde! Mais, ce qu'il y a d'extraordinaire, c'est qu'il travaille! Tu l'appelles et, quatre jours après, t'as une pièce sur ton bureau!

Je fais venir du beau monde au théâtre Espace Libre, rue Fullum. Les estrades sont pleines... Et ça remue pas mal de gens!

Sauf qu'elle n'est pas prête à être montée, sa pièce. Ça, je le comprends tout de suite. Mais avant de retoucher ce texte-là, qui est déjà une transposition de l'écran à la scène, le petit a des devoirs à faire... «*Pourquoi t'écrirais pas autre chose, maintenant?*»

* * *

Michel Duchesne fera ses classes avec *101 visages, une parole*, collage illustrant l'histoire de la montée du nationalisme au Québec. C'est le moment charnière qui décide que je vais travailler avec Michel, probablement jusqu'à la fin de mes jours.

Nous sommes début juin. Le Mouvement National des Québécois me contacte, via Serge Turgeon de l'Union des Artistes, pour monter, de toute urgence, un grand spectacle pour 35 000 spectateurs, dans le centre de la Place

Desjardins, et le sujet, c'est le Québec, c'est la Loi 101…
C'est notre « commandite » à nous autres !

Écoutez, c'est gros, là ! J'ai pas de texte, j'ai rien, faut
que je trouve un auteur. Ça tombe bien, j'en ai justement
un, j'ai un jeune auteur sous la main !

Je mets tout de suite Michel au courant et dans les 30
secondes, il sait déjà ce qu'il faut faire. Lui, c'est un maniaque
qui a tout lu, vraiment tout lu de ce que le Québec a écrit,
une lacune chez moi…

Il a lu tous les auteurs de théâtre pendant qu'il faisait
ses études de cinéma. C'est une bibliothèque ambulante,
une source inépuisable sur les auteurs de chez nous…

Premier après-midi de travail, il arrive chez moi avec
ses deux grosses valises noires, pleines d'œuvres québé-
coises. Il est passé par je ne sais quelle bibliothèque, mais il
y a, ohhhh, au moins une quarantaine de livres qu'il épar-
pille dans la fameuse piscine du salon. Il se promène d'un
livre à l'autre : « *Tu vois, André, monsieur Gélinas dit ça dans
Bousille, ça serait tellement extraordinaire que Michel Tremblay
lui réponde via…* » Et, puisant à même une trentaine d'auteurs
et environ 70 textes, il m'écrit la grande histoire du nationalisme québécois qui se termine sur la chanson de Carmen
« *Quand j'rentre su'l' stage le soir…* », portée par Nathalie
Mallette, merveilleuse comédienne-chanteuse incarnant le
Québec qui s'avance…

Le show, en principe, c'est une lecture. Mais moi, c'est
un vrai show que je monte. On a 3 jours de répétition, du
genre atelier de fin de semaine, puis, le mercredi, on entre
sur scène avec les échafaudages. Pour les costumes, tout le
monde arrive avec ses affaires et met le tout en arrière-
scène. Pendant ce temps, y a Michel Duchesne qui coupe,
qui choisit des pages de livres qu'on fait photocopier et
qu'on distribue à mesure. On bâtit le show sur le tas, parce
qu'on n'a pas le temps de pondre un manuscrit. Tout ça va
très vite. C'est une folie… Le soir du show/lecture, il n'y a

pas un texte sur scène! Tout le monde connaît son texte! C'est un moment magique!

Il y a beaucoup de monde sur le plateau. J'ai fait le tour des écoles – Conservatoire, École nationale, Sainte-Thérèse, Lionel-Groulx, Saint-Hyacinthe – et j'ai pris les meilleurs. C'est leur premier rôle professionnel. Il y a, entre autres, Sonia Vachon, Guy Jodoin, Catherine Lachance qui fait *Aurore l'enfant martyre*. Parce que l'histoire passe aussi par *Aurore* et même par les premières pièces du répertoire, qui datent de la fin du XIXᵉ siècle.

Il y a des chœurs parlés incroyables sur des musiques extraordinaires. *Les Belles Sœurs* devient un ballet du chœur des madames qui torchent la scène en traînant leurs *moppes* et leurs chaudières en chantant: «*Chu tannée, chu tannée, chu tannée de mener une maudite vie plate, une maudite vie plate…*» Deux heures sans entracte, 40 personnes en scène, 35 000 personnes qui crient, qui chantent, qui hurlent à l'unisson… C'est sûr que s'il y avait eu un vote référendaire à la sortie de ce show-là, on se libérait tout de suite!

Côté amour passion, j'ai décroché presque tout de suite avec Michel. Rapidement, il m'a parlé de sa blonde, alors, au bout de trois jours, j'ai tassé ça. Mais, là, je suis en plein état de «première». Mieux encore, c'est un triomphe! Moi, qu'est-ce que vous croyez, je veux partager ça, c'est le bébé qui vient de naître! Je retombe en amour avec lui! Mais, lui, y a amené sa blonde et c'est sa blonde qui filme le show… Elle se promène partout… Je voudrais-tu assez avoir le kodak dans les mains, moi!

C'est ce que je suis en train de me dire au moment des saluts, en finale. Michel est sur scène et, moi, je suis derrière le public, derrière les 35 000 personnes qui crient à plein poumon. Et, tout à coup, j'entends battre des mains à tout rompre et je ne comprends pas. Tout le public fait dos à la scène. Tout le monde regarde de mon bord. Et là, y a deux beaux grands gars forts qui m'attrapent, me lèvent de terre, me font traverser la foule qui n'a pas cessé de hurler, et me plantent en avant-scène, juste à côté de Michel Duchesne... Il est radieux... *Fuck* la blonde ! J'ai ma nuit de noces !

* * *

Après avoir vécu ça, le premier auteur auquel je pense quand Jean-Bernard Hébert de Terrebonne m'appelle, c'est, évidemment, Michel.

— *Aurais-tu une pièce, une idée de pièce pour monter cet été, André ?*

— *Oui, j'ai une comédie musicale !*

— *Une comédie musicale ?*

— *Oui, oui, oui...*

J'appelle Michel.

— *Tu peux-tu écrire une comédie musicale ?*

— *Oui, j'en ai une : quatre générations qui retombent en amour, pleines de chansons connues...*

Je rappelle Jean-Bernard Hébert.

— *Bouge pas, j'ai ta pièce !* Y a rien d'écrit, là !

— *Oui, mais faut... faut que je la lise...*

— *Oui, oui, tu vas la lire, c'est juste que là, l'auteur est en plein déménagement...*

Je rappelle l'auteur.

— *Fais ça vite, donne-moi quelque chose d'ici 15 jours !*

Et, dans les 15 jours, j'ai quelque chose à présenter à Jean-Bernard Hébert. Je suis obligé de pousser, évidemment, parce que je vois bien que ce n'est pas prêt. Je sais le travail que je vais faire avec le petit gars. Je sais qu'il va venir porter ses textes dans ma boîte aux lettres au milieu de la nuit. Puis, je me fais le plaisir d'attendre jusqu'au lever du jour, quand, avec mon café, je les lirai comme des lettres d'amour.

* * *

Depuis la mise en scène du *Malade imaginaire*, j'ai recommencé à boire.

Attention! Je ne touche plus au dry martini! J'ai l'olive triste depuis Québec. Mais j'ai découvert la vodka! Je remplissais de glace un grand verre à eau, je noyais ça de vodka jusqu'aux trois quarts et j'ajoutais une cuillère à table de bon jus d'orange «non fait de concentré». J'appelais ça des orange-vodka!

«*T'es encore sur tes glaçons?*» me disait Michel, tracassé par l'éternel tintement qui, au téléphone et dans la vie, ponctuait nos conversations. «*Bin voyons donc! Du jus d'orange avec un peu de vodka...!*» En plus, je fumais 4 paquets de ciagrettes par jour!

Pour l'alcool, ça s'est réglé assez rapidement parce que je ne suis pas alcoolique. Moi, je suis ivrogne!

Je fais un événement commandité par un distributeur d'alcool. Y a toutes sortes d'affaires, là, tu as du gros gin, t'as du rye, t'as des cognacs qui sont pas des cognacs, t'as des whiskies qui sont pas des whiskies, des crèmes de menthe qui sont pas... En tout cas, ils m'ont tellement aimé que je suis reparti avec un bar complet.

Thank God! qu'ils m'ont donné ça en cadeau! Ça m'a sauvé la vie! Je sais que ça a l'air fou, mais suivez-moi bien. J'arrive chez moi et je mets tout ça dans mon beau meuble, où il y a ma télé. Et là, y a 14 bouteilles d'alcool qui me regardent... C'est effrayant! Je vais aller au fond de ça, moi! «*Kin, kin, kin, pourquoi pas en profiter pour arrêter de boire?*»

Alors, je ramasse les bouteilles et je descends chez Grégoire. Quelle belle façon de le remercier de m'avoir si bien conseillé pour Kojak, mon blond repris de justice. Donc, je lui donne tout mon bar au complet. Je ne vous dis pas les partys, après ça! Mais ça a surtout donné lieu, le soir même, à un party d'adieu à la boisson assez particulier auquel j'ai invité mon ancienne voisine d'en face, la courtière immobilière dont le chien, on s'en souviendra, me cisailla le tibia.

Grégoire, fier de ses 14 bouteilles d'alcool, y joint quelques petites cigarettes du Diable. Le party se transporte depuis de chez lui à chez moi, puis, de chez moi à la terrasse sur le toit. La courtière qui ne fume jamais est complètement gelée et décide, vers la fin de la soirée, de monter voir la terrasse. Elle revient vite, vite, vite, complètement affolée parce qu'en haut, il se passe des affaires comme il devait s'en passer dans les partys grecs de l'Antiquité quand le jeune homme et le mentor jouaient à saute-mouton. Pauvre femme. On en riait encore à l'aube en finissant les fonds de verres avec Grégoire... Ce fut mon dernier party d'ivrogne.

* * *

Le lendemain de ce fameux party en l'honneur de la distillerie je décide d'aller me reposer quelque part et, surtout, d'arrêter de fumer, ce qui me dérangeait le plus. Bien plus que l'alcool. Ma bonne amie Élizabeth Lesieur, Prunelle dans *La Ribouldingue*, m'avait parlé d'un endroit de rêve, à Paspébiac, chez une dame absolument incroyable, un véritable personnage aux dires de Prunelle : Madame Lemarquand. J'ai fait confiance à mon instinct, j'ai pris le premier train Chaleur (Montréal-Percé-Gaspé) et je suis arrivé à l'Auberge du Parc, chez Madame Lemarquand. Et, ma vie a viré de bord.

Je n'étais pas le genre à aller me faire masser, sans bouger, pendant 5 jours, dans un endroit perdu. Moi, c'était le Sud tous les hivers, puis il fallait que ça swing, et que les margaritas soient bonnes ! Là, je m'en allais, en principe, dans une espèce de lieu de retraite, de cellule, de clinique thalasso, massage, diète équilibrée...

J'arrive au cœur du parc de Paspébiac, devant l'ancienne maison Robin. Une grande maison ancestrale bellement retapée avec des meubles d'époque, une belle grande salle à manger, une excellente table, une kyrielle de traitements salvateurs… Et une femme merveilleuse, avec de la poigne et du panache, une femme qui aime le party, une sage que plus rien n'étonne. Tu peux boire chez elle, tu peux fumer chez elle – sur le balcon, depuis la Loi – t'as pas de problème, t'es pas malade, tu t'en vas pas à l'hôpital! Les madames sont fines, efficaces, rieuses… Et, charmante attention, y a de beaux paniers de fruits pour les fringales nocturnes dans les petits motels confortables qui accueillent les curistes en résidence comme moi.

En cinq jours, j'avais réglé tous mes problèmes de boisson et de cigarette et je revenais plus reposé qu'après 15 jours au Mexique! Reposé et transformé. J'étais tout propre, tout nettoyé, prêt, finalement.

Alors, j'ai décidé de vendre l'appartement.

* * *

Tout ce qu'il y avait à faire dans cet appartement, je l'ai fait presque tout de suite. Déjà, les murs commençaient à me fatiguer. J'avais le goût – c'est ça, mon éternel problème –, j'ai toujours le goût d'allonger les maisons, de surélever les maisons, de creuser les maisons… En largeur, la maison d'à côté est sans intérêt. En hauteur, y aurait toujours moyen de racheter son étage à Grégoire. Quant au rez-de-chaussée, je vous ai parlé de mes envies de jardin d'hiver.

Un matin où, devant le premier café, je rêvais démolition et rénovation, le téléphone sonne. C'est ma sœur.

— *C'est quoi, ton adresse?* avec une angoisse terrible dans la voix. *C'est quoi, ton adresse?*

— *Ben, c'est le 2070 Montc…*

— *Ah! c'est pas toi!*

Il y a un homosexuel qui s'est fait ouvrir la gorge près de chez moi, juste de biais, un peu au Nord. Évidemment, ce n'est pas moi, puisque je réponds au téléphone. Je la sens qui se remet lentement d'un terrible drame. Elle a entendu ça aux nouvelles la veille à 11 h et elle a *freaké* toute la nuit en pensant à son petit frère lâchement assassiné. Elle l'a réentendu aux nouvelles de 6 h. Il est 6 h 05. Youpi! je suis encore vivant!

Quelques jours plus tard, j'apprends que les deux propriétaires d'un petit magasin de musique, situé à une rue de chez moi, au coin Sud-Ouest de Beaudry et Ontario, ont été découverts en morceaux dans leur cave.

Puis, mon auto disparaît. J'appelle la police, ils viennent prendre ma déclaration et le policier me dit : « *Oh, vous savez, ça arrive souvent. On va la retrouver à trois rues d'ici, c'est des jeunes qui volent ça, puis ils les cassent pour revendre les morceaux…* » Ils ont effectivement retrouvé l'auto deux jours plus tard, les vitres brisées, les pneus lacérés.

« *Écoutez, moi, j'étais sur le Plateau Mont-Royal et…* » Comme le Plateau avait évolué très vite pendant que j'y vivais, j'avais la prétention que j'y étais un peu pour quelque chose et que, logiquement, le coin Montcalm et Ontario aurait du suivre.

Mais, là, ouvre-toi les yeux! Quelqu'un démarre un petit commerce, 3 mois après, il est fermé. T'as juste le *pawnshop* du coin qui prospère grâce aux pièces d'auto volées. Je revois la taverne où mon père allait se saouler. Le marché Saint-Jacques… enfin, toute mon enfance. Une enfance que je n'avais pas vécue de cette façon-là, j'étais trop jeune pour me rendre compte. Moi qui n'avais pas été malheureux, moi qui n'avais pas senti la pauvreté sordide, moi qui n'avais rien compris de tout ça, tout à coup, à l'âge de 50 ans, ça me saute dans la face! La rue, les murs, le monde me dit : « *T'as été malheureux quand t'étais petit. T'étais pauvre quand t'étais petit. C'est ces robineux-là qui vivaient autour de toi quand t'étais petit…* »

La cerise sur le *sundae*, c'est la réponse du policier : « *Monsieur, oubliez ça. Ici, ça va aller en empirant. Nous autres, on est coin Saint-Dominique et Ontario, on couvre toute la* Main, *le Village et tout ça. Ben, vous le savez peut-être pas, mais y a la moitié de tout l'arsenal de la ville de Montréal qui est entreposée dans ce quartier-ci. C'est le quartier le plus criminalisé de tout le Canada!»* L'autre flic renchérit: «*Si j'ai un conseil à vous donner, monsieur Montmorency, pourquoi vous vendez pas puis que vous retournez pas vivre sur le Plateau?*» Alors là, évidemment, que voulez-vous que je dise? Si même les policiers… et je me dis *in petto*: «*Écoute, ça a pas de bon sens, il faut que tu décrisses d'ici!*»

* * *

Enfin, un matin, très tôt, je descends… C'est vrai, je ne vous ai pas raconté le fameux parc avec le marronnier. J'avais finalement pris la décision de ne pas faire de terrasse sur le toit, parce qu'elle appartenait surtout à Grégoire qui était toujours rendu là avec ses chums, ni de jardin en bas, parce que, moi, je suis incapable de décider avec quelqu'un d'autre si le rosier doit aller du côté Sud ou du côté Nord, pour finir par le maudire au milieu pour pas faire de chicane. Il faut que ce soit MON jardin!

Comme je n'ai pas les moyens ni l'espace pour avoir un jardin digne de ce nom, je décide que mon jardin, c'est le parc d'en face, et que, tous les matins, c'est là que j'irai lire. Il y a des bancs, de beaux bancs de parc sous le marronnier en fleurs. Je vais aller m'asseoir sous le marronnier pour lire Proust, enfin! Depuis toujours, je cherche le lieu propice à cette lecture fondamentale. À Cowansville déjà, sur une colline avec un arbre, je devais construire un pavillon octogonal comme à Fontainebleau, un petit pavillon de lecture que je n'ai jamais construit, bien sûr, et ce n'est pas rue Montcalm que je vais bâtir ça… Alors, fais comme tout le monde mon chum, va t'asseoir sous le marronnier et lis Proust!

Sauf qu'à 8 heures le matin, quand je suis prêt à aller lire Proust dans mon parc et que je regarde par la fenêtre le temps qu'il fait, s'il pleut, on oublie ça, s'il fait beau, c'est encore pire! Je ne peux pas aller m'asseoir sur un banc, c'est le dortoir des itinérants du coin ! Il y a peut-être huit bancs, c'est assez grand comme endroit, et ils sont tous occupés par une forme couchée sous des journaux, entourée de sacs verts et de trucs sans nom. C'est l'image que j'ai, tous les matins qu'il fait beau. Ça se lève vers 9 heures et, des fois, ils font la grasse matinée. Je ne suis jamais capable d'aller lire dans MON parc.

Donc, un matin, très tôt, je descends mettre mon sac vert à la rue. Je remonte et jette machinalement un coup d'œil en refermant la porte. Deux robineux, sentant le sac vert frais, se réveillent, se redressent, se précipitent, traversent la rue en courant, se jettent sur mon sac vert et se battent pour récupérer, au fond du sac, mes vieux restants de tranche de pain… Le gagnant s'enfuit en dévorant les croûtes.

Le jour même, j'ai mis l'appartement en vente…

* * *

Vite, j'ai fait venir la courtière immobilière au pitou patibulaire. C'est elle qui a négocié le 2070 Montcalm que j'ai payé 97 500 $. À l'époque, ils en demandaient 102 000 $, donc, j'exige le même prix. Peu de tremps après, quelqu'un se pointe et m'offre 92 500 $, mais il faut que je laisse mon divan en *airfoam* avec sa cuirette chic et ses 42 000 coussins. Moi, je boque ! Je veux garder mes coussins ! La courtière ne s'émeut pas : « *Bof, de toute façon, on va l'avoir ton 102 000 $…* »

On l'a eu pas rien qu'un peu ! Je serai 6 mois à payer deux hypothèques. Soit 1 000 $ par mois pour ma nouvelle maison et 800 $ pour le 2070 Montcalm que je revendrai, finalement, 6 mois plus tard, 75 000 $ à un Vietnamien. J'ai perdu au moins 22 500 $. Plus la commission. Plus 6 mois d'hypothèque… Ça fait cher du coussin !

Mais, j'en étais débarrassé et j'entrerais enfin dans la maison qui sera la maison de toutes les maisons. La maison où tous mes talents vont s'éclater. Où, même les affaires effrayantes que j'y vivrai, serviront à me rendre heureux !

Quatrième maison
4576 Saint-André

Au moment où j'achète ma toute première maison, en 1978, il n'y a plus un arbre, rue Saint-André. Ils ont tous été coupés. Seule, une plaque clouée sur la façade du 4682 évoque leur mémoire, jusqu'au jour où je vois des ouvriers de la Ville peindre des « X » rouge orangé fluorescent sur le trottoir, aux endroits où seront plantés les nouveaux arbres. Ils ont fait des beaux « X » de chaque côté de ma maison.

Je suis bien content, mais c'est pas là que je le veux, moi, mon arbre. Je le veux au milieu de la façade, juste devant mon balcon. Donc, j'ai fait le tour de la ville en quête du bon ton de peinture orange fluo pour faire mon « X » devant mon balcon. Ça n'a pas marché ! L'orangé n'était pas exactement celui de la Ville. J'ai pas eu mon arbre. J'en ai eu deux, mais pas à la bonne place.

Par contre, juste au sud de chez moi, en bas de la petite rue Bienville, devant le 4576, la ville avait planté un arbre drette au bon endroit, sous le balcon d'une vieille maison de deux étages qui était occupée, en haut, par une grand-mère et sa petite-fille, et en bas, par le dépanneur du coin où je détestais aller parce que c'était aussi le repaire des bums du coin. Une gang d'espèces d'armoires à glace, des méchants taupins. Il se faisait de la prostitution aussi, dans le hangar, derrière le dépanneur. Disons que le quartier était plutôt *rock & roll* et les vols très fréquents. Y en a eu deux au 4682 et je me suis même retrouvé en cour, je vous raconterai ça un jour… pourquoi pas maintenant?

* * *

Le soir du premier vol, je reviens du Théâtre du Rideau Vert et ma clé tourne dans le vide. Je suis incapable d'ouvrir. *Ils* ont bloqué la porte! Comme au cinéma, je défonce à coup de pied et la pelle – *ils* ont coincé la porte avec la pelle à neige – vole dans l'entrée, je fonce! La fenêtre de la cuisine est grande ouverte, *ils* viennent à peine de sauter le mur du jardin. De toute évidence, je *les* ai dérangés. Tout a été déplacé, fouillé, c'est le bordel, mais, j'ai beau chercher, rien n'a disparu. Rien, même pas un disque! Je suis arrivé à temps. Ça ne vaut pas la peine de porter plainte.

C'est le lendemain, en fin de journée, au moment où je m'apprête à aller donner un spectacle de Christian Lalancette, que je découvre enfin le véritable objet de ce cambriolage: ils ont volé la poche de *jewels* de Christian, d'une valeur de 24,95 $ sur le marché international.

Deuxième vol, quelques mois plus tard. Là, c'est plus sérieux. Ils réussissent à sortir la télé et un paquet d'affaires, mais les trois gars sont appréhendés, juste derrière, dans la ruelle. Il y aura donc procès. Je dois témoigner en cour au mois de février. Le mois précédent, un des gars se fait tuer d'une balle dans la tête, au coin de Boyer et Mont-Royal. Donc, il ne reste plus que 2 voleurs dans le box des accusés. Juste à les regarder, tu les condamnes immédiatement! C'est des bandits, des vrais, c'est clair! Puis, c'est pas la première fois qu'ils font ça!

Moi, pauvre petit, je suis à la barre des témoins et l'avocat de la défense tente de me cuisiner et de me discréditer aux yeux de tout le monde. D'abord, évidemment, parce que je suis homosexuel.

— *Vous habitez avec un jeune homme?* Ça, c'est l'Auteur. Alors, il sait tout ça, lui… *Et ce jeune homme a la clé!*

— *Ben oui, y a la clé! Franchement! Il va venir chez moi, il va sortir avec la tévé puis y va la cacher dans la cour, puis on va faire croire que c'est un vol? C'est quoi l'histoire, là?*

— *Monsieur, Monsieur, contentez-vous de répondre!* m'admoneste le juge.

C'est parce que, moi, en cour, je suis pas très gentil.

Une autre question: «*La femme de ménage a-t-elle une clé?*» Alors là, c'est la femme de ménage qui a sorti mes meubles! J'en peux plus, je suis complètement dévasté par cette espèce de semblant de Justice, j'en reviens pas!

À la pause – j'aurais pu signer mon arrêt de mort – y a l'avocat de la défense qui se promène dans le hall. Au risque de faire capoter le procès, je m'en vais le voir.

— *Maître, est-ce que je peux vous parler?* Il me regarde, agacé et condescendant.

— *Oui… Je suppose… De quoi s'agit-il?*

— *Permettez-moi de vous dire que votre performance, durant l'interrogatoire, était digne du Théâtre Alcan!*

L'œil bovin, Maître Chose gobe l'injure comme du bonbon. Inculte, en plus! Je tourne les talons, écœuré. Les gars ont été condamnés, bien sûr, y a jamais eu de doute là-dessus! C'est pour ça que je trouve épouvantable que Maître Chose fasse ses sparages.

Enfin, quelques semaines après l'incendie qui ravagea mon salon, un des bums du dépanneur me dit: «*Coudonc, j'ai vu ça dans le journal, toutes tes bibliothèques ont brûlé… Okay, moi pis ma gang, on a des menuisiers là-dedans, on va aller te reconstruire ça ces affaires-là!*» Je ne veux pas avoir ce monde-là dans ma maison, comprenez-vous! «*Ah, c'est dommage*, que je lui dis, *parce que j'ai déjà un ouvrier à temps plein chez moi pour les rénovations, il sait déjà qu'il doit refaire les bibliothèques. Je ne peux pas lui dire non maintenant!*» Le gars me regarde des pieds à la tête et me dit: «*C'est ça, quand on vous demande d'la job, vous nous en donnez pas, pis après ça, vous vous plaignez qu'on va voler chez vous!*»

* * *

Pour éviter ce type de rencontre, j'en étais rendu à faire de grands détours – deux rues, franchement – pour aller jusqu'au dépanneur de la rue Saint-Hubert. Ce faisant, je passais devant la piquerie. J'aurais eu tendance à avoir plus peur de la piquerie que des bums. Finalement, c'était *weird*, mais extraordinaire, la piquerie! Ça sortait de là, c'était gelé dur, ça te faisait des beaux «*bonjour!*», c'était fin, poli, ça venait s'écraser tranquillement derrière ta clôture une fois dans l'année pour se piquer discrètement, puis ça repartait sur son trip… Les petits piqués, au fond, y étaient corrects! Les bums, eux autres, y te sautaient dessus!

Mais, ce qui me sauve, moi, c'est que je n'ai pas peur. Je ne suis pas un peureux. Sans blague, la peur, la véritable peur, c'est quelque chose que je ne connais pas vraiment… Je m'énerve, là, mais je peux en prendre!

* * *

Quelque trois ans avant même de songer à vendre le 4682 Saint-André, par une chaude nuit où les fenêtres sont grandes ouvertes dans ma chambre – demandez-moi pas pourquoi, moi qui ai le sommeil si léger, j'ai rien entendu – en plein milieu de la nuit, donc, vers 1 h 30, une formidable explosion réveille tout le quartier, sauf moi. Moi, je dors. Le lendemain matin, au réveil, je vois beaucoup d'agitation sous mes fenêtres. Y a mon voisin Tousignant qui passe: «*Regardez ça, André, y a la maison qui est rendue dans le chemin!*»

Je descends voir. Le 4576, le fameux dépanneur envahi par les bums, a sauté d'un bloc et s'est retrouvé au beau milieu de la rue. Il y a maintenant un beau terrain vague à droite, avec les fondations… Tous les voisins sont autour. La police, le coroner. Et là, on me raconte une histoire terrible. Il semble que le monsieur du dépanneur, incapable de se débarrasser des bums ni de vendre son commerce, à cause des mêmes maudits bums, ait décidé de mettre le feu à la baraque, de la faire «passer aux assurances». Il est parti chez lui la veille, comme d'habitude, à la fermeture, et il est revenu dans la nuit pour allumer un brasier au sous-sol. Sauf qu'il y a eu un court-circuit ou quelque chose du genre. Et le temps qu'il réalise ce qui se passe et essaie de fuir la fournaise pleine qui s'embrase d'un coup, tout a sauté! Le monsieur est mort là, dans les marches qui remontent au jardin. Les locataires du deuxième périssent aussi dans l'explosion.

* * *

Ce lieu dévasté, ce terrain désormais vacant, est sur le bord d'une ruelle et reçoit une lumière exceptionnelle, dès la fin de l'avant-midi et jusqu'au soleil couchant – le problème du Plateau Mont-Royal, c'est toutes ces maisons collées les unes aux autres, sans fenêtre, donc sans lumière sur les côtés.

J'ai toujours rêvé de construire une maison, de partir à zéro et de bâtir... et voilà un beau terrain vacant en plein cœur de mon quartier. Je m'informe du prix, mais c'est trop cher pour mes moyens. Je ne peux pas assumer à la fois l'hypothèque du 4682 et la construction d'une nouvelle maison. Mais je rêve. J'imagine des formes. Je me prends pour Gaudi... et j'apprends, un matin, que le terrain est vendu.

Les pépines arrivent, ramassent les décombres et creusent le trou. La construction de la maison débute et je découvre que même si c'est pas moi qui construis, je peux triper quand même. Je peux apprendre. Je suis donc très, très, très souvent autour du chantier. Je regarde les murs s'ériger. Une fois la structure en place, je trouve le moyen d'entrer le soir, quand les ouvriers sont partis. Je me promène, j'imagine le jardin, je regarde les murs encore ouverts. C'est un entrepreneur qui fait construire ça pour y vivre. Comme il a accès à des fins de ligne, toutes les fenêtres de la maison sont des portes coulissantes. C'est assez étonnant, d'ailleurs. T'as deux portes coulissantes en haut, deux portes coulissantes en bas, deux sur le côté. Imaginez la lumière !

Y a pas encore de *gyprock*, la charpente est bien visible. Au point de vue structure, c'est impeccable ! Les planchers sont soutenus par des cintres d'acier, y a pas de murs porteurs hors les murs extérieurs. L'endroit rêvé pour un fou comme moi ! Et je tripe fort parce que je suis tellement d'accord avec ce qu'ils font, les gars. Je regarde les divisions : «*Ah, y va y avoir un logement en bas, c'est une bonne idée, ça… Ça va rentabiliser l'affaire…*»

* * *

La construction de la maison est terminée, le monsieur entrepreneur emménage, mais je sais qu'il la vendra éventuellement. Je sais que je pourrais faire une offre n'importe quand. Alors, le matin où je décide de vendre 4682, je me précipite, mais la maison vient d'être cédée pour 165 000 $ à un couple d'anglophones. J'ai vendu la mienne 144 000 $, j'aurais peut-être pu…

J'aurais dû, en principe, avoir de la peine de rater cette maison-là… J'étais là, je la voyais s'ériger, se terminer, se vendre, c'est pas moi qui allais l'habiter, mais je n'avais aucun regret, aucune amertume, comme si j'avais su dès le départ qu'un jour, ce serait chez moi.

Grâce aux bons soins de ma voisine d'en face, la courtière immobilière qui vendit le 4682 Saint-André en moins de 10 minutes, je me retrouve donc rue Montcalm. Mais le rêve persiste. «*Dès que tu apprends qu'en face est à vendre, tu m'appelles !*»

Et au bout de deux ans et demi, elle m'appelle. Ça tombe pile un soir où j'haïs tout particulièrement le 2070. Je suis plus capable de vivre là.

— André, la maison en face est à vendre !
— J'arrive ! On va faire une offre.

* * *

Montréal, avril 1989

J'arrive devant cette maison-là comme devant une vieille chum. Je la connais de façon intime. Je sais qu'elle est bien construite. La dernière fois que je l'ai visitée en cachette, le rez-de-chaussée était encore un grand plan vide où j'ai imaginé une cuisine centrale pour accueillir le monde autour, un petit cabinet de toilette dans le coin… Sauf qu'ils ont pas mis la cuisine au bon endroit !

Où je mettais, logiquement, le coin toilette, eux ils ont installé une cuisine IKEA noire, avec de grands carreaux de céramique noirs et blancs au plancher.

Autre petit problème, autant la structure avait été bien faite, avec des matériaux extraordinaires, autant la finition laissait à désirer. Remarquez que j'en étais presque content. Les moulures sont *bas de gamme* ? La finition mal faite ? Quel merveilleux prétexte pour tout démolir encore !

Attention, je ne l'ai pas encore achetée, la maison, je ne l'habiterai que dans six mois. Je la visite, là ! Et, déjà, je suis en train de tout refaire ! J'ai toujours fait ça, je démolis les maisons autour de moi. D'ailleurs, c'est la première chose que je fais quand j'entre dans un appartement que je ne connais pas. Je démolis tous les murs ! Je regarde ce que moi j'aurais fait avec cette maison-là. C'est un moteur qui se met en marche. Je suis comme ça. Je suis fait comme ça. Je démolis vos maisons, mesdames et messieurs.

* * *

Les Anglos demandent 197 000 $ pour la maison, c'est cher, mais si je vends le 2070, ça va. Sauf qu'il est pas vendu, encore. Il n'est même pas mis en vente. Côté hypothèque, je grimpe de 800$ à 1000$ par mois, ça passe encore. Mais j'ai tellement peur de perdre cette maison dont je rêve depuis 3 ans que je dis à la courtière au cabot carnassier: «*Surtout, donnes-y son prix!*» «*Mais, non, ça se fait pas!*» Enfin, je signe à 192 000$. Il faudrait que j'allonge 30 000$ *comptant* pour conclure. Bien sûr, j'ai pas une *token*! Donc, je signe une clause de 48 heures qui protège mon offre même si quelqu'un leur proposait plus que moi. Je mets tout de suite le 2070 en vente, mais je rate la première offre à cause de mes 42 000 coussins de cuirette.

Au bout de deux jours, l'agente m'appelle: «*Là, le 48 heures est quasi terminé, faut qu'on signe… Parce qu'il a une autre offre…*» Seigneur! Et, j'ai toujours pas le 30 000$! Mais, je vous l'ai déjà dit, dans ces cas-là, j'ai des ailes qui me poussent… Ça fait deux jours que je cogne aux portes, que j'appelle, que je pars 22 projets…

* * *

Le téléphone sonne. Nous sommes vendredi après-midi. C'est Camille Goodwin qui est bien contente que je m'achète une maison neuve avec un locataire et à qui j'ai dit de sortir ses antennes, parce que ça me prend des contrats, et vite. «*André, y a André Dubois qui écrit une nouvelle série pour la télévision, qui s'appellera* Rira bien. *Il aimerait ça savoir… parce qu'il faudrait que tu répètes tout de suite mardi…*» C'est un petit rôle, un livreur de dépanneur, dans le 2ᵉ épisode, je ne sais pas ce que ça va donner, mais, je me dis: «*Tu mets le pied dans la porte, tu ouvres la porte! On verra ce qui va se passer!*» Alors, tout l'après-midi, Camille appelle le gars pour confirmer que j'ai dit oui. Elle appelle, elle appelle, elle appelle, mais n'arrive à le joindre que le lundi matin. «*Ha! Excusez-moi, comme vous n'avez pas rappelé vendredi, on a engagé quelqu'un d'autre…*» Comment ça, y ont engagé quelqu'un d'autre? «*Camille, tu vas rappeler et lui dire que moi, je suis à la répétition demain. C'est pas de ma faute si leur ligne a été occupée toute la maudite journée! Je suis dans l'émission! J'ai été engagé verbalement!* » Ça marche, je me pointe à la répétition de *Rira bien*, en plein *rush* d'adrénaline parce que j'ai décidé que je serais bon!

L'émission est construite sur une série de sketchs – j'en ai un délicieux avec Pierrette Robitaille – où je joue le livreur du dépanneur. Dans ma vision des choses, c'est un p'tit vite à moustache qui s'en est rasé la moitié par erreur un bon matin et qui a trouvé qu'il était beau bonhomme de ce côté-là. Depuis, c'est son *look*. Il porte une casquette avec la palette relevée et parle avec une voix de crécelle… De toute façon, ce gars-là existe, c'est le livreur de mon dépanneur sur la rue Amherst!

Ça marche tout de suite, autant que pour le personnage de Christian dans *Chez Denise!* Même les cameramen ne m'appellent plus que Ti-Pit. André Dubois, fin stratège, me fait revenir la semaine d'après… Je serai là 5 ans. Et je serai très, très bien payé, grâce aux bons soins de la bonne Camille!

Comme j'ai aussi décroché trois contrats de mise en scène que je mène de front, les 30 000 $ sont déposés dans les délais.

* * *

Je signe donc en avril, mais je ne peux pas emménager au 4576 avant le premier août. Je viens de perdre une saison pour le jardin! Parce qu'à part un caragana et deux lilas, y a pas grand chose dans la cour, autrement couverte d'un pavé de brique banale en quinconce. Mais, moi, je veux des vignes! Je veux des fleurs!

Je m'en vais voir le monsieur anglais, je frappe à sa porte… Il m'aimait pas beaucoup, le monsieur, parce qu'en acceptant ma clause de protection de 48 heures, il a perdu une offre plus intéressante. Et puis, c'est un Anglais, il haït les Québécois et il est plus capable de nous voir! Le Plateau, pour lui, c'est trop! Et là, le pauvre, après lui avoir fait la passe, après lui avoir fait perdre des sous sur la vente de sa maison, voilà que je viens le déranger de bonne heure un samedi matin de la mi-avril, pour lui demander: «*Can I make holes in your back?*»

«*What???*» Il a fini par comprendre que je parlais du jardin. Complètement dépassé, il n'a pas le réflexe de dire non. Je me ramène dès le lendemain avec ma pelle, ma pioche, mes sacs de terre et ma *crowbar* parce que, pour faire des trous et planter des arbres, faut que j'enlève des bouts de pavé. Je commence par planter des genévriers de chaque côté de la porte d'entrée, puis un marronnier, un beau gros marronnier de 8 ans, dans le coin nord-ouest du jardin, puis des fleurs, une vigne et même une glycine!

* * *

Je déménage le 1ᵉʳ août. Le jardin est déjà très acceptable, mais je suis pris avec la maudite cuisine au plancher blanc et noir dont j'ai horreur! Je déteste aller me faire à manger dans ce coin-là, et puis il y a des fourmis partout! J'ai un four à micro-ondes sur une grosse boîte de livres, je n'ai encore rien sorti… faut qu'il se passe quelque chose.

Pour me calmer le pompon durant la journée – le soir, je joue au théâtre d'été – je décide de construire une pergola dans la cour afin que les petites vignes aient de quoi s'accrocher. Je fais appel à Luc-Robert Archambault, mon grand chum décorateur. On fait des plans ensemble et je décide que, pour ménager un peu, je vais la faire moi-même, la pergola. Je pars m'acheter une scie ronde, une équerre, un banc de scie, *name it*, en me disant que, de toute façon, c'est un investissement. Ça n'a servi que pour cette pergola! J'ai vendu tous ces outils-là dans ma vente de garage, puis quand je suis arrivé en Gaspésie, j'ai été obligé de tout racheter! Ça vous montre un peu comment je fonctionne!

Une fois la pergola finie, teinte, les vignes palissées, je regarde dans la maison… Je suis encore pogné avec ma cuisine.

* * *

Une fin de semaine passe. Le lundi matin, assis sur une chaise devant la grosse boîte de carton qui me sert de table, j'appelle Camille Goodwin, mon agente et administratrice.

— *Tu sais, Camille, y a juste une affaire qui me manque ici, là, c'est une cuisine !*

— *Organise-toi avec celle que t'as déjà parce que tu vas être obligé d'attendre un an…*

— *Oui, mais, c'est parce que la cuisine, là… Je l'ai démolie en fin de semaine…*

Je n'avais plus de cuisine !

Je me suis levé le dimanche matin, c'est jour de congé, j'ai joué deux fois au théâtre la veille. Il fait beau, je me souviens, une journée exceptionnelle. Je vais au jardin, je regarde les affaires pousser, je rentre me faire un café… la maudite cuisine !

Je pars, je descends la rue Saint-André, je regarde à gauche et à droite. Là, y a un jeune homme qui passe, 30 ans, assez joli. Heureusement, il a les cheveux courts !

— *Écoutez, connaissez-vous quelqu'un, vous, qui fait de la démolition ?*

— *Ben, moi ! Je travaille en rénovation avec monsieur Untel…*

— *C'est parce que j'ai besoin de quelqu'un pour enlever des tuiles de plancher.*

— *Ben, on va aller voir ça !*

Croyez-le ou non, il a trouvé le moyen de se procurer un marteau-piqueur – on est dimanche ! Mais il est épais et moi aussi. J'aurais très bien pu laisser là les anciennes tuiles, qui étaient bien unies, et les couvrir de nouvelles. La dernière fois que j'ai posé des tuiles, c'est à Cowansville il y a

20 ans, je ne connais pas les nouvelles colles. Donc, on rentre là-dedans au marteau-piqueur. Ça fait une poussière! Puis, c'est grand, ca fait 20 pieds par 30.

Il reste toujours les armoires, mais c'est rien, les armoires! C'est des affaires IKEA, fixées avec trois vis. Si tu ne les enlèves pas, *anyway*, elles vont tomber! Je téléphone à une copine qui rénove: «*Veux-tu ma cuisine? Viens la chercher avant 5 heures!*»

* * *

Soudain, j'ai un gros *flash*. À l'époque, Reine Malo a une émission à TQS, où on fait de la décoration intérieure chez les gens… Moi, il me faut de la promotion, je suis le roi de la promotion, il faut que ça se sache, les affaires que je fais! Je sens que ce lieu – et surtout le jardin qui attire l'interviewer presque autant que le bourdon – peut devenir un instrument de travail. C'est pas prévu d'avance mais c'est comme ça que ça se passe.

Dès les premiers dégâts, je décide donc de médiatiser ma cuisine. J'appelle TQS, la réalisatrice est ravie.

— *Ah, quelle bonne idée! Justement, on fait une émission sur les cuisines…*

— *Ben, gardons ça, vous!*

— *On vous envoie une caméra, quand la voulez-vous…?*

— *Ben, là! Chu prêt!*

Les kodaks arrivent. Je suis debout sur le comptoir avec mon tournevis et ma *crowbar*, et je démolis la cuisine en direct devant les caméras de TQS.

* * *

Avant de s'embarquer dans la réfection de la cuisine – parce que, là, on part pour 10 ans de travaux – faisons le tour des lieux. C'est un peu compliqué à décrire, entre autres parce j'en oublie des bouts. J'ai tellement changé de choses dans cette maison qu'à la fin des travaux, la veille de mon départ, il n'y aura plus trace des murs originaux.

C'est une espèce de *split level* avec un entresol, un étage et un second étage. L'entresol et le quart avant de l'étage sont occupés par le locataire du bas. Tout le reste est à moi. Quand on entre dans la maison, il y a, à droite, un escalier qui descend chez le locataire, et, tout de suite à gauche, un escalier qui monte chez moi, au premier, et se poursuit au second.

L'appartement du bas s'ouvre sur le jardin arrière. Au milieu, un escalier de bois donne accès à la pièce qui hypothèque le quart avant du premier étage. C'est-à-dire qu'il y a un mur à gauche, en entrant, et, derrière ce mur, y a la pièce du gars du dessous dont les fenêtres donnent sur la rue Saint-André. Vous me suivez ?

Dans ce qui reste du premier étage, y a de quoi faire une grande, grande pièce avec la cuisine au milieu. Déjà, le second étage, c'est une pièce extraordinaire, grande, grande, grande, avec ses fameuses portes-fenêtres… Y a un balcon qui donne sur la rue Saint-André, un autre sur le jardin, deux puits de lumière, et je ferai mettre des miroirs là-dedans un peu plus tard… La lumière y sera absolument merveilleuse. Sauf qu'en plein milieu de cet espace, y a la laveuse et la sécheuse ! En haut, comme ça, perdues, *out of nowhere*… Faut que ça sorte de là.

* * *

Pour ma cuisine, je suis tombé sur de véritables pros. La compagnie a fait faillite d'ailleurs, je pense que la qualité était trop bonne pour le prix, vraiment c'était impeccable ! Pour m'aider à choisir, le monsieur me suggère une décoratrice d'intérieur. Elle débarque chez nous et on fait la liste de tout ce que je veux dans ma cuisine de rêve.

Mais, pour avoir cette cuisine rêvée… Écoutez, j'avais un super poêle avec une plaque de cuisson Amana. Ça, madame, c'était une plaque de verre à travers de laquelle on voyait les ronds. Ce que je trouvais merveilleux, c'est que pour faire des photos, tu mettais ton groupe autour du poêle et tu allumais les ronds en *fade in* et ça faisait un bel éclairage sous-jacent, superbe, ça ajoutait une touche dramatique aux photos... J'ai même déjà laissé les quatre ronds allumés pour faire un effet spécial, un soir de party! La hotte n'était pas au-dessus mais sur le côté, elle descendait dans le mur. On a même pété le ciment pour la sortir dans la ruelle, la hotte. Tout pour que la cuisine soit en plein milieu de la place! Puis, les armoires et le comptoir étaient ultra modernes, ultra extraordinaires, ultra toute!

On en profite aussi pour descendre la laveuse-sécheuse qu'on installe dans une petite pièce, derrière la cuisine. Sauf qu'une fois les plans faits, y en avait pour 28 500$, des bébelles!

En plus, elle prenait toute la place, cette cuisine-là! La madame décoratrice n'avait pas tenu compte du fait qu'il y avait des murs qui donnaient dehors, elle... Alors, j'étais pogné pour passer de ma nouvelle cuisine au salon, je devais longer de côté, le mur extérieur nord, parce que de front je ne passais pas. Très intéressant!

Très vite, je suis plus capable de me prendre pour un hiéroglyphe égyptien! Je veux juste jeter les murs à terre, puis le maudit corridor, y va donner dans la ruelle! Je sais, dès la première semaine, que cette cuisine à peine installée, finie et payée 28 500$, je la démolirai un jour!

Si j'avais eu les moyens, je l'aurais probablement refaite tout de suite, la cuisine. J'ai déjà fait ça, moi, finir une pièce le matin et la refaire le lendemain parce que je l'aimais plus.

* * *

Je n'ai pas d'argent, mais j'ai des projets. J'ai un contrat qui s'en vient pour l'automne, au théâtre... on va s'arranger! De toute façon, je suis déjà en train de dépenser les contrats qui ne sont pas encore rentrés! J'appelle l'administratrice et mon banquier quand tout le dégât est fait! Ils doivent composer avec le gâchis! Mais, Camille est fâchée après moi. Je pense que c'est à ce moment qu'elle a décidé de ne plus m'administrer parce qu'elle était en train de virer folle avec moi, pauvre femme...

Je ferai la même chose à ma sœur, je lui ferai faire des crises d'angoisse terribles, elle ne dormira pas pendant des jours... Alors que moi, je dors comme un gros bébé parce que, moi, je ne comprends pas ça, l'argent. Il y a quelqu'un d'autre qui s'en occupe, je n'angoisse donc pas là-dessus. Je ne ferai pas de cancer du côlon à cause de ça. C'est les autres qui meurent autour de moi!

* * *

Donc, j'ai une belle grande cuisine, j'ai un beau 2e étage qui comprend une nouvelle salle de bain avec un beau grand bain tourbillon, juste sous le puits de lumière. C'est que dans la petite pièce où il y avait la laveuse-sécheuse en haut, j'ai défoncé le mur... Ah, tiens, je me souviens que cette journée-là avait été des plus agréables...

Dès le premier café, j'appelle mon plombier. Ce gars-là, un génie de la plomberie et de l'électricité, a travaillé sur à peu près tous les plateaux d'opéras et de grands spectacles. C'est le gars que t'appelles au milieu de la nuit parce que tout vient de péter et que la scène a été transformée en piscine olympique... Mais c'est un gars qui ne prenait jamais de notes. Finalement, ça m'a coûté la moitié du prix. «*Attends donc minute...* qu'il disait. *Combien j'ai travaillé d'heures cette semaine? 30 heures? J'ai bin dû te jaser ça un boute... Donne-moi donc 10 heures... Kin, donne-moi donc 150 $.*» Mais, il fallait que je le suive à la trace, mon plombier, parce qu'il pognait sa scie ronde encore en marche, il la maudissait sur le comptoir tout neuf et il fallait remplacer le comptoir!

Donc, j'appelle mon plombier.

— *Viens t'en, faut qu'on descende la laveuse-sécheuse.* On enlève la laveuse-sécheuse.

— *Là, je te préviens, André, il risque d'y avoir un tuyau, là, pour l'eau, dans le mur…*

— *Ben oui, mais, y a rien là, tu mets un T…*

— *Non, non ! Pas de problème ! Je veux juste te prévenir…*

— *Aie pas peur pour moi ! J'en ai vu d'autres.*

Il peut bien arriver n'importe quoi, n'importe quelle surprise… ça devient un challenge. Par exemple, la toilette du bas, elle est sur une dalle de ciment, ça passait pas, il a dû mettre le coude tout croche… Ben, on a une toilette ! Ça s'en va de même, mais ça marche pareil !

Alors, on monte, on enlève la laveuse-sécheuse, on se débarasse du petit bain niaiseux qui ne peut contenir qu'un pouce d'eau, parce que je veux mettre mon beau grand bain tourbillon juste en-dessous du puit de lumière. Puis, on défonce le mur…

Tous les tuyaux, tous les raccords électriques, tout ce que vous pouvez imaginer passe dans ce mur-là ! J'ai devant moi un beau trou avec un mur de fils, puis là, j'avoue avoir été un petit peu découragé… Lui, y a regardé ça : « *Ben, on va s'atteler puis on va le faire, qu'est-ce tu veux…* » Il a tout coupé, rejoncté, mis en T et prévu les connexions pour la pomme de douche… tout a fini par s'arranger.

Mais, c'est de la création, ça, pour moi ! Je trouve ça tellement le *fun* de voir ce ramassis d'affaires, de n'y rien comprendre et, tout à coup, par magie, le lendemain, de trouver le gars pour arranger ça. Tu sais que la prochaine fois, il va t'arriver pire encore, et ça te dérangera pas ! Ça fait partie des joies de la rénovation !

* * *

Tant qu'à avoir les ouvriers dans la maison, on va refaire la grande fenêtre de 3 pieds par 8 pieds qui donne sur Saint-

André et qui éclaire l'escalier qui monte au deuxième. On pourrait y installer un vitrail exceptionnel, mais je veux régler ça tout de suite. La décoratrice me suggère : « *Y a des beaux blocs de verre qui ne sont pas très chers…* » Parfait, on va en profiter pour faire un mur de verre qui va séparer le bain tourbillon du grand salon, en haut.

Je pars à Sainte-Rose avec un camion – j'en profite pour passer par Saint-Chrysostome acheter un 300 pieds carrés de belles pierres plates pour le jardin – et je reviens avec tous mes blocs de verre. Je regarde le gars monter les blocs de la grande fenêtre et, pour ménager, je décide de faire moi-même, de mes blanches mains, le mur de verre de la salle de bain.

Mais j'ai le malheur, en montant mon mur, d'oublier de le soutenir avec une feuille de *plywood* derrière, et durant le séchage du mortier, le mur se courbe très légèrement. C'est-à-dire qu'il redescend d'à peu près un huitième de pouce dans un coin.

Remarquez, c'est très beau ! Quand on regarde devant, on ne voit rien, c'est parfait. Pour voir la fameuse convexion, il faut prendre le corridor, s'arrêter, regarder le mur de côté, et là, si on examine bien attentivement, on voit qu'il y a un petit creux…

Je me suis mis à remettre ce mur-là en question ! En plus, comme je suis tellement content d'avoir fait mes affaires moi-même, j'invite du monde pour voir le résultat final, et la première personne qui monte au deuxième a fait : « *Aaaah ! t'as fait ça avec du verre de taverne, toi ! Ah bien, ça passe bien, ici…* »

Et me saute au visage la taverne au coin d'Amherst et ma mère qui essayait de voir où était mon père à travers les maudits blocs de verre…

Tout le temps que j'ai vécu au 4576 Saint-André, tous les soirs en entrant dans ma chambre, je me suis arrêté un instant pour haïr mon mur de taverne…

* * *

L'espace chambre s'ouvre donc sur le bain tourbillon, adossé à son mur de verre, et sur un superbe lit à baldaquin, avec des rideaux et de gros pompons dorés à chaque coin, un matelas épais comme ça, un éclairage intérieur… J'entre dans mon baldaquin, je ferme les rideaux, y a un petit éclairage diffus et mon *spot* est parfait pour lire. Même s'il y a une tempête dehors, moi, je pars. Je suis ailleurs. Et, si jamais j'ai un peu froid, ou trop chaud, je sors des couvertures et, à deux pas, je me fais couler un beau bain tourbillon avec des bulles…

Il arrivait parfois, quand je donnais des partys, que la chambre soit occupée. Je me souviens d'un couple très amoureux, et je pense qu'ils le sont encore, des comédiens connus dont je tairai le nom – essayez toujours de trouver – qui viennent carrément me demander.

— *Est-ce que ça te dérangerait beaucoup que, pour la fin du party, on disparaisse…*

— *Oh, écoutez, vous êtes trop cute, je vais même vous faire couler un* bubble bath*!*

Je suis monté préparer la chambre et le *bubble bath*. Nos amoureux ont disparu… Et, je pense bien être le père putatif d'un ti-cul qui doit avoir 14-15 ans maintenant, parce que je suis sûr que c'est chez moi que c'est arrivé.

* * *

J'ai une maison relativement potable. Elle est même très bien. J'ai ma belle grande cuisine centrale. Puis, de l'autre côté du comptoir, il y a des bancs. Même si c'est un peu tassé, la pièce est quand même extraordinaire. L'été, je peux enlever toutes les fenêtres coulissantes. De la cuisine, je vois le jardin, la lumière est superbe, c'est plein sud-ouest, tout ça, tout l'après-midi… Les plantes sont heureuses et, normalement, j'aurais pu me tenir tranquille quelque temps, d'autant que j'avais, en bas, un locataire…

Le locataire, c'est Normand Chaurette, un excellent auteur qui a écrit, dans cette maison-là, de bien belles choses, dont *Les Reines*. Il est arrivé presque tout de suite, pendant les travaux. Il me donnait 675 $ par mois, ce qui n'était pas si mal et m'aidait à tenir le coup avec mes doubles hypothèques. C'est un gars sociable et les gens qu'il côtoie sont des gens de théâtre, des gens absolument charmants que j'aurais dû être ravi de voir débarquer dans le jardin. Mais, tout à coup, je découvre que j'aime pas ça… Je n'aime pas trouver du monde aussi intéressant soit-il dans MON jardin le dimanche matin ! C'est pas là que je veux les voir, pas le matin ! Ça n'a rien à voir avec eux, rien à voir avec Normand, c'est juste moi qui ne suis pas capable… Ce n'est pas dans mon intérêt, mais c'est comme ça, je ne suis pas capable d'avoir un locataire !

Je ne suis pas désobligeant avec Normand, mais j'ai tellement hâte qu'il parte ! D'autant plus que je commence à avoir des idées. Quand je suis dans le jardin, je vois les petites marches qui descendent dans son logement. Il y a une belle grande pièce qui n'est pas chez moi… Ça serait pas beau d'avoir un vrai sous-sol comme t'as rêvé quand tu étais petit ? Je commence à rêver d'un sous-sol avec un piano et un cinéma-maison, avec des gros coussins par terre et… je vais l'avoir ! Sauf qu'avant, faut que je me débarrasse du locataire.

Je vais, un bon matin, prendre un café chez lui – on se voyait à peu près tous les jours – et à un moment donné il dit :

— *André, j'ai quelque chose à te dire… Je paie quand même 675 $ de loyer par mois… Tsé, c'est très désagréable pour quelqu'un qui habite un appartement, de voir le propriétaire venir tous les jours, s'asseoir à table et regarder les murs en disant :* « Quand tu vas partir… ce mur-là, je vais le jeter à terre ! Quand tu vas partir, la salle de bain, elle sera pas là ! Quand tu vas partir… » *Ben oui, mais André, je ne suis pas capable de vivre ça, là, je suis quand même chez nous !*

— *Normand, je pense que tu as raison. C'est vrai, ça doit être invivable. Je suis tellement un mauvais propriétaire que tu devrais t'en aller.*

— *Je pense que c'est ça que je vais faire...*

Puis, il est parti ! Il s'est trouvé quelque chose, il s'est acheté une maison, et ça été une rupture très agréable, y a pas eu de plainte à la Régie du logement, rien... Mais, le dernier coup que je lui ai fait, au pauvre Normand... Vous savez, la pièce qui hypothèque mon premier étage ? Je vous en ai parlé, tantôt... C'était la pièce où il avait son bureau. Alors, au moment où il est en train de sortir les dernières archives du bureau pour les mettre dans le camion qui attend dans la ruelle, moi, avec la masse, je défonce le mur tellement j'ai hâte de voir l'étage s'ouvrir enfin de la rue au jardin...

* * *

La pièce avant est donc ouverte, reliée au reste de l'étage. Je suis très content, mais : « *Crisse, y reste encore un mur !* » Il y a le mur transversal, auquel s'adosse ma cuisine centrale, qui bloque aux trois quarts la vue entre le jardin et la rue.

J'ai encore le mur de la cuisine en pleine face ! Comprenez-vous ? J'ai encore le maudit petit corridor qui longe le comptoir ! Je suis enfin chez moi, mais je suis pas encore content parce que j'y ai pas pensé, moi, à ce mur-là. Et l'abattre, c'est pas évident, y a l'escalier central qui descend dans l'ancien logement du bas... « *Ça se peut pas, là, faut quand même que j'aie accès en bas... à moins que je mette l'escalier là-bas, près du jardin... non, c'est le foyer... ça marchera pas avec le foyer... et si je mettais l'escalier là ? Non, ça marche pas plus, j'arrive direct sur toute l'entrée d'eau de la maison, ce coin-là, je peux pas y toucher...* » Comme je n'ai pas de solution, ça va rester comme ça ! Mais, je fatigue !

Cette maison, par ailleurs très agréable, est donc un petit peu ratée – on croirait entendre ma mère – parce que ça serait tellement plus intéressant d'ouvrir complètement... Ça me fatiguait tellement qu'à un moment donné, j'ai voulu vendre la maison. Alors, Sophie Lorrain vient voir ça et dit, en regardant le maudit mur : « *Ah, merde ! Moi, je cherche une place qui, tsé, qui va jusqu'au fond, là !* » Elle est à peine partie, que je veux tout jeter à terre, mais j'ai toujours pas la clé du problème ! Je suis pogné avec ça et c'est pas le bon moment pour vendre sur le Plateau, je perdrais trop...

Je suis assis, un soir, au comptoir de la cuisine à me creuser les méninges quand arrive Charles Imbault, un jeune et brillant ami qui me lance : « *Veux-tu bien me dire, toi, comment ça se fait que tu as deux escaliers qui mènent en bas ?* » Moment de silence... « *Ah bin, toi ! Bouge pas, Charles ! Tu viens de tout' régler d'une claque un problème vieux de trois ans !* »

Il a parfaitement raison, on peut très bien descendre par l'escalier de l'entrée. Je m'en sers si peu souvent que j'en ai fait une garde-robe et que j'ai fini par l'oublier. Je peux enfin éliminer l'inutile escalier central et le fameux mur qui le longe. Une fois que c'est fait, regarde donc ça, comme j'ai un beau plancher ! Ah ben, le frigo et la bibliothèque adossés au mur peuvent s'en aller dans le fond, du côté de la rue Saint-André et je l'aurai enfin, mon grand espace !

* * *

Il est huit heures du soir. J'appelle Blondeau, le gars qui me suivra pendant les 10 ans que durera mon trip dans cette maison-là.

— *Alors, tu travailles à Outremont de ce temps-là ? Tu te fais chier avec la bonne femme, hein ?*

— *Ben, mazen !*

— *Peux-tu commencer demain matin chez moi, parce qu'on démolit toute la cuisine... ?*

— *Ah, oui, à quelle heure ?*

— *Huit heures !*

— *J'vas être là à huit heures! J'vas y dire que chu malade!*

Il débarque chez moi avec sa gang, puis le party lève! Parce qu'il y a le plombier qui aime le jazz, Blondeau qui aime les voyages et qui tinke un petit peu – je me suis toujours souvenu de son numéro de téléphone parce que ça finissait par vingt-six onze – t'as l'assistant de Blondeau, t'as mon «majordome», Marc, qui est venu faire des boîtes... Moi, je suis assis dans ma grande cuisine en devenir et j'en vois un passer avec des bouts de tuyau, l'autre avec une boîte électrique, un troisième tire un fil à travers le plancher, un quatrième appelle d'en haut parce qu'il est pogné sur l'escabeau pendant que Marc sort de la salle de lavage avec des draps et Marie-Marthe gère le trafic en ramassant les bouts de *gyprock*...

Je crie: «*STOP!*» C'est un tableau surréaliste, ils sont six, tous arrêtés ben raide... «*Okay, c'est une comédie musicale! Attendez... Bougez pas! Là, y a un chœur d'ouverture, l'hymne rénovationniste et là...*» Écoutez, j'étais complètement parti! Personne ne bouge d'un poil, puis éclate le fou rire de Marie-Marthe. «*Crisse*, que je me dis, *c'est pour ça qu'ils aiment venir travailler icitte! Ça ne se passe tellement pas comme ailleurs!*»

J'ai même réussi à faire une photo dans mon lit à baldaquin avec tout ce beau monde. C'était pour un magazine, je n'ai jamais vu la photo et je ne sais pas ce qu'elle est devenue, mais il y avait sept hommes dans mon lit avec moi! Tous des gars *straight*, là. Cordeau, son assistant, l'Anglo poseur de tuile, le plombier et son *helper*, puis quelques autres dont je me souviens plus...

* * *

Mais avant que le mur et l'escalier ne disparaissent, il s'en est passé des choses, dans l'entresol et dans cette pièce que j'étais si pressé de récupérer mais dont je n'ai jamais su quoi faire. Ce fut un bureau, un salon, une salle à dîner, un lieu de passage occupé, le temps d'un Noël, par une crèche énorme…

Quant à l'entresol, il a, tout de suite, une vocation de «sous-sol de banlieue»! J'étais un peu jaloux de mes amis banlieusards et de leur «sous-sol fini» avec leur gros foyer, leur grosse télé… Il y avait des affaires de toutes les couleurs, puis des tapis par-dessus d'autres tapis, les gros meubles des années 40 et, dans le fond, les outils rangés sur leur établi… C'était ben laite, mais, j'aimais ben ça.

J'enlève d'abord la rampe de l'escalier pour qu'on puisse voir, quand on s'assoit sur les marches de bois, tout ce qui se passe en bas. J'allais y donner des cours, bientôt, et faire des shows là-dedans. J'ai même vécu une névrose, moi, dans ce sous-sol là! Vous allez voir!

Puis, je mets des tentures avec des motifs *shocking pink* et vert lime sur fond *Paisley* aubergine et lavande. Je vais faire poser du linoléum par terre, j'en ai vu en grande vente sur la rue Saint-Laurent, du beau lino beige et rouge, et, par-dessus ça, des coussins, le pouf rapporté du Maroc et bourré de papier journal qui séchait dans la garde-robe depuis deux ans… Mais, là, ça me prend un piano!

J'avais récupéré de Cowansville mon piano droit tout sculpté, un beau piano que j'avais passé des semaines à décaper de mes jolis doigts boudinés. En revenant à Montréal, que vouliez-vous que j'en fasse, je n'avais pas de place pour le garder… Attendez, est-ce que je l'avais? Il était dans mon dernier appartement, mais arrivé au 4682 rue Saint-André, il n'entre nulle part. Je l'avais payé 250$ à la campagne, je le vends 400$ à la femme d'en face, la courtière immobilière qui a du chien, et je lui rachète, huit ans plus tard, mon beau piano pour 800$!

J'ai aussi tout le *kit* de cinéma-maison, une affaire de 10 500$, mais j'avais tout! Les *woofers*, que maintenant je *déplogue*, j'haïs ça pour tuer parce que lorsque qu'Apollo s'envole, toi, c'est ton siège qui décolle. Remarquez, ça attirait les jeunes comédiens après les shows, ces bébelles-là! Comme ils sont venus chez moi voir des vues, les ti-culs! Apollo 13, justement... Bin, je l'ai vu au moins 13 fois!

* * *

J'ai tellement un beau jardin, ça pousse tellement qu'à un moment donné je me suis dit: « *Ça n'a pas de bon sens, les arbres poussent plus vite qu'à côté!* » Il faut dire que j'avais carrément créé un petit microclimat – j'avais même des grenouilles – et ce lieu me semblait tout particulièrement béni des dieux.

Un jour, une connaissance un peu *spirite* arrive chez moi.

— *HHHHHHA! j'ai senti une présence...!* lance-t-elle, soudain émue.

— *Tiens, ça doit être mon fantôme! Mon gars qui est mort dans l'escalier!*

C'est une blague, évidemment, mais...

Dans les jours qui suivent, je vais voir Madame Gagnon, la voisine de ruelle qui voit tout de son balcon depuis 20 ans. Elle a gardé toutes les coupures de presse sur l'explosion du dépanneur. Ben, le gars, c'était un Hollandais! « *Crisse! Mes tulipes, c'est lui! C'est lui qui s'occupe du jardin!* » Et c'est devenu mon bon fantôme hollandais... Il passe ses étés avec moi, ce fantôme-là. Au retour du théâtre, j'allume mon petit pétard et je pique une jase à mon jardinier fantôme, il m'aide à allumer, mais surtout à éteindre les 52 lampions.

Mais, ce n'est pas la seule présence qui hante ma maison. Mon Hollandais a parfois de la visite. Je monte une émission spéciale en hommage à Michel Tremblay et ma cave sert de salle de répétition à *Demain matin, Montréal m'attend*. J'ai retrouvé, 25 ans plus tard, tous les interprètes de la création. Plusieurs ont abandonné ce genre de métier par la suite, ils n'ont pas chanté sur une scène depuis, et on se retrouve tous dans mon sous-sol. La seule qui manque, c'est Denise Proulx, qui vient de nous quitter... Et à un moment donné, alors qu'on est tous en train de chanter, il y a, à la fin d'une phrase, comme un grand silence... «*Ah, Denise vient de débarquer!*»

Évidemment, c'est merveilleux pour un metteur en scène que de telles choses se passent! J'en profite, parce que, moi aussi, je crois à ça, ou, du moins, je crois à la puissance de ça sur la troupe, parce que l'émotion est palpable... Et je m'en sers. Je suis un vil manipulateur.

* * *

Je ne vous le cacherez pas, il y a eu des moments où je dépensais tellement dans cette maison que j'allais revendre mes CD, question d'avoir au moins 60 $ pour passer le week-end! J'ai donc décidé d'arrondir mes fins de mois et, pour un gars comme moi, le plus facile c'est de donner des cours privés. Mais, moi, les cours privés, avec une seule personne, ça me tanne. Je leur ai dis : «*Amène ton chum!*» et je me suis rendu compte que, finalement, je suis un gars d'atelier!

Pendant 4 ans, ça a été ça, mes samedis. J'avais une dizaine d'élèves. Ça m'a pris environ un an et demi pour réunir les dix bons qui allaient rester. Parce que j'en voyais de toutes sortes, ceux qui passent, qui reviennent... La fille qui veut devenir mannequin ou l'autre qui veut juste jouer dans *Watatatow*. J'ai beau lui dire qu'elle doit faire l'École nationale ou le Conservatoire ou *what ever*, c'est pas ça qu'elle veut, elle. Elle est venue chez monsieur Montmorency parce qu'elle veut être à la télé la semaine prochaine!

Mais, il y a, à travers ça, des gens qui restent. Le noyau se créé et ça devient quelque chose de très, très, très important dans ma vie, sans que je m'en doute. Pendant ces années, ces gens-là ont été témoins de tous mes *high*, de tous mes *down*, de tous mes chums, du petit verre de vin blanc en commençant le cours et des partys dans le jardin à faire des sandwiches pour la gang, les samedis où j'avais pas envie de jouer au prof. Je ne voulais pas qu'ils paient, mais ils payaient quand même… c'était fou et extraordinaire!

J'avais décidé de donner cet atelier pour préparer les gens, les jeunes de 16-17 ans, à entrer dans les écoles de théâtre. Je ne crois pas aux vocations tardives. Je pense qu'il faut une formation. C'est, du moins, ce que je croyais à l'époque. Mais, il y a, entre autres, une madame de 48 ans, Carmen Sylvestre, une mère de famille qui veut faire du théâtre. Moi, ça, je n'y crois pas! Je lui donne pourtant rendez-vous chez moi. J'ai besoin d'élèves pour que l'atelier fonctionne, donc, je commence à ouvrir un peu mes horizons. On verra bien si on peut lui apporter quelque chose à cette dame-là, côté culture personnelle…

J'ai un autre téléphone. Une madame, qui a juste 70 ans! C'est Josette Bauthier, une Française qui habite Trois-Rivières avec son mari, et elle a décidé, à 70 ans, de faire carrière comme comédienne parce que c'est son grand rêve de jeunesse. Bon, je me dis: «*Mais c'est niaiseux d'encourager des gens de 70 ans! Y a pas de place pour elle, dans le métier!*» Je rencontre ces deux femmes et je suis très honnête avec elles: «*Vous savez, moi, j'y crois pas à votre affaire. Si vous voulez suivre des cours, si vous voulez prendre ce qui passe, vous êtes les bienvenues, mais, comment peux-tu, toi, Josette, qui a 70 ans, penser décrocher un grand rôle quand même Monique Mercure attend, chez elle, désespérément, qu'on lui en offre un? Et toi, Carmen, qui a 48 ans, as-tu vu toutes les bonnes actrices de 48 ans qu'on a, puis qui travaillent pas?*» Qu'à cela ne tienne, les femmes veulent s'embarquer.

Ce qui est formidable, c'est que mes élèves, ce n'est pas du tout la catégorie de gens que je voulais préparer aux écoles, c'est des gens qui n'avaient pas d'endroit où aller mais qui avaient du talent! Et, ils ont tous fait quelque chose de ça. Y en a un, garçon-boucher de son métier, qui a monté une troupe amateure dans son quartier. Y a Sylvain Pesant qui a fondé un petit théâtre dans son patelin… Parce que ça travaille, ce monde-là ! Quand ils sont sérieux et que tu leur dis : « *Moi, je ne crois pas à votre affaire…* », si tu tombes sur des têtes fortes, ça marche, ça éclate, ça fleurit !

Je découvre que Carmen Sylvestre, ma madame de 48 ans, peut être très drôle. Je commence à la diriger dans du Molière, mais elle rrrrrroule les RRRRR de façon épouvantable, c'est inécoutable ! Heureusement, j'ai, parmi mes élèves, un professeur de diction, Aline Ouellette, la « voix de Radio-Canada ». Elle a une connaissance phénoménale en diction, c'est un apport extraordinaire… Quand je suis tanné de travailler avec un élève : « *Aline, va lui faire faire des exercices, là !* » Et son fun, à Aline, c'est de se brasser le radio-canadien tous les samedis matin en venant chez moi jouer du Tremblay ! Aline donne donc des cours de diction à Carmen qui, en deux 2 mois la p'tite *môsusse*, ne roule plus du tout ses R ! Elle veut, la femme !

Un peu à court d'idées, un samedi, je lance : « *La semaine prochaine, on fait un atelier d'écriture. Arrivez-moi avec un texte. Je pense que des acteurs, ça a besoin d'écrire !* » Carmen m'apporte un texte, le monologue d'une mère qui découvre que son fils a le sida, c'est pas un sujet facile ! Mais c'est drôle ! Et, à partir de ça, ce fut extraordinaire, elle a été découverte par le public et les producteurs, elle tourne avec son *one woman show*, elle est passée à la télé…

J'ai aussi un beau fou, un clown, avec un physique sud-américain, maigre, maigre, maigre. Il est fait en caoutchouc, ce gars-là. Il est complètement à contre-courant de tout ce qui se fait, quand il joue. Il joue tout croche, mais il est très drôle ! Maintenant, il fait le tour du monde avec ses numéros. Il fait du théâtre de rue, il joue les mascottes durant le week-end… Il joue ! Il est heureux ! Où vouliez-vous que ce gars-là aille ? Chez moi, il *fitait* direct dans la place !

Et puis, il y a Josette qui a maintenant 78 ans. On la voit toujours dans les gags de *Juste pour Rire*. Elle se trouve tout le temps de petits rôles intéressants. Je l'ai vue l'autre jour dans un beau film, *Mademoiselle C*, où elle a un petit rôle sans beaucoup de texte, mais il y a une belle émotion qui passe, un moment exceptionnel… Et je me dis «*C'est-tu le fun que cet atelier ait pu permettre à ces gens-là de réaliser leur rêve!*»

Ils étaient partie intégrante de la maison! Ils vivaient les rénovations et les partys de rénovation «apportez votre bouffe». Ma sœur se joignait à nous, je faisais un récital, et eux, ils préparaient leurs scènes. Puis, ils amenaient leurs chums et s'assoyaient dans les marches de l'escalier du sous-sol ou par terre sur des coussins… Enfin, je renouais avec les séances de mon enfance, ruelle Labrecque…

* * *

Malgré tout ce que j'ai pu vous dire en mal du 2070 rue Montcalm, haut lieu de perdition, c'est quand même à cette époque que j'ai rejoué le *Bourgeois* au TNM, repris *Bousille* chez Duceppe, monté *Le Malade imaginaire*, créé *J'écrirai bientôt une pièce sur les Nègres* de Jean-François Caron au Quat'sous, joué *Le roi se meurt* de Ionesco, dirigé par l'immense Ronfard, et remporté le Prix de la Critique pour cette dernière prestation… Mais, à peine revenu rue Saint-André, plus rien!

Je fais, bien sûr, de la création dans les théâtres d'été, à peu près à chaque année, mais le cœur n'y est plus et il n'y aura pas de retour sur les grandes scènes dans les grands premiers rôles. C'est ce qui m'avait fait peur, d'ailleurs en jouant le *Bourgeois*: «*Qu'est-ce que je pourrais bien jouer après ça?*»

Ma carrière d'acteur est donc au neutre ou presque, mais je vis tout de même cinq vies en même temps. Je donne des cours, je recommence à écrire, je *coache* un jeune auteur et monte ses comédies musicales, je dirige des films au doublage, je deviens animateur et chroniqueur télé, j'écris dans les journaux et je me mets à la peinture. Finalement, suis-je encore acteur ou pas ?

Je découvre enfin que si au lieu d'aller me présenter à Radio-Canada quand j'avais 13 ans – j'essayais de décrocher un rôle et je me suis, finalement, retrouvé au Conservatoire LaSalle pour apprendre la diction avant de rencontrer madame Lucie de Vienne-Blanc et les gens du Rideau Vert – si, donc, j'étais allé me présenter à Tizoune, au Théâtre Amherst, comme l'a fait Claude Blanchard, je serais artiste de variétés !

Le Destin a voulu que je me peaufine, que je tombe dans le théâtre classique et tout ça, mais j'ai toujours eu une espèce d'affinité avec l'univers burlesque. À preuve, la rencontre avec Denise Filiatrault qui vient des clubs... Filiatrault et moi, on parle le même langage !

* * *

Je vis seul et j'aime ça ! Mais, j'ai un petit goût amer en fond de bouche. Je n'ai pas envie du parc Lafontaine et de cette clandestinité-là. Mes pulsions ne sont plus les mêmes, je n'ai pas le goût de courailler, ni de refaire un couple. J'ai le goût de rester chez moi, de trouver quelqu'un, d'avoir des présences plus intéressantes... Alors, je commence à regarder les petites annonces dans les journaux... Les masseurs à domicile, c'est quand même un cran au-dessus ! Mais, c'est toujours l'horreur. Tu te fais des images, c'est très, très, très romantique... Si c'est le moindrement passable, bon, ça peut aller ! Mais, c'est toujours décevant...

Jusqu'au jour où je tombe sur une annonce moins bête que les autres. Je téléphone. On prend rendez-vous. J'ai le pain de viande aux épinards dans le four et je finis de préparer la maison quand on sonne à la porte. Je descends ouvrir... Et, là, devant moi, il y a l'incarnation même de mon fantasme !

Les fameux cheveux longs sur les épaules, ils sont noirs, ils sont raides, les yeux, c'est des yeux de husky, des yeux gris pâle... C'est un Montagnais totalement imberbe qui a une espèce de tête d'animal sauvage, mais beau, là! Je suis complètement sous le choc... et je sais que je vais souffrir! C'est, et je ne souhaite ça à personne, la pire chose qui puisse m'arriver. C'est vraiment mon fantasme absolu! Ça n'a aucun sens! Quand tu vis ça, c'est trop, tu deviens fou! Ben, je suis devenu fou.

Alors, cet enfant-là débarque. En plus d'avoir toutes les qualités physiques requises, il est tout à fait charmant, curieux. Il travaille dans le domaine du son et la toute première chose qu'il me dit, c'est: « *Vous avez failli m'enseigner, monsieur Montmorency. J'étais à Saint-Hyacinthe quand vous montiez* Les Belles Sœurs *et, moi, j'étais élève au son.* » Donc, c'était pas un...? Comment se fait-il qu'il fasse de la prostitution via les journaux? Il me dit que pour lui, c'est une expérience, d'ailleurs il est pas homo! Il est hétérosexuel ou, plutôt bisexuel... Il est amoureux d'une fille quelque part et pour lui, la prostitution, c'est pas du tout... «*La preuve*, qu'il dit, *je rencontre des gens intéressants! Vous, par exemple, qui êtes dans le métier. On pourrait même travailler ensemble, un jour...* »

Oh là, là, là, là! Les puzzles dans ma tête, les *patterns* de vie à deux, son studio de son... Moi, je suis parti pour les 20 prochaines années! Pis, on n'a même pas baisé encore! On est juste en train de discuter en prenant l'apéritif autour d'un petit joint!

Après le pain de viande aux épinards, ça aurait dû être le coup du bain tourbillon, mais je suis tellement obnubilé par la présence de ce gars-là que je ne demande rien. J'ai même oublié que j'allais baiser avec lui, qu'il est là pour ça, tellement c'est quelque chose de pas possible!

« *Veux-tu que je te donne un massage?* » qu'il me dit parce qu'il voit bien qu'il faut qu'il fasse quelque chose! Il commence donc à me masser le dos et pendant qu'il me masse, il finit par se déshabiller, et là! Là, je sens, sur le bas de mes reins, une présence! Et je me dis: « *Ça n'a aucun bon sens! Pas ça, en plus!!* » J'ai gagné le gros lot!!!

Dès cet instant, ça y est, c'est reparti, le piton est à *on* et je suis complètement, mais, complètement envahi par une passion totale, une passion physique, et ça fait mal!

Toute la gang de *Rira bien* me voit dans cet état-là et ils savent exactement pourquoi. D'autant plus que, comme d'habitude, je leur raconte tout! Paul Houde, Véronique Leflaguais, Pierrette Robitaille, Pierre Verville, ça rit de moi pas à peu près! Parce que, là, je fais un fou de moi! J'ai vu plein de gens du métier faire la même chose en vieillissant et j'ai trouvé ça triste, lamentable. Ben, là, c'est moi, le barbon épris d'une call-girl!

Et je ne sais pas encore que ce gars-là, c'est la plus grande guidoune de Montréal. Qu'il finira *sex star*, bonhomme à grosse queue dans des pornos américains! Ça, c'est le fantasme des fantasmes! Tu regardes un film de cul et le cul d'Hollywood qui est devant toi, tu en connais les moindres recoins! Le cauchemar absolu!

Mais je suis complètement parti! Je veux lui faire connaître l'univers de la télévision et je traîne cette guidoune-là sur le plateau. Je l'amène au doublage, je l'assois dans le coin pour qu'il regarde ça… Et je suis tellement fou que je ne suis même pas capable de lire le texte qui défile. Je commence à ne plus fonctionner très bien parce que je vois des… la barre transversale, le « i », le « l », c'est un sexe, c'est un pénis… Je suis fou! Fou d'amour, de passion, de cul!

Le fantasme est trop beau, on se voit très souvent, trop souvent. Tous les jours. Je lui donne 50 $ à chaque fois, je lui fais la cuisine, on boit, je fournis le pot… Il veut ouvrir un studio de son? Je signe un emprunt à la banque, 5 000 $, enwoye donc! Et, pendant tout ce temps, il me tient en m'affirmant qu'il n'est pas homosexuel, lui! Il a sa blonde, lui! Il me dit de pas trop m'attacher, de faire attention... Il voit bien ce qui m'arrive et il commence à avoir peur.

* * *

Cette folie-là dure plus d'un an. Je viens, entre temps, de finir mon premier livre, *De la ruelle au boulevard*, dont le dernier chapitre, la belle histoire d'amour – si jamais vous relisez le livre un jour – bin, c'est tout inventé!

Quand je raconte mon voyage à Ogunquit, avec lui, ça, c'est vrai. Je suis arrivé là-bas, j'ai encore fait un fou de moi. On se levait le matin, on partait faire les *factory outlet*, et je lui achetais toute la série de sous-vêtements Calvin Klein. On ramenait ça à l'hôtel et là, ultime fantasme, il me faisait la parade de mode qui se terminait en séance photo. Moi, je m'étais acheté LA caméra avec le zoom et tout le reste – j'avais déjà fait de la photo et j'étais pas mal bon – pour faire LES photos du siècle avec lui, dans les rochers, en bobette et en tout nu... des photos HOT!

Je vis, sexuellement, quelque chose qui est au-dessus de tout ce que j'ai vécu. Parce que, chaque fois, une nouveauté. Chaque fois, l'orgasme ultime. Chaque fois, l'assurance de perdre ça un jour. Chaque fois, ça ne se peut juste pas d'être heureux comme ça! Et, un matin, je me rends compte que si je ne veux pas en mourir, il faut que ça finisse!

On décide de se laisser. Là, les bouteilles de vodka descendent l'une après l'autre! Je ne pense qu'à ça, je ne vis que pour ça. Je l'appelle un soir: «*Je veux bien que ce soit terminé, mais viens, une dernière fois!*» Une toute dernière fois avec lui... Mais, je suis fini après ça, là! Moi, je vous le dis, je l'ai vécu, et je ne le revivrais pas! Ça n'a pas de bon sens!

Mais c'est ça qui est merveilleux! C'est de l'avoir vécu! Et d'apprendre de ça, pour tout le reste de ta vie... Ça reste quelque chose d'extraordinaire, quand t'es capable de le raconter, d'avoir vécu ce fantasme-là ! Y a pas beaucoup de monde à qui ça arrive, ça. Y a pas beaucoup de monde qui connaîtront dans leur vie ces extraordinaires plaisirs-là !

* * *

Il vient donc chez moi une dernière fois. Après, c'est la chute. C'est tellement la chute que mes amis me disent clairement qu'il faut que j'arrête de boire. Il faut que je fasse quelque chose.

Je n'ai pas fait de recherches particulières, je sais que j'avais un nom de clinique en tête... Et, un soir que je suis chez moi et saoul, je téléphone chez les Goodwin pour leur expliquer mon état. Camille, en catastrophe – ça, c'est extraordinaire – m'envoie sa fille, Nathalie, qui vient à la maison, à 9 heures du soir, me tenir la main parce que je suis dans une mauvaise passe...

Et le seul endroit où j'ai envie d'être, c'est chez mon vieux chum Benoît Marleau. Je décide de l'appeler à la campagne, parce qu'il vit à la campagne, à Sainte-Adèle, dans un endroit que j'aimais beaucoup... Je serais bien là, d'autant plus qu'il a complètement arrêté de boire, lui ! C'est la personne qu'il faut appeler à mon secours. Je l'appelle.

— *Marleau, au secours, viens me chercher !*

— *André ? T'es rendu à combien de bières, là ?* Ah oui, j'avais la vodka mais après, ça continuait sur la bière... *Combien t'as pris de bières, là ?*

— *Oh... 4 ?*

— *Veux-tu me faire plaisir ? Prends-en donc 4 autres, pis crève !*

— *Hein ?*

— *Ou va te faire désintoxiquer, mais fais quelque chose, André !*

— *Je voulais m'en aller chez vous...*

— *Oh, non, non, non ! Crève !*

Et il m'a raccroché la ligne au nez! «*Nathalie, y veut pas que j'aille! Amène-moi à la clinique du Nouveau départ!*»

* * *

Je me retrouve à la Clinique, saoul mort – puis j'avais dû fumer en plus – devant le Dr Chiasson qui dit à Nathalie Goodwin de retourner chez elle, parce qu'il faut très sérieusement qu'on commence si, bien sûr, je suis d'accord. J'émerge assez pour faire «*oui... oui...*» Et il me donne des pilules qui remplacent l'alcool... Là, je suis encore deux fois plus gelé!

Mais, dans ma tête, je commence demain matin! Je vais me faire diagnostiquer ce soir, puis demain matin j'irai m'installer à la clinique. Non, non, non! Faut que j'aille coucher en face, rue Sherbrooke près du coin De Lorimier, où ils ont loué une grande maison. Y a des bureaux à l'étage et, en entresol, y a une espèce de dortoir. Des chambres avec des grabats... Et, je dois coucher là pour que, demain matin, ils me prennent en charge...

Pas question que je couche là! Alors, au bout d'une demi-heure, je me lève de mon grabat, je vais voir la fille à la réception et je prends mon manteau.

— *Qu'est-ce que vous faites?*

— *Je m'en vais, je rentre chez moi...*

— *Non, non, monsieur Montmorency, le traitement, c'est ça, c'est comme ça que ça marche ici, allez vous coucher!*

— *Non, non, non! Appelez le taxi!*

J'ai pris mon taxi en lui disant: «*Je serai ici demain matin, à huit heures et demie!*» Elle s'est fait dire ça, la madame, à peu près à tous les jours de sa vie, «*Je serai ici demain matin!*», puis y en a pas un maudit qui est retourné...!

* * *

Le lendemain matin, je suis parti de chez moi sans ma valise parce que j'ai décidé de faire ça en externe. Le Dr Chiasson a compris et j'ai fréquenté la clinique… ça a duré un an et demi.

Et, tout au début, y a Husky, ma fameuse future star porno, qui est venu me réclamer ! Je ne l'ai pas su, heureusement, parce que j'étais probablement, à ce moment-là, assis à brailler dans les escaliers. Entre le 4ᵉ et le 6ᵉ étage, je passais d'un traitement à l'autre, et je me retrouvais à brailler, assis dans les marches, en disant à tout le monde que je voulais vendre ma maison.

— *Pourquoi ?* me demandait un infirmier qui passait par là. *Pourquoi vous voulez vendre votre maison ?*

— *Parce que je veux ouvrir un studio de son pour mon chum !*

— *Madame Goodwin ne sera pas contente !*

— *Qu'a mange d'la marde, madame Goodwin !*

Je n'ai pas vu Husky ce jour-là. Je pense que le Dʳ Chiasson l'a sorti à coups de pied au cul car il a déboulé l'escalier ! En tout cas, il n'a pas recommencé.

J'ai quand même eu de ses nouvelles, par la suite, de temps en temps. Il était en Californie, il faisait des films de cul… Puis, il m'a retéléphoné parce qu'il avait besoin d'aide… Je venais de finir de payer le 5 000 $ de son studio… Je n'ai pas retourné l'appel et je n'ai plus jamais eu de ses nouvelles.

* * *

Un matin, peu de temps après mon installation au 4576 Saint-André, je reçois un coup de fil d'un journaliste de Québec. Le monsieur commence à me parler de mon homosexualité pour un article… C'est la première fois, aussi ouvertement… Je n'ai jamais parlé de mon homosexualité. Nulle part. Même en faisant Christian, je n'en ai jamais parlé ! Je ne m'en suis jamais caché non plus, mais je n'en parlais pas ouvertement dans les entrevues.

— *Je m'excuse, mais on n'a jamais parlé de ça dans les journaux, c'est parce que le public ne le sait pas encore, là !*

— *Vous ne trouvez pas que c'est un peu un secret de Polichinelle?* Oups! Il a pas tort. Je fais quoi, moi, avec ça?

— *Vous avez raison, Monsieur, mais je ne répondrai pas à votre entrevue, parce que je viens de prendre une décision. Je vais écrire un livre!*

— *Mais…*

— *Rappelez-moi une fois que le livre sera écrit!*

L'après-midi je répète *Rira bien* et Paul Houde me dit:

— *Qu'est-ce que t'attends pour écrire un livre avec toutes les anecdotes que tu nous racontes?*

Le lendemain matin en descendant dans ma cuisine, je passais devant le coin bureau où il y avait l'ordinateur, et ça s'est fait exactement comme ça… Je suis sorti de la chambre, je suis passé à côté de l'ordinateur, j'ai tourné la tête, j'ai vu l'ordinateur et j'ai fait: «*Ah, mon Dieu! C'est à matin que ça commence!*»

J'ai été là pendant à peu près 3 mois. Husky est arrivé alors que presque tout était écrit, il restait un chapitre, le sien.

Husky parti, le livre est lancé. Je ne suis amoureux de personne. Je suis amoureux de mon métier, de ma création, je n'ai besoin de personne… Quand tu as un livre qui sort, tu reçois de l'amour de partout… tu ne penses pas à ça.

Le livre sort et c'est un succès. Et parce que c'est un succès, tout le monde parle de toi dans les journaux. Mais peu de temps après, fini les cocktails où on se fait donner des becs. T'es tout seul chez toi. Et tu commences à avoir besoin de continuer ça…

* * *

Un soir, je me retrouve dans un bar et, dès mon arrivée, le proprio me dit: «*Ah! André, j'ai quelqu'un qui veut absolument te rencontrer!*» Alors, arrive à côté de moi, une espèce de grand gars, toi! Complet-veston-cravate, environ 25 ans, *clean cut* puis tout' le kit. «*Ah, ben! Monsieur Montmorency! C'est-tu drôle que je vous rencontre à soir, je viens juste de finir votre livre...*»

Quelle merveille! Le gars a lu mon livre! Il me connaît, là, c'est facile de faire les avances... Mais, je le regarde ce gars-là, c'est pas un homosexuel, ça! J'ai pas de chance! Et ça fait pas 15 minutes qu'on se connaît, qu'il me parle déjà de sa fiancée, de sa fiancée et de sa fiancée...!

Puis, il me parle de ses aspirations, il veut devenir manipulateur de machinerie lourde. Tsé, les grandes grues, les gros *derricks*... Lui, c'est un *dur*, il voudrait bien grimper là-dessus, puis jouer avec ça... En attendant, il est gardien de sécurité. Sauf qu'il est danseur aussi, dans les clubs! Le bar, c'est un bar de danseurs. Et la première chose qu'il m'offre, c'est de danser pour moi, dans le petit cubicule derrière...!

J'entre donc dans le petit cubicule derrière, je regarde le gars faire et je me dis: «*C'est assez étonnant pour un hétérosexuel!*» Mais, là, je ne tombe pas en amour! Parce que j'ai vécu Husky. Je suis très très méfiant. Mais, érotiquement, je trouve ça... En plus, il est hétérosexuel et j'ai une certaine attirance pour les hétérosexuels.

* * *

Je ne revois pas le gars pendant six mois, puis, on se croise. «*Veux-tu venir avec moi au théâtre d'été? On joue ce soir.*» Il vient au théâtre, puis il vient coucher chez moi. Et on recommence le cycle pain de viande aux épinards, *bubble bath*, petit film porno à tendance hétéro pour plaire au jeune homme qui n'est pas homo.

C'est merveilleux, ça. Il est attiré par le gars que je suis, par l'acteur, par tout ça, avec l'aura autour, mais le reste... Il m'a expliqué un jour qu'il était tellement exhibitionniste que, lui, se déshabiller devant un homme ou une femme, il s'en sacrait. Lui, gâté par la nature, il aimait ça se montrer, que voulez-vous que je vous dise. Comme j'étais très exhibitionniste étant plus jeune, je comprends ça. Mais, je commence à avoir le corps d'un homme de 50 ans et j'ai réduit les miroirs dans la salle de bain justement parce que la poignée d'amour s'installe à demeure. Donc, je porte de grands T-shirts s'il y a une scène d'intimité prévue avec quelqu'un. Mais, là, le T-shirt finit par prendre le bord, parce que, lui, mes poignées d'amour, il s'en fout complètement!

«*Faut que je te demande de me rendre un service*, qu'il me dit, un soir. *J'aimerais ça que tu viennes me reconduire chez nous...*» Je ne suis jamais allé chez lui, je ne sais même pas où il habite. On prend l'auto et on s'en va dans l'Est de la ville. C'est une espèce de grand immeuble à logements. Une fois rendu devant la porte, il me dit: «*J'ai un autre service à te demander... J'aimerais ça que tu montes, j'aimerais ça te présenter ma blonde.*» Ooooooh! Okay! Vivons dangereusement! Mais, c'est si bizarre que je m'attends à un transsexuel ou à une vieille rombière sur le retour qui l'entretient.

Donc, je monte et, là, apparaît dans l'embrasure de la porte une jeune femme de 22 ans. Elle est belle comme le jour. De longs cheveux sur les épaules, blond cendré, enceinte d'à peu près 7 mois. Et, elle me reçoit! Elle m'aime, elle est gentille, elle est contente d'avoir l'acteur chez elle, elle est contente que son mari ait trouvé un bon ami, c'est absolument charmant, étonnant et inquiétant.

* * *

La petite, elle est présente dans ma vie, très présente. Elle accouche de jumeaux en plus! Deux bébés pour le prix d'un! Et là, s'installe une espèce de vie qui me comble totalement: je suis père, je suis beau-père, je suis grand-père... j'ai toute une famille, et, en plus, j'ai du fun avec le gars!

Nounours vient chez moi le samedi et le dimanche après-midi. Il vient faire son tour, on fait notre *bubble bath*, puis on prépare le souper du soir. Il part avec ma voiture chercher la petite famille, tout le monde se retrouve dans le jardin. Les bébés grandissent, ça commence à jouer à 4 pattes dans les plates-bandes. Puis, on achète des petites robes... Grand-pôpa achète des petites robes aux bébés ! Puis, Mononc' André accompagne toute la petite famille au party de Noël chez les parents. Y est connu du grand-père, du cousin, du père, du frère, du voisin, de la belle-mère de son chum.

Puis, mon petit couple déménage parce qu'il n'y a plus de place pour mettre les jumeaux. Je leur donne un coup de main et je leur refile des affaires pour que ce soit plus joli, chez eux. Et je me dis qu'à travers tout ça, j'ai quand même un petit bout de vrai bonheur. Je suis bien ! Je l'aime, je les aimes, mais je ne suis pas en amour ! Y a pas de passion, là ! C'est juste le fun !

* * *

Dans un moment d'égarement, un petit démon s'immisce... Parce que, y a quelque chose qui, nécessairement, ne marchera pas dans ce couple-là. Ça peut pas marcher dans des circonstances comme ça. Quelque chose va éclater. Ce ne sera peut-être pas à cause de moi, mais, à un moment donné... ce couple-là... Alors, pourquoi pas être là, au cas où ? Être là pour recueillir cet homme-là avec ses deux enfants si jamais la bonne femme ne le prend plus... Parce que je suis certain qu'elle est au courant de tout. Et là, j'ai un *flash*, je me dis que je vais peut-être gagner la bataille... ! Que c'est moi qui, finalement, va rester avec le gars ! C'est bien mal connaître la femme !

Un jour, je suis avec Nounours dans la cuisine, y a encore le fameux comptoir qui nous sépare... C'est lui qui a ma voiture, les clés de ma voiture. Moi, je n'en ai plus. Il vient me chercher, il vient me reconduire. Il va chercher la bonne femme, va conduire les enfants, va à la Goutte de lait, à l'hôpital, à ci, à ça... *name it !*

Donc, le p'tit gars est de l'autre côté du comptoir et me dit : « *Coudonc, moi ! Dans quoi je me suis embarqué ?* » Je viens de lui reprocher de ne pas avoir été là, la veille, à cinq heures pour m'amener au doublage…

— *Te rends-tu compte de ce que je vis, toi, là ? Chu pogné avec 2 ménages ! J'ai le gars qui me fait des scènes parce que le char est pas rentré ! J'ai la bonne femme qui me fait des scènes parce que chu pas allé porter les enfants ! Wo ! Wo ! Woooooooooo !*

— *Écoute Nounours ! Je pense à quelque chose. On a eu du fun en maudit, nous deux, hein ?*

— *Ah, ça, mazan !*

Faut dire qu'il n'avait pas tout à fait les mêmes goûts artistiques que moi, Nounours. Avec lui, je me suis tapé 6 heures du show de Chose, là… Jean-Marc Parent, au Forum ! Mais, j'ai quand même découvert François Pérusse dont j'ai épluché tous les disques.

On a fait mieux que ça. J'avais une chronique à la télévision, à TQS, ça s'appelait *Croque-Madame*, mais on était cinq chroniqueurs, et moi, j'avais la chronique des découvertes… À un moment donné, y a Pierre Huet qui me dit :

— *On va t'envoyer sur la rue d'Iberville, y a la famille Daraîche qui chante là… Tu vas couvrir ça, tu vas faire une chronique sur le western.*

— *Es-tu tombé su'a tête ! Quéssé que tu veux que j'aille faire là ? J'aime pas ça, le western, moi !*

— *Tu dis ça, mais ça m'étonne. Va donc faire un tour !*

Et, je me retrouve avec la famille Daraîche. En tant que chroniqueur télé, je suis reçu avec trois tapis rouges, vous comprenez ! Le party pogne jusqu'à 2 heures du matin. Je découvre un monde… Un bar plein de gars *straight*, moi, d'habitude ça me fait peur. Là, c'est la danse en ligne. Je fais une belle chronique très sympathique et ces gens-là, les Daraîche et autres westerns, sont très émus, très reconnaissants… Ils sont tellement touchés quand des gens du milieu artistique parlent d'eux.

Alors qu'ils ne se sentent pas vraiment acceptés par la gang des théâtreux, moi, qui suis un metteur en scène reconnu, je tripe sur eux, j'en parle à la télé. En plus, c'est à ce moment-là que je rencontre Nounours et, lui, le country, il adore. On débarque rue d'Iberville tous les jeudis soir. Les danses en ligne puis le party, qui pogne chaque fois. Je vis dans un univers culturel complètement différent, grâce à ce gars-là! Je l'ai même amené voir le film IMAX *Extreme machines* parce qu'il tripait sur les gros *trucks*!

Donc, ce matin-là, je lui dis: «*On a eu du fun ensemble? Sais-tu c'est quoi qui serait la plus belle solution? C'est que tu me redonnes mes clés maintenant et qu'on arrête ça tout de suite...*» Il m'a regardé avec un sourire en coin. Il a sorti les clés de la voiture et les a mises sur le comptoir. Il est venu de mon côté du comptoir, on s'est serré la main, il m'a donné un beau gros bec, puis il m'a dit: «*Ben, ç'aura été le fun de te connaître, mon André!*» Puis, on s'est reparlé six mois plus tard... Rencontre très agréable. Ce grand gars là fait partie des gens importants de ma vie.

*   *   *

Après le départ de Nounours, on passe aux choses sérieuses. Là, les amis vont prendre le dessus. Parce qu'au fond, j'ai vécu à peu près toutes les couleurs de gars. Dès l'âge de 18 ans, j'étais en couple. Ça fait quand même un bout... Je regarde tous les gens que j'ai aimés. J'analyse ce qui s'est passé côté sexualité et tout ça, et je me rends compte que j'ai vraiment fait le tour, j'ai tout essayé et je n'ai pas de frustration. Écoutez, j'ai connu les glorieuses années 70 avec le *Flower Power*, puis les partouzes qui se terminaient en grosse gang sur le premier lit d'eau disponible... moi, l'avant-sida, j'ai tout' vécu ça...

Et je regarde autour de moi, je vois tous les gens de ma génération qui sont malheureux parce qu'ils cherchent constamment à recréer exactement le même *pattern*, avec exactement le même genre de gars… Moi, je suis passé à travers tout ça, et là, je me rends compte, à 50 ans, que ça sert strictement à rien d'essayer de revivre tes 30 ou tes 40 ans! Si t'es un gars sérieux – j'essaie! – tu te rends compte que tu t'en vas tranquillement vers tes 60 ans et que ça risque d'être le point culminant de ta vie. Alors, passe à autre chose! Sois conscient que tu l'as vécu! Et que tu vis, ici, maintenant. C'est l'apprentissage du bonheur, d'être conscient du plaisir du présent, de donner toute la place à la création!

* * *

Je vais donc passer aux choses sérieuses. Je vais arrêter de perdre mon temps à faire du pain de viande aux épinards, puis je vais l'écrire! Je vais au moins écrire la recette! Ainsi naît le livre *La revanche du pâté chinois*.

Soyons honnêtes, j'ai à nouveau le goût d'écrire, j'ai vendu 12 000 copies de mon premier livre (*De la ruelle au boulevard*, Leméac, 1992). J'ai le goût de refaire ça. Puis, être un auteur, c'est très valorisant… t'as atteint un autre niveau. Tu te sens dans la cour des grands… Puis, quand même, veut, veut pas, vendre plus de 10 000 copies, ça rapporte des sous… Donc, j'appelle Leméac.

— *Est-ce que ça vous tenterait d'avoir un livre de cuisine?*

— *Oh! quelle bonne idée!*

— *La revanche du pâté chinois, ça vous irait comme titre?*

— *Oh! quel bon titre!*

Puis, là, j'ai le feu vert! Je me mets à fouiller dans mes vieilles recettes et celles de mes amis. J'ai pris des cours de cuisine chez le professeur Henri Bernard, mais c'était pour cuisiner pour les amis. Je donne de petites recettes à la télé, une fois de temps en temps, mais, ça s'arrête là. Je ne suis surtout pas une sommité!

Je ramasse mes recettes, j'en ai 70. Mais, ça fait pas un livre, ça! Faut qu'il soit au moins épais comme ça, le livre!

Faut que je bouche des trous. Donc, pour présenter, par exemple, la recette du *Steak sauce au thé* de ma grand-mère, je décide de raconter ma grand-mère ! Quelle belle occasion de raconter des anecdotes que j'ai oubliées dans *De la ruelle au boulevard*, et de réécrire mon histoire sous un angle nouveau, celui de la gastronomie...

Le livre se vend très bien. Je suis « Coup de Cœur » chez Renaud-Bray. Ça marche à tel point que cela me confère une aura de cuisinier ! Et je le répète, je ne suis pas une autorité en la matière ! Franchement, je donne des recettes de pâté chinois ! Pas besoin d'avoir fait l'école hôtelière pour ça. Le steak au thé de ma grand-mère, y a rien là, faut pas être un gastronome pour ça ! Je développe donc le syndrome de l'imposteur !

Pour moi, les vrais, je pense à madame Di Stasio et à Daniel Pinard – même si lui, parfois, y me tape sur les nerfs pour faire des remèdes avec –, ils connaissent la cuisine ces gens-là, ils connaissent la chimie, l'agencement des goûts ! Moi, c'est de l'instinct, comme pour la mise en scène.

Donc, j'écris ce qui, somme toute, devient le deuxième tome de mes mémoires. Ah, mon Dieu ! Le lancement de ce livre ! On décide de le faire dans la partie librairie chez Archambault, coin Sainte-Catherine et Berri, du côté des grandes vitres qui donnent dehors. Déjà, c'est très passant comme endroit. Moi, je suis à CKVL tous les jours, je fais une chronique avec monsieur Bélair, et je lance l'invitation pour 16 h 30 en précisant qu'il y aura du pâté chinois pour tout le monde ! Un traiteur a fait 200 petits ramequins de pâté chinois en prenant ma recette, mais au moins 600 personnes sont venues ! Ça n'arrête pas ! Et le livre se vend ! L'éditrice, rayonnante, me dit : « *C'est un succès !* » S'il y a 600 personnes ce soir et que la moitié achète le livre, ça va continuer demain en librairie, ça, c'est certain !

* * *

La publication du livre connaît un succès instantané, ce qui n'échappe pas à Marie-Hélène Roy, une fille vite, ni à Patricia Paquin et Alain Dumas, les deux animateurs de l'émission *Flash*, à TQS. Écoutez, c'est la planque rêvée! On m'offre un contrat – qui allait durer 5 ans – pour aller, tous les 15 jours, manger dans le restaurant de ton choix. Un chum me dit: «*Chu allé manger hier à telle place, c'était extraordinaire! Ça coûte un bras, par exemple...*» Moi, j'ai pas de problème, j'appelle Marie-Hélène Roy, je dis: «*J'ai le goût d'aller à telle place...*» et deux jours après, j'arrive avec l'équipe. Tout le monde veut avoir ce genre de publicité-là. Y a qu'un seul restaurant qui a refusé de nous accueillir en 5 ans! Alors, imaginez le party!

Pour la première émission de *Flash*, j'ai la chance que Marie-Hélène Roy soit une fan inconditionnelle de Jean Cayer, un des grands chefs du Québec, propriétaire de l'Étang des moulins, à Terrebonne. Après 6 ans de soins attentifs, mes vignes ont complètement envahi la pergola du jardin et j'ai de magnifiques raisins dont Jean Cayer se sert pour faire, en direct, ses célèbres Cailles aux raisins, pendant que les caméras visitent ma belle cuisine centrale – l'avant-dernière mouture de la cuisine, avant la disparition de l'escalier.

Vous savez, tous les restaurants où je suis allé pendant 5 ans, ça n'a pas toujours été bon. Mais, c'était merveilleux parce que les téléspectateurs m'avaient décodé. Quand je parlais beaucoup du décor, de la présentation des plats et que je ne m'attardais pas trop à ce qu'il y avait dans l'assiette, les gens comprenaient tout de suite. Mais, si j'allais au Misto, par exemple, avenue Mont-Royal, et que je me délectais d'un carpaccio de bœuf – ils en vendaient 10 dans la semaine, du carpaccio – alors le soir même de la diffusion de la capsule, le restaurant était plein et tout le monde voulait du carpaccio! J'avertissais les restaurateurs: «*Greyez-vous de ce que j'ai mangé! Parce que vos 10 carpaccio de la semaine, ils vont passer dans la demi-heure!*»

C'était, je l'avoue, m'accorder une très grande importance. Parce que, ne me demandez pas de vous faire une Béarnaise, là! Faut que j'aille vérifier dans mon livre de recettes. Je ne connais pas le principe même de la sauce... ça doit être les œufs, sûrement, puis le bain-marie, puis tout ça, mais je n'ai pas ces notions-là! Alors, mettons tout de suite à mort l'imposteur que je suis! Ça, c'est réglé!

Mais, j'ai quand même écrit un livre de cuisine qui fut un *best seller*, j'ai été cinq ans à la barre d'une chronique télé de restaurants et j'ai même signé, pendant un an, une page gastronomique dans le *Journal de Montréal*. Ça, c'était particulièrement le fun parce que je recevais plein de cadeaux! J'appelais les éditions Flammarion, et je leur disais : «*Écoutez, je parle de livres de recettes...*» Pouf! La caisse arrivait, toi! 15 beaux livres de recettes! Non, mais, quelle belle job!

* * *

Mais, *Flash* et *La Revanche*, ça m'a un rien écœuré de la cuisine. C'est que les 70 recettes du livre ont toutes été scrupuleusement testées, revisitées, retestées et regoûtées, puis présentées aux amis qui sont, à ce moment-là, très, très, très présents dans ma vie.

Donc, j'écris, je cuisine, je monte des pièces dans des théâtres d'été, je cours faire du doublage pendant que j'ai les ouvriers dans la maison qui changent encore les murs de place et je décore... Évidemment, si j'accroche un rideau l'après-midi, faut qu'il y ait au moins une personne qui vienne voir ça! Alors, la maison ne désemplit pas!

C'est à cette période que sont nés les partys autour du fameux comptoir de cuisine, le grand comptoir qui faisait un «L» et qui m'empêchait de passer autrement qu'en biais. Et les partys dans le jardin, parce que mon jardin est luxuriant! Avec le marronnier, la glycine qui fleurit pour la première fois, puis les vignes qui ont dépassé la fameuse pergola, suivi la clôture et qui s'accrochent maintenant au balcon du deuxième, c'est tout simplement « gorgeux » ! Et, toutes sortes de choses se passent là-dedans. Y a des partys avec les voisins et les camarades de théâtre… Y a Manuel du restaurant portugais Le Vintage, rue Saint-Denis, qui vient faire du BBQ dans la ruelle pour l'anniversaire du petit couple d'en arrière… Il y a, dans cette maison, dans ce jardin, une espèce d'élan de création, de bombance, de bonheur… C'est épicurien, je ne sais pas comment l'expliquer, toutes les formes d'art se retrouvent là, tous les types de faune humaine se retrouvent là, et le party pogne ! Mais, le plus beau party, c'est celui de mes soixante ans !

Ce 30 mai-là, il fait un temps exceptionnel ! J'ai enlevé toutes les grandes portes-fenêtres de la maison, mon grand séjour qui donne sur le jardin est complètement ouvert. Et j'attends mon monde. J'ai averti tous mes amis : *« Je serai dans mon jardin à partir de 10 h ! »*

Environ 100 personnes ont débarqué ! À partir de 10 h 05, par groupes de 4, par groupes de 8, puis des gens de tous les métiers, les camarades de doublage, les gens de la télé, les éditeurs, les comédiens, ils arrivent, ils se succèdent, ils apportent du champagne. Y a Fabrice Coutanceau, le beau-fils de la courtière d'en face, avec le dogue boulimique, qui apporte le grand gâteau d'anniversaire… Et, le clou du party, c'est Jean Cayer qui se met aux fourneaux et qui fait une gigantesque paella aux fruits de mer pour les 100 personnes…

Et, dès onze heures du matin, Françoise Saliou installe le grand vitrail masquant la ruelle. J'ai décidé de m'offrir ça comme cadeau pour mes 60 ans. Les gens montent du jardin, par l'atelier d'en bas ou par le séjour, passent devant Françoise et Jean qui s'activent. Jusqu'au soir, tard, ça roule sur tous les étages. Un beau gros party, une bien belle fête !

Et voilà, j'ai 60 ans ! J'ai mes amis autour de moi. Ce sont surtout, à ce moment-là, les camarades de théâtre d'été.

Y a Pauline Lapointe qui vient de jouer pour moi et qui, après ça, va être dans toutes mes pièces, parce que je suis très « familial » au théâtre. Quand on dit qu'il y a des gangs au théâtre, oh mon Dieu, oui ! Puis j'aime ça de même ! Et, j'ai ma Pauline qui est tout le temps là ou presque, et qui briefe les autres qui vont venir l'été suivant : « *Attendez qu'on aille finir ça dans le jardin de Momo !* »

Et, y a Marie-Marthe, grâce à qui je poserai un geste décisif qui va, encore une fois, faire exploser ma vie.

* * *

J'étais mal pris, complètement dévasté… Mon homme de ménage m'avait laissé tomber ! Le bordel ! Mais, une de mes élèves me dit : « *Y a peut-être une madame que je connais. Elle a déjà eu une maternelle et comme elle est libre actuellement, peut-être qu'elle accepterait…* » Et, elle a accepté ! Je suis son seul client parce qu'elle n'est pas une femme de ménage ! Même que c'est très vite devenu une amie.

C'est même devenu une référence, elle fait partie de mon comité de lecture pour les pièces que je monte l'été. J'essaie une comédie musicale ? Marie-Marthe est là, elle donne son avis, et c'est toujours d'une justesse exceptionnelle.

Le jour de ma fête, elle arrive avec un très beau chevalet – « *Ça traînait chez nous…* » – et elle me lance en le plantant dans le milieu du salon : « *Tu m'as dit que tu peindrais quand tu serais vieux. Ben, t'es vieux, peins !* »

* * *

« *Je veux bien, mais comment on peint ?* » Je ne connais pas ça, l'acrylique, l'huile et tout ça ! Je ne connais rien, rien, rien, là ! J'ai dessiné toute ma vie, j'ai fait un petit peu d'aquarelle, mais je ne sais pas ce que c'est, peindre une toile ! J'en ai fait deux, à l'huile, vers l'âge de 16 ans, que je signais *André de- impressionné par Danielle Darieux dans le film Madade de*…, une paire de clowns à la Muriel Millard. Ça n'avait pas réveillé grand chose.

Un matin, j'appelle Luc-Robert Archambault, mon décorateur et ami.

— *Écoute, j'ai le goût de peindre, mais, oussé que je vais prendre des cours?*

— *C'est pas des cours que ça te prend, toi. Ça te prend un autre peintre qui te coach… Non! Va t'acheter de l'acrylique, des pinceaux puis une toile et peins! Ça pourrait être étonnant ce qui arrive…*

Il a peut-être raison… Quand je lui décris mes costumes et mes décors, je lui fais des dessins pour expliquer ce que je veux, donc, il doit avoir senti qu'il y a déjà comme une espèce de notion du dessin, chez moi, quelque part… non?

Alors, je m'en vais au coin de chez moi, à la boutique Le Baz'Art où il y a un peintre qui s'appelle Bertrand Lavoie. J'arrive là à 9 h le matin du 16 juin 1999, en disant à ce monsieur-là:

— *Écoutez, moi, je veux peindre, mais je sais pas quoi ni comment… c'est quoi l'acrylique puis l'huile?*

— *Ben, l'huile, ça sèche lentement et l'acrylique, ça sèche vite!*

Ah! L'acrylique! Je sais déjà qu'avec mon tempérament, va falloir que les affaires sèchent vite! Je ne vais pas faire un fond de ciel bleu puis attendre trois mois avant de mettre la montagne! Ça, je ne comprends pas! Attendre comme ça, ça me dépasse!

J'arrive à la maison avec mes tubes d'acrylique, j'ai pris ce qu'il y a de moins cher, j'ai acheté une petite toile d'à peu près 12 pouces de large par 36 pouces de haut, parce que je me dis que je commencerais par un petit format. Donc, j'arrive chez moi, je m'assois et je peins ma première toile. *L'annonce faite à Barbie*. Très honnêtement, je regarde cette toile-là et je suis étonné. «*Hon! gardon ça, toi! Ça a l'air de quelque chose! Ça a l'air d'une toile!*»

Le soir, évidemment, je pars au théâtre avec ma toile! Mais, déjà, dans l'après-midi, t'as les camarades qui débarquent... Et, moi, j'en ai commencé une autre. Puis, une troisième! Parce que j'ai trouvé ça le fun, faire la première! J'ai donc trois toiles de parties quand, à 4 heures de l'après-midi, la gang du théâtre d'été débarque.

— *Regardez mes trois toiles!*

— *Hein! quéssé? T'as fait ça aujourd'hui?!? Mais, c'est donc ben beau!*

Si je voulais, j'en aurais déjà une de vendue! Ma première! Pauline veut l'acheter tout de suite.

— *Non, non, non! Tu toucheras pas à ça!*

— *Je ne te pardonnerai jamais! J'ai été la première à voir cette toile-là, tu me la mets sur ton testament!*

Elle m'en parle encore! S'il fallait que je vende cette toile-là, s'il fallait que je ne lui laisse pas par testament, Pauline, elle me tue!

Je joue au théâtre ce soir-là, mais pendant tout le show, je ne pense qu'à rentrer à la maison! Je sais qu'en revenant, au milieu de la nuit, je vais en peindre une autre avant de me coucher.

* * *

Dès le lendemain, c'est parti! C'est trois, parfois quatre toiles par jour. Je suis à CKVL pour l'été. Je remplace Serge Bélair et, tous les matins, je vais à Longueuil faire mon émission en direct de 9 h à 11 h... Et, là, de quoi pensez-vous que je parle aux auditeurs? De mes toiles!

Un matin, je suis en train de décrire une toile que j'ai peinte la veille et y a Michel Girouard qui me dit en ondes: « *C'est sûrement un grand Van Momo!* » Je lui réponds: « *C'est un Pablo Van Momo!* » Ça y est, le peintre est né, puis on vient de le baptiser!

* * *

Il se passe environ un mois et demi et j'en peins 5 par jour… y a 150 toiles dans la maison ! Y en a partout ! Faut que je fasse quelque chose avec ça !

Je sais pas où aller, je ne veux pas aller dans les galeries, je ne veux pas commencer le trip de convaincre le monde de vendre mes toiles. Je veux que ça marche tout de suite. Qu'est-ce que ça me prend ? Un bon gérant ! Un gérant qui peut faire connaître l'affaire, qui peut mettre ça sur Internet, qui peut s'arranger pour que je vende mes toiles, qui organise des expositions.

Y avait déjà eu une première exposition au Baz'Art ! Là où j'achetais mon matériel. Ils ont accrochés à leurs murs une trentaine de mes toiles, *Flash* est venu et j'ai vendu 8 toiles ce soir-là. *« Coudon, que je me suis dit, y a quelque chose à faire ! »* Donc, il me faut un gérant.

Je connais un gérant d'artiste, un gars avec qui j'ai fait de la radio, que je trouve sympathique et qui, surtout, a une grande gueule. Je lui explique tout ça. Lui il pense – et c'est le grand problème que j'ai vécu en tant que peintre – que parce que je m'appelle André Montmorency, je vais vendre mes toiles 4 500 $ chacune minimum et qu'il fera beaucoup d'argent, tout de suite ! Lui, tout de suite, il voit… la naissance d'un grand peintre !

Moi, je sais comment ça marche ce maudit métier-là ! Quand je me suis posé la question : *« Est-ce que je peins, est-ce que je suis peintre ? »*, je me suis répondu : *« Oui, mais je me donne 10 ans ! »* Parce que ça prend 10 ans quand tu sors de l'école, pour devenir acteur. À moins que tu ne sois Roy Dupuis qui a commencé le lendemain matin, ça prend 10 ans à établir ta crédibilité ! Alors, comme peintre, je me donne 10 ans. Là, ça fait juste six mois ! Et, déjà, j'ai eu une exposition et je me cherche un gérant.

Alors, le gérant – ça fait pas 10 minutes que je lui ai proposé ça et il est déjà mon gérant ! – me dit : *« T'as pas du monde qui t'aide, autour ? »* Il y a, parmi mes élèves, un jeune

124

couple, un gars et une fille qui vivent dans les parages et qui me donnent parfois un coup de main pour faire les courses ou transporter les toiles. Ils m'ont aidé entre autres pour l'exposition du Baz'Art.

— *Ouais, y a ces deux-là.*

— *Amène-moi les!*

Ils arrivent une demi-heure plus tard. Le gérant lance: « *Bon, on s'en va manger au Misto!* » Ah, okay, on va manger au Misto… Je veux les suivre, mais il m'arrête: « *Non, non, non, non! Non, non, là! Tu es le peintre! Moi, je suis le gérant, j'ai des choses à discuter avec nos employés, alors, nous, on va aller manger ensemble, toi, va peindre, on te reviendra tout à l'heure…* »

Ils partent au coin, reviennent. Les ti-culs sont engagés, ils sont tout énervés, tout contents! On a déjà une idée, on appelle un bar de Québec, l'Impasse des deux anges, on organise une exposition pour dans un mois ou même 3 semaines. C'est vite, vite, vite! Donc, déjà, il semble efficace, le gérant.

Je ne sais pas ce qu'il a dit aux jeunes, mais j'apprendrai plus tard qu'il leur a donné 1 000 $ et qu'il a refilé à la fille mes coupons de taxi pour qu'elle se promène faire ma promotion à travers la ville… Lui, il est rendu, là! Lui, c'est le gérant de Sting! Vous comprenez? Et, là, il investit!

Arrive le jour du vernissage à l'Impasse des deux anges. Toutes mes toiles sont là. Les gens de Québec viennent, la radio, la télévision de Radio-Canada vient me *filmer* pendant que je fais une toile en direct pour l'Impasse… Ça s'annonce bien… Le soir, c'est plein. J'ai mes amis, j'ai Monsieur Bedondaine, Rolland Lepage, ma demi-sœur arrive… c'est le fun! Les gens semblent aimer ça.

Une des toiles, une 36' x 36', qui s'appelle *The Statue of Liberty is a drag queen* – une de mes toutes premières toiles, que j'aime beaucoup – est bien encadrée, bien éclairée, attrayante… Et François Reny, l'animateur du talkshow du matin à la radio de Québec, arrive et ouuuuuups ! se stationne pendant dix minutes devant *The statue of Liberty !* Il la veut !

— *Combien qu'elle vaut, cette toile-là ?*

— *C'est pas avec moi que tu parles de ça, François. Tu vas voir mon gérant. Organise-toi avec lui.*

Je les regarde discuter tous les deux, de loin. Je suis avec ma demi-sœur, on placote, mais, je jette un œil, c'est la première toile que je vais vendre à Québec...

Et je les vois parlementer, puis François Reny met son chapeau, pogne son manteau, pogne la porte et s'en va.

— *Qu'est-ce qui arrive ? Y a veut plus, la toile ?*

— *Non, non, non ! Y a veut ! Oh, oh, oh ! Oh, qu'y a veut ! Mais, y a paiera pas 450 piastres ! J'va le laisser macérer dans son jus, attends à demain, toi ! On va aller chercher un 1000 et quelque, parce que, faut que tu penses, toi... Y a une affaire qui faut qui soit très claire... Toi, tu m'as dit que tu voulais faire ça 450 $, mais, moi, je peux la vendre 3 000 $ si je veux ! Tu comprends-tu, là !*

Oh oui ! Je comprends ! Je comprends que c'est un *crosseur*, un magouilleur, *name it*, pis qu'y connaît rien à ça ! Parce que c'était le moment magique ! Tous les peintres vont vous le dire, dans un vernissage, y a des gens qui achètent des toiles qu'ils n'achèteraient jamais le lendemain. Des gens qui, après le deuxième cocktail : « *Oh, qu'elle est belle celle-là !* » allongent un 800 $ sans hésiter, mais le lendemain, oublie ça ! S'ils t'ont dit : « *Je reviens cette semaine. Je vais revenir voir celle-là, là...* » Ben, y reviennent rarement !

Y avait pas compris ça, lui ! Alors il me fait perdre une vente ! Puis, je reviens à Montréal et je découvre le 1 000 $ donné aux ti-culs et toute la marde qui va avec !

* * *

Écœuré, je veux me débarrasser de mon zouf de gérant, quand arrive chez moi Martine Adam, une réalisatrice de télévision avec qui j'ai travaillé, entre autres, dans *Lapoisse et Jobard*, parce qu'à cette époque, je fais aussi de la mise en scène de télévision pour enfants – y a rien que je ne fais pas! Arrive donc Martine Adam. C'est une fille que j'aime bien, une brasseuse! Premiers mots en entrant: «*Il paraît que tu peins?*»

Je lui réponds: «*Va voir ça, en haut.*» J'ai vidé tout le deuxième étage, sauf la chambre, pour en faire une galerie d'art où j'ai mis mes tableaux, ceux qui restaient de Québec et des nouveaux. J'en ai environ... 200, je pense. Disons qu'y a ben, ben, ben du tableau! Les plus beaux sont sur les murs et les autres sont cordés dans le coin. Comme j'ai quelque chose à finir en cuisine, je lui dis: «*Va voir en haut!*» Elle monte.

Là, j'entends pas un bruit... J'entends bien sûr le *clac clac clac* des pieds qui montent, puis *clac clac clac*, ça fait le tour un peu, puis *pouf*... et je n'entends plus rien. Grand silence. Ben, coudonc... Je n'ose pas y aller, je me dis: «*J'vas peut-être la déranger... Peut-être qu'elle a pogné le fixe sur un tableau...*»

À un moment donné, je me tanne, puis je monte. Elle est assise par terre, dans le milieu du salon et elle pleure... Elle a, effectivement, pogné le fixe! Elle est sous le choc... Elle trouve ça beau, c'est incroyable! «*Je deviens ta gérante, André! J'vas te vendre ça, moi, ces tableaux-là! Ah, c'est beau, c'est beau... c'est pas possible...*»

Et là, elle part! Je lui explique qu'il y a l'autre gérant: «*On s'en débarrasse! T'inquiète pas, j'vais le mettre à la porte!*» Elle met le gars à la porte, dès le lendemain. Elle fait des listes d'invités, on découvre un restaurant dans le Village, le Queens, qui veut absolument faire une exposition avec mes toiles. Elle organise l'exposition, elle connaît plein de gens, elle arrive à vendre un tableau à un des grands producteurs de Montréal qui a fait de grosses séries, avant même que l'exposition ne commence! Elle fait un travail exceptionnel.

Le soir du vernissage, la salle est pleine. Au fond du restaurant, sous un bel éclairage qui l'avantage, il y a une toile en trois dimensions que j'ai réalisée avec du papier, du coton à fromage, de la colle... c'est une grande princesse qui a une grosse robe coupée dans un sac en jute rapporté du Mexique et sur laquelle j'ai mis du vernis... Donc, tu as la grande princesse et elle, Martine, elle est folle amoureuse de ce tableau-là.

Écrasés devant la grande princesse, il y a un couple dans la cinquantaine. Ils sont saoûls, je ne sais pas qui les a invités, je ne les connais pas, c'est le genre «nouvelle agglomération récemment riche.» Ils ont peut-être gagné à la Loto! Et, là, la madame est pâmée sur ma princesse en trois dimensions assise sur le bord de son lit.

— *Combien c'est, monsieur Morency?*

— *C'est 2 500 $.* Ce qui était très cher! Écoutez, je viens à peine de commencer à peindre, mais elle avait juste à pas *scraper* mon nom...

— *C'est parce que... le bleu de la robe de la princesse, là... Ben, c'est exactement le même bleu que mon divan... hein, Marcel?* Marcel opine en cherchant laborieusement son chéquier.

Je vais voir Martine Adam: «*Il y a une cliente potentielle, je lui ai dit 2 500 veux-tu aller t'en occuper, c'est dans la poche?*» Voilà Martine qui part et... Même maudit *pattern* qu'à Québec! Je suis en train de placoter avec quelqu'un, je jette un œil, elle est en train de négocier, elle est en train de discuter, elle se fait aller les bras en l'air. Je crois que tout va bien, quand soudainement la madame pogne son chapeau, son manteau puis son mari et elle fout le camp!

— *Coudonc, Martine, c'est quoi qui arrive, y a veulent plus ma princesse?*

— *Non, non, non! C'est pas eux autres qui la veulent plus! C'est moi qui ne veux pas vendre cette toile-là. Parce que cette*

toile-là, mon petit gars, ça va devenir une série à Radio-Québec, une série pour enfants, on va partir de cette toile-là...
La série n'a jamais vu le jour et je suis encore et toujours pogné, cinq ans plus tard, avec la maudite toile, mais j'adore Martine Adam !

* * *

Quelle effervescence... une première exposition, une deuxième, pas dans les vraies galeries mais dans des restaurants, dans des boutiques d'art, dans le hall du théâtre de Saint-Sauveur où je jouais tout l'été... Je n'arrête pas de produire, et comme je n'ai plus de gérant, je suis fin seul avec toutes ces toiles-là qui envahissent la maison...
En fait, y a tellement de toiles que ça me coupe l'inspiration et j'arrête de peindre pendant six mois. Il ne se passe plus rien. J'ai même peur que ce soit fini, vidé, tari.
Puis, je pars pour l'Égypte, avec mon vieux chum Jean Cayer. Ah, l'Égypte, le plus beau voyage de ma vie et en merveilleuse compagnie ! La lumière, la couleur... Nous traversons le Nil, sur notre bateau de croisière avec chambre et balcon privé sur le Nil, un coup de sifflet annonce notre arrivée et là, de partout, ça descend ! De partout dans les grands champs qui bordent le Nil, des gens descendent en courant pour venir nous dire bonjour, dans des robes et des guenilles de toutes les couleurs... c'est beau, beau, beau...
Je ne peins plus, mais je dessine. Durant toute la croisière, je dessine sans cesse. Je me souviens d'une fin de journée où, de retour au Caire, Jean Cayer mange ses pigeons – les pigeons, pour moi, c'est les rats du ciel, je ne veux rien savoir de ça – dans une espèce de petite ruelle avec trois tables sur le côté, le cuistot fait cuire ça chez lui et t'apporte ça en courant... Vous savez, les petites ruelles dans les vieux quartiers du Caire où aucune voiture ne peut passer ? Y a les terrasses de chaque côté de la rue, c'est étroit, étroit, mais c'est plein de monde assis à des tables grandes

comme une assiette. Et y a les vendeurs de montres, de tapis, de cossins puis d'affaires qui passent et repassent...

J'adore ça, moi, ces ruelles-là. J'ai mon grand cahier et je dessine les gens assis aux tables pendant que Jean salive devant son pigeon farci. Je m'amuse. J'essaie de voir si je suis capable de faire des ressemblances, parce que je suis encore en pleine découverte, côté peinture et dessin, à cette époque... Et, comme toujours, les gens que je dessine viennent jeter un coup d'œil. Ils sont bien contents, honorés, que le monsieur Français – le Québec, ça ne leur dit rien – fasse leur portrait d'autant que, la plupart du temps, je leur offre le dessin...

Un bon midi, un gros monsieur arrive, un monsieur arabe avec une grosse barbe et un énorme bouton noir sur la joue. Le modèle rêvé, parce que c'est facile, facile de faire une ressemblance avec ça... Alors, je fais un rond, je mets sa grosse barbe, le turban et le gros *point* noir sur la joue. Le monsieur voit bien que je le dessine et il est là qui pavane et fait le jars. Puis, il se lève et vient voir... Y est en maudit pas à peu près! Le gros bouton noir, y le prend juste pas! Y commence à gueuler, le gros Arabe, et je commence à m'inquiéter quelque peu.

Désespéré, je murmure, comme pour m'excuser: «*Caricature...?*» «*Aaaaaaaaaah! karikatuuuuuuuur! Oh! oh! oh! Look, look! Karikatur! Karikatuuuuuuuuur!*» qu'il hurle avec un large sourire plein de dents en or, en montrant le portrait à la ronde.

Quand je reviens chez moi, juste avant Noël, je suis plein de couleurs, de lumière, de visages... Il faut que ça éclate. Comme je ne fais plus d'ateliers de théâtre en bas, j'ai déjà commencé à envahir le sous-sol et je peins des Toutankhamon, des Cléopâtre couchées sur le bord d'une piscine... Je fais des pyramides, j'en ai d'ailleurs vendu une à un jeune comédien... J'étais en train de me chercher, et pour me trouver, je suis descendu au sous-sol.

Pour installer l'atelier, il a fallu que je me débarrasse de mon cinéma-maison qui prend beaucoup trop de place et qui ne va nulle part ailleurs. Je suis pogné avec ce mastodonte que je ne regarde plus depuis longtemps. Apollo 13, 13 fois, j'ai décroché de ça, moi. Mais, qui va m'acheter ça le prix que ça vaut ? Je vais au magasin pour échanger mon appareil, le gars me dit : « *Monsieur, c'est une affaire qui valait 10 500 $, mais maintenant je peux vous en donner 1 500 $. Que voulez-vous, ça fait déjà un gros deux ans...* » Bon, on oublie ça !

Les deux ti-culs, mon couple de *helpeurs* recrutés par mon zouf de gérant, seraient intéressés mais ils n'ont pas un sou. Alors, j'ai fait un *deal* extraordinaire ! Je leur donne la télé et, en échange, pour une valeur de 3 500 $, ils repeignent toute la maison pendant que je suis en Egypte. C'est tout propre quand je reviens, mais ils ont omis d'enlever les clous et les crochets des cadres...

* * *

Première transformation, y a les fameux rideaux en 42 couleurs, du rose, du vert, du truc... ça marche plus pantoute, ça me brouille la vue quand j'essaie de peindre. J'arrache donc les rideaux et j'essaie de trouver une façon de décorer ça... Je sors mes grosses boîtes de photos. J'ai pris des photos toute ma vie, j'ai des boîtes, des boîtes et des boîtes de photos ! Écoutez, j'ai pu recouvrir entièrement les murs d'une pièce de 20 par 30 pieds, de mes photos accrochées avec des punaises. Et quand je peins, y a des paysages, y a l'Égypte, y a le chat sur mes murs, ça me donne des idées...

Mais, je commence à avoir besoin d'aller plus loin qu'une simple toile, je commence à coller des affaires. Je prends des plats à tartes en aluminium, je joue avec ça, je découpe, je froisse, je tords, je fais des soleils que je colle à la toile... et de la colle, c'est de la colle chaude, j'en mets épais !

Puis, un événement marquant se produit dans ma vie de peintre, l'arrivée du coton à fromage! J'ai commencé à tremper ça dans du vernis que je payais 50$ le gallon, alors que j'aurais très bien pu faire ça – voilà pour ceux qui veulent un conseil de peintre – avec de la farine et de l'eau, ça donne le même maudit résultat.

Mais, maintenant ça va bien plus loin que ça. J'ai fait à cette époque, pour la fameuse pièce récupérée du voisin d'en bas – qui fut un bureau puis un salon – une grande crèche qui remplissait tout l'espace et qui contenait une collection de maisons en porcelaine pour lesquelles j'avais écumé tous les magasins de la ville et qui m'avaient coûté 35$, 40$, et jusqu'à 50$ pièce. Y en avait partout des petites maisons, avec des personnages acheté au Dollarama collés dans les collines de coton fromage où des tapons de pot-pourri faisaient office de feuillage des arbres dessinés à grands traits. Y avait même un train électrique!

J'ai fait ben pire que ça! Je trouvais ma salle de bains, en bas, plutôt ennuyante. J'ai commencé par y coller des photos. Puis, dans un moment d'inspiration, je commencé à faire, avec le coton à fromage et les bouts d'aluminium qui restaient de mes soleils, avec des photos froissées d'hommes nus et de mon Montagnais – qui m'avait tant fait chier et qui m'avait coûté si cher – j'ai donc commencé à faire un énooooooorme pénis en érection, qui montait jusqu'au plafond rejoindre un ciel tout étoilé .

Sur l'autre mur de la pièce, j'ai accroché des crayons feutre et les gens avaient le droit, ou plutôt le devoir, de faire des graffitis. J'avais vu ça chez une amie à New York, et j'avais trouvé ça tellement drôle, surtout, le graffiti qui disait «To be or not to be», Shakespeare, «To be do be do», Bing Crosby!

* * *

J'arrête de peindre, pendant un bout de temps. Je prend un *break* de 3 mois ou 6 mois peut-être. Pendant ce temps, comme ça m'arrive souvent, je retransforme encore tout.

Je décide de transférer au deuxième étage l'atelier qui est en bas, parce que ma chambre d'en haut, je ne l'aime plus! Je veux me faire une chambre en bas. Et, l'atelier en haut, c'est pas mal plus logique, y a un puits de lumière et deux grandes fenêtres patio qui donnent plein Sud-Ouest. C'est plus intelligent que de peindre dans un trou noir.

Je transfère donc toutes mes affaires de peintre en haut, et je me retrouve dans ma nouvelle chambre en bas, avec ma fameuse toilette au pénis surdimensionné. C'est le bordel! Ça marche plus. C'est laid! Vraiment pas beau! Mais, mon Dieu que j'ai tripé en faisant ça! Je me dis: «*J'ai dû faire une névrose!*» J'étais, de toute évidence, dans un état autre! Dans un tel état que l'homme que j'étais devenu ne comprenait pas du tout qu'il ait pu être dans cet état-là et faire cette grosse queue-là! C'est compliqué, mais clair! Non?

Thank God! que la peinture soit arrivée dans ma vie! J'ai dû faire une grosse dépression et la peinture est devenue, tout à coup, un exutoire qui a fait sortir tout, tout, tout le méchant! Tout le trop plein créatif. Je me dis que, si je n'étais pas peintre, je serais peut-être schizophrène... Parce que je vois du monde, moi!

Si vous regardez les colonnes... les poutres dans ma maison, chez moi, en Gaspésie, vous verrez plein de personnages dessinés parce que je n'étais plus capable de prendre mon café le matin sans que les nœuds dans le bois ne deviennent des yeux, des têtes...

Quand je me couche, le soir, quand je place mon oreiller et que j'ai le malheur d'ouvrir un œil et de regarder l'oreiller, s'il y a un pli dans le fameux oreiller, là, qui fait un nez... chu faite! Parce que je vois les deux yeux, je vois la bouche, mon oreiller devient une sculpture. Alors, je me dis, de là à entendre parler ces visages... y a qu'un pas!

* * *

Je pense que j'ai complètement évacué cette démence à travers la peinture qui est le plus simple des moyens d'expression! Le plus direct! Le plus connecté! Quand j'écris, il y a une préparation, de la recherche, de la structure… faut que je m'assoie devant une machine que je ne contrôle pas, qui me contrôle, moi… Alors que mon pinceau, c'est moi! Je laisse aller. Il est complètement connecté en dedans! Je sens un grand fil, du ventre à la toile…

Moi, je dessine avec mon ventre, je dessine avec toutes les parties de mon corps. Je vais vous expliquer ça… je n'ai jamais expliqué ça à personne! Bon, je suis un compulsif, un excessif… Alors, quand je vois la tête, là, sur l'oreiller, le soir, mon corps se met à dessiner le corps de cette tête-là. À savoir que tu as la tête qui est là et, à partir de là, tu fais bouger ton corps intérieurement, tu respires et, avec ton ventre – tu fais le gros ventre – tu fais la courbe du bassin, tu continues, tu descends puis ton ventre, il va faire les jambes… c'est très difficile à expliquer….

Alors, quand à un certain moment, tu commences à peindre, tu te rends compte qu'après tout, tu peignais peut-être depuis des années, tu peignais tous les soirs, de tout ton corps, en te couchant.

Puis je me dis: «*Le tableau qui est là, c'est moi qui décide, là!*» J'ai pas besoin de l'apporter à un producteur de théâtre pour qu'il me donne son OK! J'ai pas besoin de l'apporter à un éditeur pour qu'il me donne son OK! Mon OK, c'est moi qui me le donne!

Mais, j'entre alors dans un tel état que j'ai été obligé de réfléchir sur la possibilité d'être doté d'une double personnalité. J'avais vu le film *The three faces of Eve*, avec Joan Woodward, j'avais lu *Cybil* et toutes les affaires de multiples personnalités, et j'essayais de comprendre. Parce que ça existe, on ne peut pas le nier, mais, j'essayais de comprendre… Quand elle est Cybil, là, elle, et qu'elle parle en

Cybil, puis que, *woops*, un petit gars *arrive* soudainement, le petit gars, est-ce qu'il a un souvenir de Cybil? Sait-il, lui, que Cybil existe? Est-ce qu'il est les deux à la fois, tout en étant très conscient que lorsqu'elle parle, le petit gars, il faut qu'il attende parce que là, c'est Cybil qui parle... Tout en sachant très bien, d'autre part, qu'elle s'appelle Gilberte la fille?

Et, moi, André Montmorency, qu'est-ce qui m'arrive quand Pablo Van Momo débarque?

* * *

Il faut dire aussi que pendant cette période, j'avais un beau plant de pot qui poussait sur ma galerie. C'était un cadeau, un petit plant de pot ça de haut, que j'avais reçu à ma fête, et il était très prometteur! Un jour, arrive une équipe de journalistes, qui doit traverser mon jardin. Alors, oussé que je vais le mettre, le maudit plant de pot? J'essaie de trouver un endroit dans la maison, mais il est gros de partout, là, lui... J'ai l'air fin avec mes aires ouvertes! Bon, il n'y a qu'une chose à faire, le laisser là et faire mon innocent! Ben, ça a passé comme un pet de souris!

Une fois les gelées venues, on l'a descendu au sous-sol, le plant de pot, et on l'a placé dans une grande garde-robe sous une lampe de chauffe-plat! Ça puait pas à peu près! Ça sentait le pot à plein nez dans toute la maison! C'est à ce moment-là que j'ai fait un party pour une émission de télévision dont j'avais fait la mise en scène. Tous les membres de l'équipe étaient invités avec leurs conjoints et conjointes. Or, le mari de l'auteure, c'est un policier de la Ville de Montréal! Qui, chance inouïe, souffre ce jour-là d'une sinusite carabinée! Décidément, y a un bon dieu pour les poteux!

Donc, j'ai ce magnifique plant qui fleurit dans mon jardin et qui va beaucoup nourrir la création. Joël Le Bigot m'a d'ailleurs demandé, dans une entrevue à *Samedi et rien d'autre*:

— Je regarde vos toiles, il trouvait ça flyé un peu. *Vous me direz pas que vous avez pas fumé une petite Craven A avant de faire certains tableaux !*

— Ben, non, pas une Craven A, un joint ! Une toile, un joint !

Ça arrive dans ma vie, ce pot-là, au moment où commencent à s'ouvrir des cafés/dispensaires où les gens malades peuvent aller fumer leur joint pour calmer l'angoisse et la douleur. Et je me dis que si j'étais enfant en ce moment, vu le comportement que j'avais à la maison, à défaire toutes les pièces de tout le monde et à décider que la chambre de ma tante c'était une crèche ou un autel pour dire la messe – j'étais premier à l'école, par exemple, au moins y avait ça ! – ben, si j'étais petit maintenant, ils me mettraient au Ritalin ! C'est clair !

Je ne suis pas capable de ne faire qu'une chose à la fois. Je ne peux pas être en train de vous parler sans penser à aller démolir la cuisine dans l'heure… Bon, plus maintenant parce que j'ai réglé le problème, enfin, j'espère, mais, dans le temps, c'était ça.

Et là, je découvre qu'après avoir fumé un bon pétard, je peux m'asseoir devant un tableau et entrer complètement dans cet univers-là… D'accord, il y a des gens qui deviennent agressifs, là-dessus, qui deviennent paranoïaques. Il y en a qui déparlent ou pire, qui parlent beaucoup trop ! J'ai connu beaucoup de gens qui, une fois gelés, font des projets exceptionnels. Eux, ils vont écrire des livres, ils vont faire des films, ils vont faire la révolution ! Ça, c'est pendant qu'ils sont gelés, mais après, ils ne font jamais rien ! Moi, je ne prends pas de chance, je fume mon pétard et au lieu de raconter ma toile, je la fais !

* * *

Ça veut dire que je peux rester trois heures devant une toile sans décrocher. Et à un certain moment, j'ai vécu des choses étonnantes. Vous allez me dire que c'est ce que ça fait, la drogue, mais ça va bien plus loin que ça !

Imaginez, deux secondes. Vous êtes en train de peindre une porte de maison dans le milieu d'un champ et, tout à coup, pendant une fraction de seconde, vous êtes devant cette maison-là pour vrai, elle existe, vous êtes dans la prairie devant elle et vous êtes en train de travailler, en train, en fait, de peindre la porte... Puis, *shlounk* ! vous vous retrouvez dans votre atelier en train de peindre... une porte. Une décorporation, que ça s'appelle. Vous avez changé de dimension, d'espace... d'identité ?

Oui, y a deux personnes, et peut-être plus. Mais, je ne suis quand même pas fou au point de croire qu'André Montmorency n'existe plus quand je deviens Pablo Van Momo ! Sauf qu'il se passe autre chose ! La preuve ? Quand je viens de terminer une toile et que, là, c'est André Montmorency qui regarde, je deviens totalement spectateur, ne sachant même plus comment j'ai bien pu faire pour arriver à ce bleu-là...

* * *

Il me semble que vous avez le droit de vous attendre à ce que, après avoir touché tous les trucs du métier en 40 ans de mise en scène et quasi 50 ans de jeu, je vous produise une somme ! Une vraie ! Un monument ! Une espèce d'incontournable de la scène québécoise comme *Souvenirs pour demain*, lu dans ma jeunesse, où Jean-Louis Barrault se penchait, en 600 pages, sur le métier, le milieu, les grands textes, sa rencontre avec Claudel... Très, très, très profond, tout ça.

Mais, je suis incapable de faire ça. Barrault, Stanislavski, Grotovsky, je ne peux pas accoter ça. Par contre, je ne ressens aucune frustration devant ces grands-là, parce que je me rends compte que, comme acteur, comme metteur en scène, ou comme n'importe quoi au fond, je suis toujours hors norme.

Mais ce qui m'étonne dans ce que je vous raconte, c'est que ce sont mes coups de cul, mes coups de foudre, mes coups de cœur qui, systématiquement, ressortent.

Pourquoi est-ce que je sens le besoin de parler de ça tout le temps ? Pourquoi est-ce que c'est de ça, précisément, dont je parle ? Pourquoi est-ce si important de vous raconter Kojak, Nounours ou ma star porno autochtone ? Je veux bien croire que c'est drôle comme histoire, mais, il doit bien y avoir une raison…

Vous savez, je vis en ce moment quelque chose d'épouvantable ! Je revis des trucs dont j'ignorais toute l'importance. Et, j'en ris maintenant ! En même temps, je suis pogné entre ce fun-là et le souvenir que j'en avais gardé… Chu mêlé rare ! Mais, c'est intéressant ! Et je comprends finalement que, metteur en scène que je suis, j'ai toujours, toujours, toujours fait aussi la mise en scène de ma propre vie.

* * *

Écrire est une grande psychanalyse. Ça va fouiller dans des tréfonds qu'on ne pensait jamais devoir aller creuser. Et les souvenirs remontent. Des affaires complètement oubliées. Ça, c'est merveilleux !

Je fais partie des gens qui ont adoré faire une psychanalyse. Tous les vendredis, je partais donner un show de 45 minutes à une madame qui me trouvait drôle. En même temps, je me nettoyais de mes bébites et, quand je braillais… Parce que je suis un acteur, moi ! Quand je braille, je ne braille pas comme le vrai monde ! J'aime ça, brailler ! On aime ça, brailler, nous, les acteurs ! Même dans la vie, quand on braille, c'est beaucoup l'acteur qui braille. Et c'est un état de jeu extraordinaire !

Entendons-nous, je n'allais pas régler mes problèmes de metteur en scène ! Y en a qui font ça, vous savez. Leur préoccupation, c'est de comprendre comment ils fonctionnent dans leur métier en tant qu'artistes. Moi, c'était pas du tout ça! J'allais régler toutes les autres histoires. Pour mes mises en scène, j'avais pas besoin de ma psy pour créer à voix haute, brailler, trouver et vomir!

À elle, je racontais les scories, les démons... Comme j'ai le sens du show business, quand je les racontais, je transformais tout ça en contes, en anecdotes. Très bizarre comme psychanalyse. Mais, ça m'a fait du bien de rire de moi.

En fait, ce que je lui racontais à Madame Prénoveau, c'est la matière première de mon tout premier livre. Mais, là, je n'ai plus cette merveilleuse madame pour écrire d'autres livres...

Alors, maintenant, c'est entre vous et moi que ça se passe.

* * *

Commençons donc par le commencement. Le problème, c'est que je suis un grand amoureux. Moi, je tombe en amour avec un texte, un paysage, une idée, un chat, avec du monde, avec une voix... Je tombe en amour tous les matins!

Il faut que je trouve, tout le temps, des objets, des lieux, des sujets d'amour. Et, comme c'est l'amour, le fait de tomber en amour, qui me garde en vie, c'est de ça dont je parle d'abord, évidemment!

Et, je suis fou pas à peu près... J'ai même déclaré ma flamme à un poteau de l'Hydro, y a de ça plus de 40 ans. Écoutez, je suis chez moi, y a un party, avec du vin, de la bière, du scotch et des Dexidrin, les fameuses *wake-up pills* des années 60. Moi, je ne sais pas que je me drogue. C'est juste pour continuer le party sans avoir à aller me coucher. Le pire que je faisais là-dessus, c'était de lire Claudel!

Donc, je suis *high* et un peu guerlot et, autour de moi, il y a 20 personnes que j'aime d'amour! Comme je n'en peux plus d'amour et que je ne peux quand même pas leur sauter tous au cou, je sors dans la rue… Là, devant ma porte, y a un poteau de l'Hydro. Ben, c'est lui qui a tout pris ! Je me suis garroché dessus, j'y ai donné des becs en lui braillant : « *Crisse, toi, que je t'aime !* »

* * *

Outre les poteaux, pour lesquels je garde un faible, les gens que j'ai le plus aimés, ceux avec qui ont fleuri les plus grandes histoires d'amour, ce sont les gens avec qui j'ai travaillé !

Par contre, de tomber amoureux fou de l'assistante metteur en scène, du régisseur, de l'actrice principale, dès qu'ils apportaient quelque chose au spectacle, ça posait un problème épouvantable quand j'étais en couple. Tromper, trahir, j'ai horreur de ça. Tromper physiquement, bien sûr, je l'ai fait, très peu d'ailleurs, parce que je culpabilise à mort. Mais, là, je parle d'autre chose.

Quand je vivais avec mon Auteur, j'avais l'impression de le tromper à tour de bras par le seul fait d'enseigner ou de monter une pièce ! Cette énergie, cette passion-là que je donnais à mes élèves ou à mes acteurs, comme elles ne servaient pas à le nourrir, lui, j'avais l'impression de les voler à mon chum du moment.

Mes acteurs, gars et filles, c'est avec eux que je vivais. Je les ramenais à la maison. Ils venaient me chercher… Quand t'as 9 personnes dans ta cour à 3 heures de l'après-midi, en train de se faire des petits sandwiches avant de partir pour le théâtre, puis que tu remets ça à minuit pour qu'on allume les 52 chandelles et qu'on reparte le party en gang… Valait mieux qu'il n'y ait personne avec moi, valait mieux que je ne vive pas en couple, parce que je n'étais plus présent du tout, du tout, à ce moment-là !

D'ailleurs, après le départ du dernier, Nounours, je n'ai pas pensé à sortir, pas essayé de rencontrer quelqu'un d'autre… Sans que j'en prenne consciemment la décision, c'était une étape de ma vie qui se terminait. Après avoir dépensé autant d'énergie dans mes histoires d'amour et mes histoires du cul... Quand j'ai enfin compris que c'est le Démon du midi, le Yab' de la cinquantaine qui m'a pogné d'aplomb, là! Quand je me suis rendu compte que j'ai, finalement, vécu tous mes fantasmes sexuels, que je suis allé jusqu'où je voulais aller... Alors, j'ai accepté, sans état d'âme, d'être amoureux des gens avec qui je travailles... parce que, enfin, ça ne dérange plus rien! Parce que la masturbation a bien meilleur goût!

* * *

Au Cégep, je tombais systématiquement en amour avec les meilleurs élèves! Gars ou filles, ça n'avait aucune importance. Il suffisait qu'ils se démarquent...

La première fois que j'ai vu Pauline Martin, avant même de lui enseigner, elle était debout sur une table au milieu d'une foule d'étudiants en train de faire de grands sparages de revendications syndicales. Et le soir, ô merveille, je découvrais une très grande actrice dans une pièce de Ionesco absolument adorable, montée par Paul Buissonneau.

À partir de ce moment, je veux faire jouer cette fille-là un jour. Je veux qu'elle joue sous ma direction. Mais, elle ne fait pas partie du spectacle que je monte. J'ai tellement hâte qu'elle sorte de l'école pour lui trouver quelque chose!

Donc, quand je monte *Wouf Wouf*, je lui donne tout de suite le rôle principal! C'est épouvantable, ça, pour la pauvre Monique Lepage! C'est pour elle que le rôle a été écrit et elle devait avoir les crocs comme ça de ne pas le jouer! Écoutez, c'est l'histoire d'une femme de 50 ans qui séduit un jeune homme, un jeune poète, et moi, je donne le rôle à Pauline qui a 23 ans, qui sort à peine de l'école! Mais, on s'en fout de l'âge, je veux travailler avec elle! Toute l'année et demie que je l'ai attendue, ça été dans l'espoir de la conquérir un jour! Comme actrice! Et j'ai réussi!

Elle était bonne, elle était merveilleuse dans ce show-là et c'est à partir de ça que pour elle, tout est parti! Parce que c'était un rôle à multiples facettes où elle était drôle, elle était tragique, il y avait tout dans ce rôle-là! Le show était un *hit*! Les gens ont vue Pauline! Ils l'ont trouvé merveilleuse! Depuis, elle n'a pas arrêté de travailler. Pour moi, ça, c'est une grande, grande, grande victoire amoureuse!

* * *

Il n'en a, évidemment, jamais rien su, mais j'ai été amoureux de Robert Marien. Il voyait bien que je l'aimais ben gros, mais… Je suis à Sainte-Thérèse où je monte Marat/Sade de Peter Weiss. Je n'ai pas le goût d'employer la musique déjà écrite pour ça, je veux quelque chose d'original… «*Levez la main si y a quelqu'un qui joue du piano…*» Et, t'as un gars tout timide qui lève la main. Pour les besoins du rôle, il est vêtu d'une grande jaquette blanche et avec ses longs cheveux sur les épaules et son toupet coupé au carré… il a l'air de Mireille Mathieu, le pauvre Robert!

— *Serais-tu capable de travailler avec moi? Je vais te chanter des affaires puis toi, tu vas trouver des accords…*
— *Certainement!*

Et pendant un mois, en parallèle des répétitions, on va, Robert et moi, dans un petit local du Cégep Lionel-Groulx. Je lui chante des affaires, il part là-dessus, je découvre que ce gars-là a une voix exceptionnelle et ça finit par faire une musique extraordinaire!

Et, c'est un gars gentil, en plus! C'est lui qui joue les Florence Nightingale dans l'ambulance quand, trois ans plus tard, je pète une coche un soir d'angoisse!

C'est qu'à la sortie du Cégep, Robert Marien et Louise Bourque ont fondé le Théâtre Malenfant, à Terrebonne. Qui, pensez-vous, s'est retrouvé un peu directeur artistique et beaucoup «pôpa» de ces enfants-là? Qui est le mentor de la troupe et le gars connu qui se tape la promo? C'est moi!

On a eu deux années absolument merveilleuses, bellement commencées avec des créations comme *Voyage de
noces*... Et ça c'est assez mal terminé par ma pseudo crise
cardiaque, seule façon décente de sortir vivant de cette
fameuse pièce où je jouais ma mère.

J'étais un suceux d'énergie incroyable, mais, en même
temps, ça donnait d'excellents résultats, côté mise en scène,
tellement on était tous soudés aux mêmes émotions ! Tout
se vivait ensemble ! Le théâtre et la vie étaient le prolonge-
ment l'un de l'autre.

* * *

Je tombe tellement en amour, parfois, que je vais jusqu'à
demander des femmes en mariage ! Je ne l'ai pas fait souvent. Mais, la première fois, c'est avec Pauline Lapointe !
Non ! C'est pas vrai, la toute première fois, c'était Louisette
Dusseault, on avait 19 ans, mais sa mère n'a pas voulu !

Ah, ma Pauline... On est en train de jouer une scène
extraordinaire de *Tricotée serrée*, de Michel Duchesne, où la
Pauline est littéralement couchée sur le poêle ! J'avais dit à
Michel : « *On n'a pas de scène* hard *dans le théâtre québécois,
écris-en une !* » Donc, Pauline est écrasée sur le poêle, en train
de faire cuire ses œufs. Elle n'a, sur ses gros seins, qu'un
grand drap de bain, parce qu'elle vient de se lever et qu'elle
sort de la douche. Elle fait donc cuire des œufs pendant que
Raymond Cloutier la lutine sérieusement par derrière. Le
comptoir cache tout, mais, de la salle, on peut tout imaginer.
Et elle décrit son émoi via la cuisson des œufs : « *Mon Dieu,
sont encore mous ! Oh, Seigneur, ils vont figer, là !* » C'est une
des grandes scènes comiques de la pièce.

Moi, comme metteur en scène, je voulais des seins nus !
Pour vrai, là ! Mais elle n'a jamais osé, la Pauline. Elle tenait
ferme sa serviette et j'ai passé toutes les représentations en
fond de salle à attendre, à espérer, à prier les Déesses pour
que, par inadvertance ou par accident, la crisse de serviette

tombe. Et un soir, dans la chaleur du jeu, la maudite serviette cède enfin ! Janet Jackson avant l'heure, notre Pauline révèle enfin au public ébahi un superbe mamelon ! Comme metteur en scène, moi, je suis comblé ! C'est le plus beau soir de ma vie ! La pauvre Pauline, elle, est rouge comme une tomate… son neveu de huit ans est dans la première rangée !

Je suis donc en train de diriger Pauline. J'ai toujours eu le goût de la diriger, mais un petit contretemps a retardé notre rencontre. La première fois que j'ai demandé Pauline Lapointe, c'est pour jouer Carmen dans *À toi pour toujours, ta Marie-Lou* de Michel Tremblay. Elle était Carmen ! Elle aurait dû jouer Carmen ! Mais pour des raisons personnelles, elle ne l'a pas fait. Et je l'ai ben mal pris que Pauline Lapointe m'ait refusé ! Surtout qu'on avait besoin d'une vraie chanteuse, vu que tous les *flash back* avaient été mis en musique par Robert Marien et qu'il y avait la chanson finale, la grande chanson de Carmen. C'était parfait pour Pauline Lapointe ! Elle m'a dit NON !!!

Ce n'est que dix ans plus tard que j'ai redemandé à Pauline de jouer pour moi. Je lui ai dit, d'ailleurs, que j'avais une crotte sur le cœur. Elle m'a expliqué qu'à l'époque, ça tombait ben mal dans sa carrière, c'était tout de suite après la mort de son père. Elle n'était pas prête à jouer quelque chose d'aussi *heavy*. Évidemment, j'ai compris et, depuis, je l'ai dirigée à plusieurs reprises. Elle est devenue mon amie, ma confidente…

Pauline, c'était la fille qui ramassait toutes mes émotions, je lui racontais tout… Elle, elle adorait ça ! Elle me maternait. Et moi, j'étais bien avec elle, comprenez-vous ! Puis, j'ai toujours été très attiré par les seins. Alors, là, j'étais servi ! J'y touchais pas, mais… Puis, en vieillissant, l'homosexualité, ce n'est pas une priorité – ça je vais le découvrir bientôt en faisant *Sortie Gaie* – c'est pas nécessairement ce qui me définit.

Dépendant affectif tout autant que Pauline, la première chose qui m'inquiétait à chaque lecture de pièce, c'était de trouver un rôle pour Pauline ! Je m'arrangeais pour qu'elle soit là.

En fait, je me rends compte maintenant que c'était probablement elle, le couple, à cette époque ! Donc, en toute logique, je l'ai demandée en mariage. Elle m'a encore dit NON ! Imaginez les beaux enfant dodus qu'on aurait pu faire !

* * *

Y a aussi mes bessons, Alain et Patricia, les animateurs de *Flash*. Faire mes chroniques-resto avec ces deux-là, c'était extraordinaire.

Écoutez, j'arrive au restaurant à 11 h 30, je retrouve mes deux petits qui font l'école buissonnière, parce qu'habituellement ils sont dans le studio de TQS, mais là, ils sortent avec Pôpa qui leur raconte des histoires, qui leur raconte son prochain livre, qui leur parle de sa dernière mise en scène, puis du gag de la veille, quand l'acteur principal a oublié de venir... On mémère en masse, tous les trois !

J'ai un plaisir fou avec Patricia et je lui donne parfois des conseils. Je la regarde aller et puis : « *Toi, tu vas devenir une productrice un jour !* » Vous allez voir, je vous le dis, elle va passer derrière la caméra, et elle va être bonne rare !

Avec Alain, c'est autre chose ! Alain, c'est un grand fou. Comme il sait que j'aime le trouver niaiseux, il niaise ! On a un fun noir ! D'autant plus que, étant *stand up comic* de métier, c'est un public extraordinaire pour mes histoires. Y a chez lui une effervescence qui me stimule parce que je sais qu'il va tirer quelque chose de ça et s'en servir. Et je l'embarque dans des affaires, comprenez-vous ? J'ai toujours eu le don d'embarquer le monde dans des affaires pas possibles.

Un jour, pour *Sortie Gaie*, je l'ai traîné dans les *sex shops* et on a déguisé le pauvre Alain en tapette de cuir *Village* avant de l'emmener danser à l'Aigle noir. Les kodaks étaient là. Lui, il se démenait sur son cube... les gars du bar le trouvaient sexy pas rien qu'un peu! Et Alain y prenait, visiblement, un plaisir certain...

* * *

Ah! Gaston! Ou plutôt Gastonne! Ma troisième demande en mariage et la seule qui ait été agréée!

Gaston L'Heureux, c'est aussi un esseulé, un marginal, un inclassable du show business. Quand j'ai rencontré Gaston, c'était comme un bon vieux chum de collège. J'avais l'étrange impression de l'avoir toujours connu.

Et Gaston me fait rire! Gaston est démesuré! Pour moi, c'est merveilleux de rencontrer quelqu'un de plus démesuré que moi dans sa folie, toujours prêt à s'embarquer dans toutes sortes d'affaires... Gaston me trouve fou, mais il embarque! Et on a vécu un très grand moment, tous les deux, quand, un soir d'Halloween, il est devenu ma femme...!

On cherche à Montréal, pour un topo de *Sortie Gaie*, quelqu'un qui pourrait accepter de jouer la «femme» de Montmorency. Vous comprenez bien qu'il n'y a que Gaston pour faire ça!

Y a mon Gaston qui arrive, qui embarque... On va choisir la robe de mariée avec le grand voile, puis la perruque... «*La vraie mère de Ginette Reno!*» qu'il dit en se voyant dans le grand miroir triple. Gaston vit sa «grosse femme» avec bonheur, mais il n'essaie pas de jouer à la fille, Gaston. Habillé en femme, il reste Gaston, lui. Il marche comme s'il marchait dans le bois. Il joue ça comme Paul Berval l'aurait fait. Et c'est drôle à mourir!!!

Puis, on se retrouve au Météor, un endroit où il y a des travestis qui chantent comme Dalida, le dimanche soir. Toute la clientèle de ce bar-là, c'est du *over forty*. Ils nous connaissent! C'est NOTRE public!

La femme de Gaston est en coulisse et elle nous suit partout. Elle regarde son Gaston s'envoyer en l'air, puis elle aime ben ça ! Elle a du fun, cette femme-là ! Et, c'est merveilleux, je suis témoin d'une relation tellement extraordinaire entre ces deux-là ! Elle l'aime, son homme ! Elle est tellement contente qu'il soit heureux !

Et y a moi, en queue-de-pie blanche, et la Gastonne pognée dans son grand voile, en sortant de la limo devant les caméras. On arrive au Météor où le MC nous présente comme le Couple de l'année. On monte l'allée, y a le MC qui nous marie. Y a des confettis partout, puis enweye donc, portés par l'enthousiasme de la foule, on monte sur scène et drette rendus en-dessous du *spot*, y a Gaston qui me retourne d'un bloc et, tassant son voile d'organdi, me *frenche* solide, devant tout le monde !!!! Ça rapproche, ça, Monsieur !

Moi, je cours vérifier dans les coulisses pour voir comment la bonne femme réagit. Elle est morte de rire, la belle Marjo !

Depuis, chaque fois que je rencontre Gaston dans des occasions gastronomiques et autres, officiellement, c'est ma femme ! À tout le monde, il me présente comme son mari ! Aux présidents de compagnie ou à monsieur le Maire, du monde très sérieux, là : « *Je veux vous présenter mon mari, parce que, moi, je suis sa femme...* »

J'attends avec impatience le jour où, ensemble, nous rencontrerons Monseigneur Jean-Claude Turcotte pour lui demander la bénédiction finale.

* * *

Nous sommes fin des années 90. J'ai un rêve dans la vie, à cette époque – il faut que je me méfie de mes rêves parce qu'ils se produisent toujours deux ans plus tard – et je me dis : « *Tiens, tiens... Ousse que chu rendu, moi, donc ? Ah, j'aimerais ça animer à la télévision...* » À l'époque, on commence à engager des comédiens. Y a une espèce de poussée des personnalités, des gens connus, des gens qui ont vécu… le métier d'animateur n'est plus strictement réservé aux annonceurs.

Le téléphone sonne. Un dénommé Jocelyn Vaillant me dit: «*Écoutez, monsieur Montmorency, on vous appelle pour quelque chose de particulier… On a un projet d'émission qui va parler du milieu gai… Et on pense que vous seriez la personne idéale pour animer cette émission-là…*»

Suis-je-tu assez la personne idéale, toi! Et, je le sais! Là, je ne perds pas de temps à me dire: «*Oh, mon Dieu, j'espère qu'y en a pas un autre sur les rangs…*» Qui? QUI, en dehors de moi?

Évidemment, c'est «*Oui!*» tout de suite. Mais pour me protéger, comme on fait toujours dans ces occasions-là, je dis quand même: «*J'en parle à madame Goodwin, mon agent… On peut-tu se reparler quelque part cet après-midi, je veux savoir ce qu'elle en pense… Laissez-moi réfléchir un peu…*» Écoutez, je raccroche, c'est décidé! Je deviens animateur à la télévision!

Eux, ils sont dans tous leurs états, c'est des ti-culs qui ont réalisé des émissions sur les gais pour le canal 9, puis, ils sont allés voir Zone 3 en leur proposant le projet. Les gens de Zone 3 ont dit: «*Oui, mais trouvez-nous une vraie vedette, un anchorman, quelqu'un auquel les gens puissent s'identifier, se référer…*» et là, ils m'ont appelé.

J'appelle Camille Goodwin, je lui raconte ce qu'on m'offre.

— *Je pense que tu sais déjà la réponse, André! Je le vois bien, là, juste la façon que tu m'en parles. Ça te tente de faire ça?*

— *Oui, ça me tente!*

— *Alors, fais-le, André!*

Pour elle, c'était le seul critère. Avant quoi que ce soit… Est-ce que ça me tentait ou pas. Quand Camille avait un contrat à négocier pour moi – une pub, mettons – elle me demandait : « *Est-ce que tu y tiens vraiment ? As-tu vraiment besoin de cet argent-là maintenant ?* » Si je lui disais : « *Non, j'y tiens pas vraiment...* » J'avais le double ! Elle retéléphonait au producteur et elle négociait fort, parce que, moi, j'étais prêt à perdre le contrat !

Mais là, je le veux, le contrat ! Alors, évidemment, je rappelle Jocelyn Vaillant pour lui dire qu'effectivement ça m'intéresse. Lui, il est tellement énervé qu'il ne prend pas ça tout de suite comme une acceptation. Il a tellement peur que je lui dise « non ! » que, pour lui, il faut encore qu'il me convainque.

— *Faudrait qu'on se rencontre, monsieur Montmorency...*

— *Oui, on va se rencontrer... demain midi, au restaurant du TNM...*

Arrivent Jocelyn, Claudine Metcalfe, puis toute la gang, parce qu'ils ont *brainstormé* toute la nuit et ils débarquent avec des arguments massues pour que je dise OUI ! Mais, moi, depuis la veille, je suis d'accord ! Dans ma tête !

Ça dure une heure. Ils me bombardent d'arguments et j'ai beau leur dire : « *Arrêtez, c'est oui, je le fais !* », y font : « *Ah, oui ?* » Puis là, y a encore comme un doute et ça repart... Ça dure deux heures... ça dure le temps du repas. Enfin, tout le monde se comprend bien, on commence à travailler dans les 2 semaines.

Il suffira de quelques réunions de production pour réaliser que c'est une équipe formidable, des jeunes qui ont le goût de travailler et qui me comprennent parfaitement. Y a comme une espèce de respect de ce que je suis. Ils comprennent bien que je dois prendre l'émission en main, parce que je véhicule plein d'affaires, que je serai identifié à ça, et ce que je dirai deviendra parole d'Évangile pour certains homosexuels... C'est d'ailleurs ce qui nous a permis de sauver des jeunes du suicide. Le souvenir que je garderai de cette émission-là jusqu'à la fin de mes jours, ce sont les lettres et les courriels des jeunes qui nous remerciaient. Ils ne s'étaient pas suicidés parce qu'ils savaient qu'à Montréal, y avait un gars à la télé qui savait exactement ce qu'ils vivaient… Qui les trouvait corrects. Qui leur disait, en plus! Qui le disait à tout le monde! Parce que c'était ça, le mandat. Démystifier l'homosexualité auprès des hétéros. Ventiler le tabou. Libérer les placards! J'ai tout de suite senti que c'est le genre de travail qu'on ferait. Sereinement, simplement, sans sensationnalisme. Ça, c'était extraordinaire!

Le plus drôle, c'est qu'on termine le repas au TNM et qu'eux ils partent fêter ça chez Zone 3, toute la gang, dans le bureau. Mais le seul qu'ils n'ont pas invité, parce qu'ils sont trop gênés, c'est moi! Alors, je repars à la maison, tout seul, et j'appelle Camille… je suis dans un état!

J'adore la télévision, j'ai toujours aimé faire de la télévision, en autant que ça se fasse vite. Quand, par exemple, je faisais *Rira bien*, on changeait les monologues à la dernière minute en fonction de l'actualité. L'auteur, André Dubois, venait me *briefer* dans l'oreille pendant qu'ils ajustaient les caméras. On prenait 2-3 notes. «*Donne-moi 5 minutes*», je regardais ça, et paf! la caméra s'allumait, puis on faisait un *one take* avec ça! Moi, j'aime ça de même!

Ce que j'haïs le plus – et, à *Sortie Gaie*, ça été le drame pendant 5 ans – c'est quand tu fais ta prise, t'es bon c'est écœurant, puis là, le réalisateur te dit: «*Bon, on fait une sécurité maintenant…*» Ben oui, mais quessé que ça te donne de faire une sécurité? Ça sera pas bon comme ce que je viens de faire! «*Oui, mais, tsé, on sait jamais, pour la technique…*» J'haïssais ça pour tuer!

Pour faire une histoire courte, je suis revenu à la maison tout seul, eux sont partis sur le party, puis ça a duré 5 ans! J'ai eu 4 ans de bonheur total. Les derniers 6 mois, je commençais à avoir fait le tour, et je me retrouvais à endosser des manifestations gaies qui ne m'intéressent pas du tout. Chu pas contre, remarquez bien, mais faire la promo du *Black & Blue* toutes les semaines… Faire l'apologie d'une gang qui s'appellent les Bears parce qu'ils ont ben du poil, puis des gros culs, puis des gros ventres, et qu'ils aiment ça les montrer, en faisant des livres, des revues, puis des films pornos… Tu vois le genre ? Moi, je n'avais pas du tout envie de parler de ça à la télévision… C'était pas mon mandat, d'ailleurs. Donc, d'un commun accord, on s'est quitté après 5 ans.

* * *

Sortie Gaie a marqué ma vie, entre autres, parce que ça m'a obligé à questionner mon homosexualité.

Je vous parlais de mes projets de mariage avec Louisette Dusseault, plus tôt. Quand je l'ai rencontrée, j'avais déjà eu des assurances sexuelles, j'avais même, je crois, couché avec un gars. Je ne me posais pas de questions. Le couple, avec une fille, c'était la possibilité de créer. Avec Louisette, on devenait LE couple d'acteurs. On devenait Renaud-Barrault ! Mais, sa mère, qui a le nez long, lui dit que ce n'est pas une bonne idée. Alors moi, je me suis retourné de bord, j'ai rencontré un gars et c'est parti pour 13 ans.

Je n'avais donc jamais été mêlé dans ma sexualité. Moi, j'étais homosexuel ! En faisant le tour pendant 5 ans de toutes les formes d'homosexualité, depuis la tapette normale en passant par le transsexuel, le trans-genre, le travelo, le bi, le *hard*, la cuirette et l'ascète, cette émission-là n'avait pas servi à confirmer l'homosexuel en moi ! Ça, c'est officiel !

Mais, mon homosexualité est-elle peut-être circonstancielle ? C'est-à-dire que ma sensibilité, mes émotions à fleur de peau me donnent un côté très féminin que j'assume. Mais, je ne me sens pas femme ! Je ne suis pas la fille qui a le goût de se faire opérer pour exprimer sa vraie nature !

Pour le côté physique, à la question : « *Suis-je homosexuel ?* », je réponds par la question : « *Quelle est la première image qui ait déclenché le processus? Qu'est-ce qui m'a fait éjaculer la première fois?»* Dans mon cas, c'est un jeune athlète de 13 ans, tout nu, en *jack strap* devant sa case, au collège. C'est la toute première image qui a marqué tout le reste. Même si je peux trouver une femme belle, ça n'atteindra jamais l'érotisme de cette première image. C'est ce qui a, pour moi, décidé de ma sexualité. Mais, je me dis que ça aurait pu être autre chose. Va savoir si une image féminine, au même âge... Ça n'a jamais été *heavy*, je n'ai pas eu ce questionnement-là avant aujourd'hui, mais comme j'essaie, maintenant, de comprendre...

Ça s'est compliqué quand, à 35 ans, je suis retombé en amour avec une femme! Et, j'ai même eu une aventure avec cette femme-là! On s'est retrouvés au lit. Mais, à ce moment-là, j'étais tellement complexé de mes 13 ans de vie commune avec un gars, que je ne me sentais pas le droit de toucher une femme. Je n'étais pas dégoûté du tout! Je voulais faire l'amour! Et au moment où il y a comme un semblant d'érection qui commence, je vois les longs cheveux blonds de cette fille-là se pencher sur mon sexe... l'image de la fellation avec les longs cheveux blonds qui volent au vent et... je ne suis pas capable! Je débande, parce que je trouve que la femme s'abaisse en faisant ça. Pour moi, une pipe, c'est une affaire de gars!

Mais, là, je suis au lit avec la fille, elle est belle, c'est effrayant! Et je me dis, désemparé par mon incompétence: «*Qu'est-ce que je fais?*» Alors, comme c'est la seule chose que j'imagine, je la caresse. Mais, je suis dans tous mes états parce que je ne connais pas ça, moi, je n'ai jamais vu une femme jouir, moi! Et, là, elle miaule, elle feule, elle crie et je ne sais plus quoi faire... Donc, je continue, j'essaie différentes techniques et elle a l'air d'aimer ça. Je devenais un *king* des préliminaires sans le savoir.

Le lendemain matin, quand on se lève, les rideaux sont grands ouverts, le soleil entre à pleine fenêtre... Sur le tourne-disque, y a *Carmina Burana*. Elle, elle reste nue… deux heures à danser dans la pièce. Et, moi, je suis là, et la seule question que je me pose c'est : « *Coudon, l'aurais-je fait jouir ?* »

J'aurai la réponse 25 ans plus tard, lors d'une première de théâtre. Je l'aperçois dans un coin… Je la regarde un moment, elle est toujours aussi belle et toujours aussi chère à mon cœur… Je vais la retrouver : « *J'ai une question à te poser…* » Je n'ai pas eu le temps de poser ma question, elle m'a juste dit, « *Oui !* » avec un grand sourire. Et elle a ajouté : « *Ça a été extraordinaire ! Je ne sais même pas si y a un autre homme qui m'a fait jouir autant dans ma vie…* » Ben coudonc, aux innocents les mains pleines !

Comment ça s'est terminé ? Moi, le lendemain matin, devant cette belle fille-là qui danse nue dans le soleil, j'ai le goût de recommencer. Je m'étais dit : « *Bon, j'ai eu un petit échec hier soir, mais, je vois bien qu'il s'est passé quelque chose !* » J'avais envie de continuer à explorer. Alors, je lui redonne rendez-vous chez moi quelques jours plus tard. J'avais fait un petit repas, et je me sentais tellement niaiseux ! Il fallait que je fasse des choses que je ne sentais pas le besoin de faire, avant. Il fallait que je sois… le gars.

Sauf que quelques semaines plus tôt, j'avais rencontré un bonhomme intéressant et on s'était dit : « *Faudrait ben se donner rendez-vous… Faudrait ben qu'on mange ensemble.* » Donc, la copine est là, le dîner est au four, le téléphone sonne, c'est lui ! Je réponds et, après le coup de téléphone, c'est elle qui a pris la décision. « *Rappelle-le…* » Je l'ai rappelé, elle est partie, il est venu manger le petit repas et je suis redevenu homosexuel !

Dernière question fondamentale, qu'est-ce que j'ai manqué comme hétérosexuel ? Rien ! L'homosexualité, pour moi, fut un cadeau du ciel ! C'est extraordinaire comment ça m'a *drivé* dans le métier, cette espèce d'émotion à fleur de peau, très féminine… ça, je remercie le bon Dieu en qui je ne crois pas, de m'avoir donné ça !

* * *

Mais mon rapport affectif le plus étrange, le plus intime, le plus constant, c'est celui avec le vrai monde. Il faut toujours que le public soit présent.

À partir du moment où tu joues le *Bourgeois* tous les soirs devant 800 personnes, ben tu t'organises pour avoir 800 personnes qui passent par chez toi dans le mois! Quand je rencontre des gens, dès le premier bonjour, c'est comme si ça fait 20 ans que je les connais et je peux leur raconter des trucs très intimes... Ce n'est qu'une fois sorti de cet état de rencontre que je constate jusqu'où je suis allé trop loin...

Et j'ai la chance incroyable, pour qui travaille dans mon métier, d'aimer l'interview. Il n'y a rien que j'aime mieux au monde que de me faire interviewer. Je peux être malade comme un chien, il suffit de me donner un micro, c'est comme un baume! Je me traîne en studio, je parle de moi et de tout... et je vais beaucoup mieux!

Et à chaque fois – ça peut être pour Suzanne Lévesque, avec qui j'ai juste un 3 minutes – je me prépare comme si j'allais raconter toute ma vie. Ils peuvent me demander ce qu'ils veulent, je n'ai aucun tabou et je leur dis. Je leur tends toujours la perche avant l'entrevue.

D'autant plus que ça me fait découvrir des trucs, ça réveille des souvenirs, et quand je fais de la mise en scène, c'est un instrument de travail extraordinaire! Écoutez, je vais expliquer devant 1 500 000 téléspectateurs, à 10 h 30 le soir, que ma pièce, ça va être un *hit* parce que j'ai fait ceci, puis j'ai fait cela... Je raconte mes affaires et, pendant ce temps, le metteur en scène intérieur travaille et fait des trouvailles, que je raconte à mesure qu'elles me viennent! Je suis bien obligé, à la répétition du lendemain, de trouver comment faire ce que je leur ai dit que je ferais, au public! Parce qu'y m'attend dans le tournant!

Ça sert aussi comme matière littéraire. Au lieu de prendre des notes pour mes livres, il suffit que je raconte quelque chose à un auditoire pour que ça s'enregistre sur mon disque dur. Et quand je fais l'exercice, c'est ce qui se dit alors qui devient ma vérité. Une fois le récit fixé, le souvenir mis en scène, ma mémoire prend le dessus. Ce n'est pas de fonctionner comme ça qui est spécial, c'est de savoir, de ne jamais oublier que c'est comme ça que ça marche.

J'ai aussi cette chance inouïe d'être systématiquement choisi par les interviewers. D'une part, c'est rare les acteurs qui aiment autant que moi se faire interviewer, et ça, au micro, ça se sent. D'autre part, ils savent aussi que je vais leur donner un show! Et c'est ça qu'ils veulent! Ils veulent que le gars soit drôle, qu'il se raconte, qu'on sente qu'il se livre, comprenez-vous? Et, moi, je leur ai toujours donné ça. Ce qui m'a permis de véhiculer toutes les choses que j'ai faites, mes livres, mes mises en scène, mes partys! Je suis passé en *prime time* pour démolir ma cuisine! Tout le monde ne peut pas se vanter d'avoir fait ça, là!

Puis, d'*Allô Vedettes* au *Devoir*, ma palette est large, colorée... Et le public aussi! En plus, j'ai un rapport exceptionnel avec les journalistes. Je n'ai jamais été «mal cité». Tout ce qu'ils ont écrit sur moi, je l'endosse. En 50 ans de métier, y en a pas un qui m'a chié dessus.

* * *

Déformation professionnelle oblige, y a des moments où je retombe dans mes démons vaudevillesques, comme lors de la quête assidue du *punch*.

On m'annonce un jour que Sonia Benezra va envoyer son équipe chez moi parce que je vais avoir une grande nouvelle à annoncer en direct à son émission. Il faut que je fasse ça, de préférence, dans mon *bubble bath*. Le document existe d'ailleurs! Ils s'en sont même servi pour un documentaire télévisé montrant à quel point les acteurs acceptent parfois d'aller trop loin dans l'auto-promotion! Donc, y a une grande nouvelle dont je ne sais strictement rien! Tout ce que je sais, c'est que je dois être dans le *bubble bath*, avec une bouteille de champagne.

Mon éditrice de chez Leméac – c'est donc de mon livre, c'est de la *Revanche*, qu'on va parler? – débarque avec ses bouteilles de champagne. *«Ah, on va en ouvrir une toute suite!»*

Énervé sans bon sens, déjà un peu guerlot sur la bulle traîtresse, j'entre dans la chaleur du bain… Je ne peux quand même pas être tout nu, comprenez-vous, alors, j'ai mis des jeans. Je suis nu jusqu'à la taille, avec des *bubbles* tout autour du cou. Et je macère dans les bulles avec ma coupe en main quand la caméra s'allume. Le caméraman est juché sur l'évier, et, à côté, sur le siège de la toilette, se trouve un petit moniteur où je vois Sonia. Courte intro, puis mon éditrice entre dans l'image et trinque avec moi, en m'annonçant, en direct à la télévision, qu'il s'est vendu 10 000 exemplaires de *La revanche du pâté chinois*. Youpiiiiiiiiii! C'est le hit!

Parce que pour nous, au Québec, 3 000 copies vendues, c'est déjà un *best seller*! Rendu à 10 000, c'est l'apothéose! Tu sais tout de suite, quand t'annonces ça dans les trois premières semaines, que tu vas en vendre 20 000 au moins! Je suis énervé… c'est épouvantable!

Assommé par l'émotion, les bulles et le bain chaud, je dis à Sonia Benezra: *«Bon, ben je pense que je vais sortir, là…»* Et elle – elle a tellement peur de moi, pauvre petite, parce qu'elle sait que je suis capable de faire n'importe quoi – elle est certaine que je suis tout nu! Elle est en direct, elle, à la télé, en *prime time*! Y a des enfants qui regardent! Elle fixe son moniteur avec de grands yeux effarés, et, moi, je sors tranquillement du bain, et j'ai le *bubble* qui me coule le long du jeans, je suis habillé et c'est encore plus drôle! Sonia s'étouffe de rire!

Vous comprenez bien que cette fille-là, quand je l'invite chez moi l'année suivante pour lancer en direct la programmation d'un théâtre d'été, ben, après lui avoir fait ce numéro-là, elle va pas dire non! Ça coule de source! En plus, y a mon jardin qui attire ben gros le kodak! Le caragana est-il malade? On envoie une équipe pour que j'explique *on camera* comment soigner le caragana! Ça va jusque-là!

Mais, là, je vous le dis, quand vous voyez «100 000 copies de vendues», ou 50 000, ou 20 000 copies... sur un bandeau rouge autour d'un livre, ben, c'est pas vrai! C'est juste des prédictions! Quand l'éditrice est venue me dire qu'il y avait 10 000 copies de vendues, y en avait seulement 3 000! Mais, parce qu'il s'en était vendu 3 000 si rapidement, pour elle c'est 10 000 demain!

«Faites-moi plus jamais une affaire de même!, que je lui ai dit. *Moi, avec ma bouteille de champagne que j'ai calée dans le bain, avec l'adrénaline puis tout', vous me dites que j'ai vendu 10 000 copies au bout de deux semaine, j'étais en train de me construire un château au bord de la mer, là!»* Parce qu'avec des chiffres comme ça dès les premières semaines, c'est certain que je *toperais* le record de Janette Bertrand qui avait vendu 100 000 copies de *Les recettes de Janette et le grain de sel de Jean*, un livre de cuisine absolument fantastique... Et, moi, je voulais l'accoter Janette! Je voulais vendre mes 100 000 copies... Qu'est-ce que ça donne d'écrire si tu vends pas 100 000 copies!?!

Finalement, j'en ai vendu 15 000 copies. Ça n'a jamais été plus loin! Et pour atteindre 15 000, ça a pris du temps. Ça, c'est le marché québécois. On n'est pas nombreux...

* * *

«Gênez-vous pas, là, si vous venez à Montréal puis que vous passez dans ma ruelle, je ne vous donnerai pas l'adresse, mais, sur le côté, y a une grande réplique de Van Gogh...» Je me fais le coup à chaque fois que je donne des entrevues aux stations de radio locales, quand je suis en tournée. Évidemment, je

les invite, donc, les gens viennent! Et il suffit que j'entende des gens dans la ruelle, que j'aie juste l'impression qu'ils parlent de moi, pour ouvrir toute grande la porte du jardin *«Ah! Bonjour! Oui, oui, c'est chez moi! Ça vous tente-tu d'entrer?»* J'ai reçu plein de gens comme ça, des petits couples avec ou sans enfants pour qui je fais le thé ou la sangria, on s'assoit, on placote, on vire le monde de bord... C'est tellement le fun de faire entrer des gens que tu ne connais pas! D'accord, tu peux te tromper, mais c'est parfois si extraordinaire!

Un après-midi d'été, j'entends des brouhahas dans la ruelle et une voix de madame qui dit: *« Van Gogh a été très inspiré par les jardins du sud de la France... »* Je jette un coup d'œil. Y a une dame entourée d'une quinzaine d'ados. Elle est en train de leur donner un cours d'histoire de l'Art et elle est venue sur le Plateau pour leur montrer mon Van Gogh, *Jardin fleuri à Arles,* parce que c'est une grande, grande reproduction absolument magnifique. Alors, que voulez-vous, comme j'adore ça, faut que j'aille leur parler, faut que j'aille leur raconter des affaires! En plus, j'ai commencé à peindre, j'ai des toiles partout dans la maison! Faut que je leur montre ça! Donc, je m'approche et, en faisant semblant de rien, je m'en vais jouer dans mes plantes...

— *Oh! monsieur Montmorency! Excusez-nous, je m'en vais, on part, on part! On voulait tellement pas vous déran...*

— *Mais non, Madame, vous me faites tellement plaisir!*

Je parle aux jeunes, puis: *« Est-ce que ça vous tenterait de venir voir mes toiles? »* Je me revois, au même âge, découvrant le théâtre et je me dis: *« Des fois qu'y en aurait un... une... qui attend rien que ça pour s'ouvrir... »* Ben, ils sont tous entrés dans la maison, ils ont fait tout le tour, ils ont regardé toutes les toiles, on a jasé un bon bout de temps puis ils sont repartis dans la ruelle en gang...

Un autre jour, je suis assis à ma table de jardin, et soudain, à travers le treillis, je vois deux grands yeux, très beaux yeux d'ailleurs, mais, voyant bien que je les vois, les grands yeux disparaissent et s'en retournent dans la ruelle comme si de rien n'était. Moi, je cours et j'ouvre la porte… c'est Paul Piché! « *Hey, bonjour Paul!* » Je ne le connais pas, Paul, je ne l'ai jamais rencontré et voilà l'occasion! Et c'est un moment merveilleux parce que je suis un fan inconditionnel de « L'escalier », je trouve ça génial cette chanson-là, et enfin, je peux lui dire que je tripe sur sa chanson et que, lui, je l'aime d'amour!

Par contre, je me souviens de deux vieilles dames qui, un matin, commencent à écornifler sur le côté des lattes de la clôture. On se voit, là, je suis à un pied et demi, pas plus! Puis, y en a une qui lâche: « *Rollande! Y est là!* » Moi, je fais le saut… Elle va bien voir que j'ai réagi… elle va me parler! Nenni! Elle fait venir l'autre femme et là, moi, je n'existe pas pour elles! Je suis encore dans sa télé, à la dame! « *Y a dit qu'y avait un bassin, ben, y est là!… Ah ben, gardon', les gros poissons, toé!* » Moi, je fais tout pour avoir l'air à l'aise, mais je suis tellement gêné que j'essaie finalement de me faire disparaître! Pas simple, vu ma prestance… Le temps de trouver le moyen… les vieilles écornifleuses ont disparu!

* * *

Juste avant de régler enfin mon fameux problème de mur de cuisine qui me bloque la vue et m'empoisonne la vie, je suis tellement découragé que je décide de vendre la maison. C'était un très mauvais moment pour décider ça et je n'aurais pas fait une cenne, mais j'étais écœuré.

C'est effrayant le nombre d'affaires et de bébelles que j'ai dans cette maison-là, il faut que j'en élimine au maximum si je veux juste penser à déménager. Je décide donc de faire une grande vente de garage.

Des amis viennent m'aider à vider les armoires, les garde-robes, les tiroirs, le cabanon, la cave et les recoins obscurs de tout ce que je ne veux plus voir. Y a du stock là, mes enfants! J'ai toutes les petites maisons de porcelaine de ma fameuse crèche, qui m'avaient coûté 35 $, 40 $, 50 $ chacune et que j'ai vendues autour de 2,50 $ l'unité… J'ai des livres de cuisine, les anciens DVD grands de même avec l'appareil, mes toiles, du linge… Même le piano, mon beau piano acheté à la campagne, « décapé maison », vendu et racheté de la voisine d'en face, la courtière au chien-chien mollettophile, même le piano était à vendre!

Dans la cuisine que j'ai fermée en plaçant des tableaux sur le grand comptoir qui est toujours en plein milieu de la place, j'ai aménagé une chambre XXX, pour les films pornos qui ne m'intéressent plus. Et, au fond, dans le cagibi de la laveuse-sécheuse, j'ai mis une télé et ça coûte 1 $ pour aller voir un peep-show! Normalement, un peep-show, c'est un film de cul, mais là, c'est Louisette Dusseault et moi en 1958, à 19 ans, s'embrassant bien chastement sur un *ferry boat* pendant le Festival national d'art dramatique, à Toronto. Je me pensais bien drôle, avec mon peep-show, mais ça n'a pas pogné pantoute! Personne ne nous a reconnus!

Pour être certain de ne pas rester pris avec mon stock, j'avais eu le malheur d'en parler à Jean-Paul Sylvain, du *Journal de Montréal*, qui, sous le titre « Braderie chez André Montmorency », m'a sorti un gros papier, une grosse page qui donnait tous les détails. Y est venu du monde! Ça rentrait par toutes les portes, ça se bousculait partout, puis ça voulait tout voir, puis ça partait dans tous les sens, ça se battait pour avoir des trucs, écoutez… J'ai ouvert le samedi matin une grosse demi-heure avant le temps parce que sinon, c'était l'émeute, et à midi il ne restait plus rien! On a été obligé d'annuler pour le dimanche, mais y a des gens qui sont venus quand même et qui sont repartis avec un souvenir, avec des jarres Mason pleines de clous, des vieux paniers déchiquetés…

Donc, le matin du samedi, j'ouvre à 9 heures, mais les gens attendaient depuis 7 h 30! Non, j'exagère, mettons

8 h 15… Mais, c'est noir de monde! Ça fait le tour, ça va presque jusqu'à Mont-Royal d'un côté et les gens sont cordés dans la ruelle. Je m'en vais faire patienter tout ce beau monde quand j'aperçois, dans l'allée, à peu près au dixième rang, une femme sous un grand chapeau, enveloppée d'un imperméable au col relevé, on dirait Laureen Bacall déguisée pour un film de série B… C'est Filiatrault qui s'est cachée pour ne pas se faire reconnaître! Quand elle me voit, elle décide de passer outre. «*Boulotte, Boulotte*, chuchote-t-elle, frénétique (c'est le surnom dont elle m'a toujours affublé, je suis même dans les B de son carnet d'adresses!), *Boulotte, peux-tu me faire entrer?*» Moi, je lui réponds, bien fort, devant tout le monde «*Non, non, non, non, Denise! Tu restes en ligne comme tout le monde, on peut pas faire ça au public, tu le sais très bien!*» Éclat de rire général, le party pogne! Mais, Filiatrault, pour une fois, est restée dans le rang!

Quand, finalement, elle est entrée dans la maison, elle a commencé à tourner en rond, elle voulait acheter des meubles, elle…

— *Y en n'a pas, de meubles!*

— *Comment ça, t'as pas de meubles? C'est quoi, l'idée?*

Elle a fait toute la maison, elle a fouillé partout, puis elle est repartie parce que, à part le piano «*Lâche-moi l'piano, Boulotte, tu l'sais bin qu'j'ai pas de place!*», il n'y avait pas de meubles à vendre.

Ce qu'elle n'a jamais vu, ce qu'elle a jamais su, dans sa quête obsessive du petit meuble rare, c'est qu'il y a, sur le mur, une belle grande nappe en dentelle, une nappe chère, traditionnelle, achetée dans les «vieux pays» et qui porte un carton indiquant *Nappe empruntée à Denise Filiatrault il y a 20 ans = 20 $*…! Je l'ai vendue, la nappe! J'ai tout vendu! Pour 8 000 $ de stock que j'en ai vendu!

J'ai même vendu le cadeau de noces que j'avais peint pour Sonia Vachon! C'est Sonia Vachon toute nue, avec des ailes et un voile de mariée sur la tête, qui vole dans les airs, dans un beau cadre doré tout travaillé. C'était le cadeau de noces que je lui avais offert en ondes, à CKVL, et elle devait éventuellement venir le chercher. Alors, pour que les gens voient la toile, je l'avais mise sous un *spot* dans le fond du corridor du sous-sol, et devant, comme pour interdire l'accès à cette toile de maître, il y avait un grand cordon doré avec un gros pompon emprunté au baldaquin de ma chambre. Les gens pouvaient donc l'admirer, comme la Joconde au Louvre !

Mais j'avais aussi, dans la vente de garage, une grande photo dans un cadre doré sans intérêt, qui me représentait, moi, en Duchesse de Langeais. À un moment donné, y a un des *helpers* – y est gelé comme trois balles, lui – qui demande : « *Le cadre doré est-tu à vendre ?* » « *Oui ! 140 $.* » Ben, y a vendu le cadeau de noces de Sonia… Et on le cherche encore ! Cette toile-là est quelque part, on a tout fait, on a fait des appels à tous… Regardez chez vous, vérifiez chez vos chums, des fois… en tout cas, on ne l'a jamais retrouvée !

* * *

J'ai donc gardé le grand portait de moi, toute crêté en Duchesse, Sacrée Duchesse… Ça, c'est encore une histoire de fou. Y a un gars qui m'appelle, Louis Lalande, qui dirige le théâtre de Saint-Adèle, le Chanteclerc ! D'habitude, il montait des boulevards français, mais là : « *Je veux changer la formule, cette année, André. As-tu le goût de jouer quelque chose ?* » Je sais pas si c'est lui ou moi, mais on voit tout de suite la *Duchesse de Langeais*, sauf que la pièce originale fait à peine 50 minutes. C'est la deuxième pièce de Michel Tremblay. Entre temps, il y a eu les romans et les autres pièces où l'univers de la Duchesse a complètement éclaté. J'en parle à Michel Duchesne qui me dit : « *Écoute, je vais te faire un montage…* » Et là, ça part.

Il faut se démarquer de Claude Gay qui a créé le personnage. D'où l'idée de départ : la Duchesse publie son autobiographie. Comme je voulais la jouer en femme, la Duchesse, on décide qu'elle s'est mise sur son 36 et qu'elle va raconter sa vie à partir d'un collage des textes de Michel Tremblay. J'y mets beaucoup de moi et de choses que j'ai le goût de faire sur une scène, mais tout ça, en 15 jours de répétitions – on manque de temps, comme toujours – où je joue la déchéance, je travaille la déchéance. À travers un personnage que je n'admire pas du tout, mais je l'endosse et je lui donne du corps, je vais chercher qui c'est ce travelo-là. Moi, je suis allé chercher très loin.

Parce que, tant qu'à jouer cette femme-là, ce travelo-là qui est saoul mort du début à la fin, il faut que je sache, moi… C'est la plus grande peur de ma vie et c'est toujours les scènes les plus difficiles à faire au théâtre, ça, les soûleries ! Il faut que je sache exactement ce que ça veut dire d'être saoul dur après avoir calé 2 litres de vin blanc et être tombé dans la bière… Et, en plus de ça, cette femme-là porte une grande djellaba soyeuse et très seyante, c'est une sensuelle qui s'aime en grosse ! Elle se trouve belle, elle ! Or, je suis dans une période de mon évolution corporelle où je commence à moins m'aimer, même que j'ai rapetissé tous les miroirs de la maison… J'ai un ventre et la fesse s'est un rien déplacée, donc…

Un soir, je décide donc de me saouler la gueule une bonne fois, pour voir (tiens, c'est là que j'ai recommencé !), et de répéter toute cette pièce, long monologue d'une heure et demie sans entracte, dans un état d'ébriété sans faille. Je me suis mis nu et j'ai fait le tour de la maison, de toutes les pièces. Je suis allé brailler dans tous les coins tout en disant le texte. J'allais d'étape en étape, pour découvrir que, même quand t'es saoul mort et que t'as fumé un joint en plus, tu as, tout à coup, des moments d'une lucidité étonnante… et que la saoulographie ne donne pas toujours la bouche pâteuse ou les idées troubles… Ça a été une recherche fondamentale et probablement le moment de répétition théâtrale le plus important de ma vie. Sans scène, sans rien, tout seul avec le texte et la déchéance de cet homme-là.

Sauf que, parce que cette pièce a été répétée très rapidement et que la boisson s'est installée de nouveau dans ma vie, je n'avais jamais envie d'aller au théâtre, le soir! J'avais le trac! J'étais malade de trac! J'avais pourtant réglé mon problème de trac avec le *Bourgeois*, un rôle énorme. Faut dire que j'avais répété six mois. Mais là! J'ai joué la duchesse tout un été en vomissant de trac avant d'entrer en scène et ne jouant que pour le demi-litre de vin blanc qui m'attendait en coulisse. Attention, je ne buvais pas avant de jouer – on ne fait pas dans le vérisme strict, ici! – mais après, par exemple!

En même temps, quand je me retrouve en scène… Je n'ai pas envie d'arriver, je n'ai pas envie d'être là, j'ai froid, je suis tout croche, mais, dès que je mets ma perruque, mes talons hauts, ma grande djellaba, là, ça se replace… Je dis à Madame Pétrie, dont j'ai la photo sur ma table de loge parce que je l'imite dans pièce: «*Madame Pétrie, venez-vous-en avec moi, à soir… Ah, puis amenez donc Tizoune!*» Et là, seul en scène, je sentais bien qu'elle était là, Madame Pétrie… et Tizoune itou qui me dirigeait dans ma grande scène de soûlographie…

Et, dès qu'elle mourait, la Duchesse, entre les bravos et mon demi-litre de blanc, c'était la rechute jusqu'au lendemain au lever du rideau. Mais ce fut une expérience théâtrale et spirituelle exceptionnelle.

Et puis, la pièce a eu du succès. Elle a eu de l'impact! Et le producteur, François Flamand, qui a racheté les droits, décide de la monter à Montréal, au Monument national, rue Saint-Laurent. Là, pour moi c'est comme débarquer à Broadway. Heureusement, j'ai le merveilleux Daniel Matte comme attaché de presse. Quand je veux *blower* dans la promo, moi, j'appelle Daniel Matte.

On commence donc à faire des rêves et on les réalise au-delà de nos espérances. À savoir, que le soir de la première à Montréal, la Duchesse doit arriver dans toute sa splendeur sur la rue Saint-Laurent, avec un tapis rouge pour elle toute seule à l'entrée du Monument national. Dans le scénario de Daniel, je sors de la limousine, je traverse la foule, je vais me réfugier dans ma loge et là, une demi-heure après, j'entre en scène et je continue à me raconter comme si j'avais connu tout ce monde-là personnellement.

Encore fallait-il qu'il y ait du monde ! Comme je suis à CKVL, c'est merveilleux, je fais un appel à tous et, surtout, un appel aux kodaks. De son côté, Daniel appelle tous les petits journaux. Il faut que, sur la *Main*, ce soit Cannes en plein Festival ! Il faut que la Duchesse soit noyée sous les paparazzi. Comme j'ai toujours été gentil avec ces gens-là et que je les ai dépannés souvent, eux ils ont juste envie de venir ! Parce qu'ils savent qu'ils vont avoir du fun !

Et, rue Saint-Laurent, y a les caméras de télé, y a le public, mais Daniel Matte ne m'avait pas dit que son truc avait réussi à ce point-là, il m'a dit : « *Ouain, ouain, ça marche… Y va y avoir une couple de kodaks…* » Mais, c'est plein, plein de monde ! Alors, soudainement dans la limousine, moi, je disparais littéralement. Et c'est la Duchesse qui, souveraine, sort sous les flashes et les projecteurs. C'est la Duchesse, dans toute sa gloire, qui monte le grand escalier. C'est la Duchesse, enfin vengée, qui reconquiert la *Main* ce soir !

* * *

Moi, je suis dans un aquarium quand je suis sur scène. Je suis dans mon milieu vital quand je suis en représentation, quand je suis en public. Je suis dans mon milieu vital, quand je travaille !

Mais, je ne pense pas au public… parce qu'il est toujours là, le public ! Il est là quand je me raconte des histoires tout seul chez nous, parce que je sais que je vais lui raconter un jour, comme lorsque je vais chercher des gens sur la rue pour qu'ils viennent vivre mon intimité.

J'aime le monde, mais l'amour du public, je ne suis pas certain de l'avoir consciemment cherché... En même temps, un des rêves de ma vie c'est qu'à 93 ans, on me construise exprès un balcon au Chez-nous des artistes pour qu'entre deux siestes comateuses, j'envoie encore des bye-bye au monde! J'ai toujours dit que je serais La Poune du troisième millénaire!

* * *

Je déteste la solitude. J'ai bien pensé avoir réglé ce problème-là, sauf que, finalement, je suis incapable de vivre seul. Et comme je suis invivable pour tout le monde, c'est le chat qui, en fin de compte, a réglé le problème! C'est le premier chat qui est arrivé dans ma vie – j'avais eu des chats à la campagne, mais je n'avais pas UN chat qui était MON chat et pour qui j'aurais eu hâte de rentrer à la maison, le soir. Il faut dire que ce chat était un être exceptionnel. Il est devenu presque plus connu que moi, à une époque. Disons qu'il avait de bonnes leçons à la maison...

Je suis en train de tourner un petit film et tout le monde sur le plateau sait que je veux un chat. Une des assistantes a une chatte noire qui vient d'accoucher. Y a un châton orange qui est arrivé le premier, qui est plus gros que les autres, qui s'est mis à courir le premier, qui était propre le premier... en tout cas, elle me donne ce chat.

Donc, ce Chat Bébé – il s'appelle Bébé – arrive à la maison. Je décide donc que ce petit chat-là – je ne sais pas, moi, qu'il va devenir un énorme félin –ne sortira jamais de la cour. Je vais tout mettre en œuvre pour m'en assurer, parce que je ne veux pas le perdre. Je ne veux pas qu'il aille courailler. Je le ferai opérer, il restera dans la cour et ne bougera plus de là!

Mais, Bébé avait une âme d'aventurier ! Dès qu'il a commencé à fureter un peu et à flairer qu'il y avait quelque chose derrière la clôture du jardin, il s'est mis à creuser et il a fini par passer sous les planches de bois. Je l'attrapais toujours au bon moment, heureusement, mais je le surveillais tout le temps, au début, quand il allait dehors.

Alors, j'ai transformé ma cour en château fort. Au bas de chaque planche, au bas de toute la clôture, j'ai mis de la broche – pas de la broche à poule, plus petite encore – qui rentrait dans le sol, donc, le chat ne pouvait pas sortir par là. J'ai bloqué le bas de la porte de la cour avec une espèce de planche qui bascule. Lorsqu'on sortait, elle ne bougeait pas, et lorsqu'on rentrait, il suffisait de la soulever. Je suis ravi parce que Bébé sort dans le jardin, mais il ne peut plus s'évader ! Il essaie, mais, il n'y arrive pas !

Sauf qu'il apprend à grimper. Il réussit à monter sur le haut de la clôture. Évidemment, il veut sauter de l'autre côté. Grimpé sur un escabeau, je le rattrape toujours *in extremis* et fatigué de jouer les pompiers je décide de prendre les grands moyens. J'installe tout un système, avec des morceaux de bois qui montent plus haut que la clôture et qui reviennent vers l'intérieur, comme dans les cours de prison. Je mets de la broche à poule par-dessus le tout, parce qu'il est interdit de mettre des piquants, les gens pourraient se blesser… et le chat aussi. Pour sortir, il faudrait que Bébé passe sous les morceaux de bois mais il resterait coincé dans la broche… Le problème est réglé !

Bébé voit ça… Ah, là, il est pas content ! Il voit bien qu'il ne peut plus sortir ! Jusqu'au jour où je ne m'inquiète plus, je laisse aller Bébé, je ne le surveille même plus parce je sais qu'il ne peut pas sortir ! Et, le soir, Bébé n'est plus là ! Bébé a disparu !

Je le cherche partout, j'essaie de voir par où il est passé… J'imagine qu'il a dû apprendre à grimper dans l'arbre, parce qu'il y a le marronnier dont les branches surplombent la ruelle… Bébé s'est donc évadé!

À l'époque, je suis à l'antenne de CKVL avec Serge Bélair, j'ai une chronique tous les jeudis. Bébé est disparu depuis 48 heures. Je suis au désespoir. Je profite du micro qui m'est donné pour alarmer la population mondiale, avec description de Bébé et ligne téléphonique spéciale pour me rejoindre n'importe quand pendant l'émission. Je veux savoir où est Bébé!

Je reçois effectivement un appel et j'apprends que Bébé est allé s'installer au nord de chez moi, sur la rue Bienville, dans une maison avec plein d'enfants. Ça fait 48 heures qu'il se fait flatter par tout le monde, alors que c'est un petit chat qui m'adore mais qui n'aime pas trop se faire prendre par les étrangers. Je reviens à la maison et je me précipite rue Bienville…

Bébé ne se sauve même pas en me voyant arriver. Il me fait des joies sur le trottoir, il se roule quand il m'aperçoit. Je le prends et il se met à ronronner. Je le ramène chez moi et, là, je le descends dans la cour et je lui dis : « *Tu veux sortir de la cour ? Pourtant, avoue que c'est beau, hein, chez nous! C'est toi qui a le plus beau jardin de la rue! Personne n'a un beau jardin comme le nôtre!* »

J'ai de vraies conversations avec Bébé, je l'engueule ou je lui demande son avis comme à une vraie personne. La voisine, sur sa galerie, entend tout, évidemment. Elle n'est pas la seule d'ailleurs, parce qu'au moment où je répète la *Duchesse de Langeais*, deux jeunes hommes viennent d'emménager juste de l'autre côté de la ruelle, je ne les connais pas, je ne leur ai jamais parlé, je ne sais pas qui ils sont. Je suis dans ma salle à manger, toutes les fenêtres sont ouvertes, et je répète le bout où la Duchesse est complètement perdue et crie des noms au ti-cul qui vient de la planter là. Bien sûr, je crie comme un damné et j'ai une voix qui porte. Je jette par hasard un œil dehors et je vois les deux gars sur la galerie, paniqués, qui s'apprêtent à faire le 911... Je sors et je leur dis, d'une voix très calme :

— *Excusez-moi pour le bruit, je suis en train de répéter un texte de Tremblay...*

— *Mon Dieu! OUF! Heille, on s'est dit que Bébé devait passer par là!!*

Ça s'est passé c'est deux jours avant que les journalistes d'*Écho Vedettes* ne viennent chez moi faire des photos de la Duchesse pour les pages centrales couleurs. Je porte ma très kitch djellaba rose et noire, j'ai ma perruque platine, je suis déguisé en femme, j'ai, évidemment, mes talons hauts et je fais des photos partout dans la ruelle... Mes voisins aperçoivent ça, mais ils sont habitués. Ils ne se posent plus de question. On termine la séance de photos. Je rentre, je me démaquille, j'enlève la perruque, je mets des jeans et un T-shirt et je décide d'aller jouer dans mes plates-bandes le long du mur nord, dans la ruelle. Je suis donc à quatre pattes dans les fleurs depuis un bon moment quand j'aperçois, du coin de l'œil, un monsieur qui s'en vient dans la ruelle. Ce n'est pas un des voisins habituels, lui, je le connais pas. Au moment où il est environ à 6 pieds de moi, je me retourne et je m'aperçois que j'ai, machinalement, remis mes talons hauts...! Et tout ce que je trouve à dire à ce monsieur sidéré qui est maintenant à moins de 3 pieds de moi, en pointant de la truelle mes escarpins grand chic, c'est : «*Excusez-moi, pour les souliers, c'est que je suis en train de travailler!*»

Pour revenir à Bébé à peine rentré de son escapade de deux jours, je l'emmène dans la cour et lui dit : «*Alors, tu veux sortir? Ben, là, tu vas sortir!*» Et je me mets à donner des coups de pied dans le bas de la porte, l'espèce de petite planche qui basculait décroche assez vite, merci, et je lui fais une ouverture d'environ six pouces de haut. Puis, le geste large et le ton grave, je dis : «*Vas-y!*» Il s'est assis sur son cul et m'a regardé comme si j'étais complètement dément. Lui, c'est tout ce qu'il voulait! Il voulait juste avoir la possibilité de sortir. Il est sorti sans hâte, il a fait le tour, il a senti toutes les fleurs qui bordaient la clôture, puis il est rentré, comme si de rien n'était. Et, on n'en a plus jamais reparlé tous les deux...

* * *

Mon appel à tous sur les ondes de CKVL a des conséquences inattendues: Bébé devient une vedette! Je reçois un téléphone d'une recherchiste de la télé: *«Bébé a-t-il été retrouvé? Ah, vous avez retrouvé Bébé! C'est merveilleux! Ben, écoutez, Claire Lamarche, justement, fait un spécial sur les gens qui sont fous des animaux... Est-ce que vous viendriez avec Bébé?»* Mais ça n'a pas d'allure! Je vais y aller mais pas avec Bébé! *«Ah, mais, il faut que vous veniez avec Bébé! Il faut que le chat soit là... y a une dame qui vient avec son mainate, y en a une autre avec son Saint-Bernard...»* Enfin, vous voyez le genre! D'habitude, quand Bébé s'en va sur la rue, il fait des mines comme ça aux gens et quand ils veulent le toucher, *Krrrchhhhh!* Il leur crache au visage! Puis, il n'aime pas être tout le temps au même endroit. Tu pognes Bébé, tu le flattes un peu, mais après ça... vous savez, c'est un p'tit gars, Bébé. C'est un «gros» petit gars!

Finalement, je l'emmène à Claire Lamarche et il passe une heure couché sur mes genoux. Il ignore complètement le chien. Mais, quand un kodak coupe sur lui, il regarde la caméra, et puis il veut manger le mainate de la femme, il veut le gros moineau noir! Ça donne de beaux *close-up*! Il a fait toute l'émission sans bouger, il a été absolument magnifique!

Le grand rescapé des ondes radiophoniques que toute la ville avait cherché devient la vedette de l'émission de Claire Lamarche – elle était *hot* dans ce temps-là, Claire Lamarche et c'est la gloire...

«On fait un spécial sur les jardins, monsieur Montmorency, est-ce que vous accepteriez qu'on aille faire des photos chez vous?

— *Oui!*
— *Est-ce que Bébé sera là?*
— *Ben là!* »

Et il y a eu un spécial sur les animaux, puis *Amis à vie* à TVA, et *La vie avec*... Je recevais des appels pour lui, je prenais des rendez-vous pour lui... Je me souviens d'une entrevue où le sujet c'est Bébé au jardin et dans la maison, la vie de Bébé, quoi! Je raconte à la réalisatrice qu'il va aller se coucher dans l'évier rond de la salle de bains, car il se couche là quand il fait chaud. Il y passe des journées entières et je peux le gratter, lui passer la brosse, lui faire ce que je veux quand il est là. Après, il va faire la chasse aux insectes, il va, certainement, courir après la grenouille... L'équipe télé commence à sortir les caméras puis, la madame me dit :

— *Oui, mais, encore faut-il qu'il fasse tout ça!*
— *Femme de peu de foi!*

Bien sûr, il est allé se prélasser dans l'évier puis il est parti courir la grenouille...

* * *

Parce que j'ai un étang, moi! Suivez-moi, ça ne sera pas long! J'ai fait creuser un trou par un Italien que j'ai rencontré sur la rue, j'ai acheté une toile en plastique et je me suis fait un étang. J'y ai mis des poissons, des *Koï* japonais, en me disant : « *Ça va amuser le chat...* » Le chat ne les a jamais regardés!

Les *Koï* ont la réputation de vivre vieux et de pouvoir passer l'hiver dehors pour peu qu'il y ait un petit moteur dans le fond de l'étang qui oxygène l'eau et l'empêche de geler. Ça maintient l'eau à 4 °C dans le fond, bien assez pour que les *Koï* survivent. Et je mets là-dedans une poignée de têtards ramenés de la campagne, qui finissent par devenir des grenouilles et qui chassent les moustiques... Mais la vie est pleine de dangers et, au moment de l'entrevue, il ne reste plus qu'une seule grenouille. C'est la chum de Bébé. C'est SA grenouille! Écoutez, un soir que la grenouille faisait mine de se sauver, j'ai eu peur. Je suis assis dans le jardin et je vois Bébé se diriger vers la porte pour son tour de ruelle habituel, puis, tout à coup, il prend sa position de panthère et il part! «*Mon Dieu! Il va manger la grenouille!*» Mais, non! Il arrête la grenouille fugueuse et, patiemment, à coup de petites tapes bien dosées, il la ramène jusque dans l'étang sans la blesser!

Puis, arrive l'hiver. Surplombant ledit étang, se trouve un magnifique lilas que je décide de décorer de lumières de Noël. J'ai presque terminé, quand, pour déplacer une dernière petite ampoule, je prends appui – niaiseux – sur la fine couche de glace qui recouvre l'étang. Mon pied plonge, je pivote de 180 degrés – le temps s'étire, je chute en me disant: «Je vais me péter le crâne, moi!» – et, paf, je tombe dans la partie gazonnée, la tête à moins d'un demi-pouce d'une grosse pierre… J'ai de l'eau jusqu'aux hanches, il fait – 9 °C, je m'extirpe du bourbier… je suis trempé, transi, troublé mais mort de rire! Quel sketch ça ferait!

J'entre me réchauffer sans m'inquiéter davantage de l'étang. Mais, le lendemain matin, il n'y a plus d'eau! J'ai dû percer le fond de la toile avec ma botte! Je cours à la rescousse des poissons… Tout ce que je vois, c'est des queues puis des têtes qui dépassent du bloc de glace qui emprisonne le petit moteur. Les 8 *Koï* japonais sont gelés ben raides… L'étang, dévasté, deviendra un magnifique massif d'astilbes.

* * *

L'été précédant ce triste événement, il ne reste donc plus qu'une grenouille… et à un moment donné, il se produit une scène exceptionnelle où Bébé, qui est de profil, voit, au loin, la fameuse grenouille! Alors, il s'avance, il se déplie, s'étire, tel un fauve, un gros lion, et, tout d'un coup, il prend un *jump* et atterrit les deux pattes de devant sur... une grooooosse marguerite! Ça fait *plump!* Bébé, chasseur de fleurs! La grenouille, elle, n'a pas bougé d'un poil.

Mais, on n'a pas encore de gros plan de Bébé: «*Y va venir! Y va venir!*» que je leur dis. Le gars dépose sa caméra par terre pour l'éteindre, et là, Bébé arrive d'entre les branchailles, enligne la caméra et, se demandant c'est quoi cette bébite-là, vient voir en mettant son gros nez sur la lentille. Et voilà, on a notre *close-up*!

Son dernier grand show, sa dernière action d'éclat, c'est le jour où on l'a appelé – lui, pas moi – pour inaugurer un *spa* pour les bêtes que des amies venaient d'ouvrir rue Rachel. Les filles voulaient absolument que Bébé vienne se faire pomponner *on camera*. «*Ça, on va avoir de la misère!*» Ben, Bébé est allé au *spa*... en limousine. Il est entré dans la limousine, et je me suis dit: «*Il va se garrocher partout sur les vitres!*» Les chats haïssent les autos! Il est allé vérifier le confort du siège avant, à côté du chauffeur, puis il est venu s'asseoir à côté de moi, derrière. Il a regardé le paysage défiler, on est arrivé au *spa*, on l'a pris, on lui a donné un bain, coupé les ongles, nettoyé les dents! Écoutez, il restait là, il se laissait faire, la gueule ouverte sur le côté, présentant son meilleur profil à la caméra pendant qu'on lui grattait les dents... Mais, la cerise sur le *sundae*, ça a été le retour à la maison.

— *Laissez-moi*, que je dis au chauffeur. *J'aimerais sortir de la limousine maintenant pour que Bébé sorte seul.*

— *Ben, on peut toujours essayer...*

Alors, je sors et je me dirige vers la maison. Bébé est toujours assis sur son siège, à l'arrière de la limo. Puis, le chauffeur sort, fait le tour et vient faire une grande révérence en ouvrant la porte de la limousine. Et Bébé, tout *fluffé* parce qu'il revient du *spa*, sort lentement, passe, majestueux, devant la caméra et entre très dignement dans la maison!

Alors, bien sûr, ce chat occupait mes moments de solitude parce qu'il était très important, Bébé! Écoutez, j'ai même regardé des émissions de télévision parce le chat réagissait bien! L'émission est plate à mourir, mais le chat a l'air tellement intrigué par le mouvement, qu'il penche la tête à gauche, à droite, il regarde l'écran, fasciné… Moi, je ne zappe plus, dans ce temps-là, parce que l'être avec qui je vis est en train de regarder son émission!

Bébé avait pris l'habitude de se coucher au-dessus du téléviseur, entre les colonnes de son. Tout particulièrement quand j'écoute de la musique rock. Et je découvre, en allant mettre ma main sous le ventre de Bébé allongé, que les vibrations sont absolument incroyables. Alors, moi qui n'étais pas un passionné de rock, je me suis mis au rock, parce que Bébé aimait ça. Mais, pour me récompenser, Bébé me faisait un cadeau merveilleux : quand des gens venaient à la maison et que je voulais faire un gag, je prenais Bébé et je le couchais sur une tablette dans la bibliothèque entre les livres, et je lui disais : «*Là, tu fais le bibelot!*» Je faisais alors visiter la maison aux gens et il ne bougeait pas d'un poil. Il avait l'air d'un gros chat en porcelaine !

Pendant dix ans j'ai écrit en ne voyant jamais complètement l'écran de mon ordinateur parce que c'était l'endroit où Bébé s'installait dès que je faisais mine d'écrire. J'écrivais en tassant la queue rayée du chat qui balayait régulièrement l'écran. C'était un merveilleux complice ! Je me suis, d'ailleurs, toujours demandé : «*Qu'est-ce que les chats aiment tant dans l'écriture ?*» Je crois que c'est l'odeur de l'encre.

* * *

Je suis incapable de peindre simplement ce que je vois. Je pars et là, j'explose… Je ne me suis jamais assis devant un paysage en me disant : «*Tiens, je vais peindre ce paysage-là…*» Mes paysages représentent toujours les souvenirs emmêlés de ce que j'ai aperçu quelque part… Aux îles, les maisons étaient rouges, elles étaient bleues, elles devenaient jaunes, puis oranges… avec une montagne, un volcan derrière. Ça n'a rien à voir avec la réalité, et ça s'appelle *Les îles-de-la-Madeleine avec un volcan*. Mais, la peinture photographique, le portrait, on oublie ça. J'étais donc incapable de dessiner un beau chat, par exemple.

Un matin, je me dis : « *Je vais commencer, quand même, à m'amuser à peindre Bébé.* » Alors Bébé s'est retrouvé dans mes toiles, discret, au début, pour finir par prendre toute la place. Et j'en ai commencé une, immense, où y a Bébé en train de jouer dans les fleurs… Bébé ! Écoutez ! Il a posé pour ce tableau-là ! Il venait s'affaler devant moi et ne bougeait plus… Le soir où j'ai terminé le tableau, je l'ai posé devant le foyer, et quand je me suis levé, le lendemain, j'ai retrouvé Bébé, couché devant la toile, dans la même position ! Il attendait que je descende !

* * *

Je termine ce fameux tableau que je ne vendrai jamais – c'est dans ma collection privée – parce que Bébé étant disparu, tout Bébé est maintenant dans cette toile-là ! C'est une toile très éclatante où Bébé est dans le jardin, les fleurs sont rouges, les fleurs sont bleues, Bébé est orange, il y a le soleil que Bébé rejoint et capture avec sa queue… Je donne donc les derniers coups de pinceau quand, encore une fois, un événement va complètement bouleverser ma vie ! Une simple entrevue pour un magazine ! On ne se méfie donc pas quand ces choses-là arrivent ! Tu accordes une entrevue à un magazine gastronomique et tu ne t'imagines pas qu'à cause de ça, cinq ans plus tard, tu vas avoir vendu ta maison et tu vas te retrouver au diable Vauvert, à 14 heures de route de chez toi !

Je reçois un téléphone d'une dame… Une dame avec une voix plutôt grave, un langage très châtié, une voix très radiophonique style Myra Cree. Même l'accent fait penser un peu à ça. C'est la rédactrice en chef d'un magazine qui débute et qui s'appelle *Flaveurs*. Le magazine est publié aux 3 mois, je crois, sa parution coincide avec les saisons. Dans chaque numéro il y aura un invité, le gourmand de service. Et je serais le premier gourmand ou le gourmet du mois. Moi, je vois tout de suite... Rédactrice en chef, magazine *Flaveurs*, gastronomie, je vois une dame dans un bureau très chic de la Place Ville-Marie qui m'appelle pour me fixer rendez-vous pour le lendemain, un samedi. Je suis étonné que ce soit elle, la rédactrice en chef, qui se déplace pour l'entrevue, plutôt que d'envoyer une simple journaliste...

Le lendemain matin, je me lève pour me préparer – faut que je me mette chic pour la madame – mais j'ai quelques touches de couleur à mettre encore sur la peinture de Bébé. Alors, j'installe *Bébé* sur le mur nord de la salle à dîner qui donne sur le jardin. Vêtu d'une djellaba en ratine rose toute étoilée des couleurs de la toile, je suis en train de peindre quand on sonne à ma porte. Oups, j'ai perdu la notion du temps. Alors, drapé dans ma grande robe qui à l'air d'un Riopelle, j'ouvre la porte, non pas à une directrice de compagnie en tailleur Chanel, mais à une femme en jeans, des jeans assez chics, d'ailleurs, bien coupés, avec un beau veston... et je comprends tout de suite que nous sommes de la même religion... il y a quelque chose dans son habillement qui dénote, comment dirais-je, la lesbienne de qualité...

Elle a toujours cet accent Myra Cree et, pour moi, elle est très française! C'est pas une Française, mais elle est française! Je m'excuse auprès d'elle: «*J'ai pas terminé ma toile, pourriez-vous aller passer dix minutes dans le jardin? Allez voir le jardin, puis quand...*» Je continue donc à peindre, la porte du jardin est grande ouverte... Un dernier petit coup de jaune... Tout à coup, j'entends la voix de la Myra Cree du Mile-End – parce qu'elle habite le Mile-End et fait partie d'un club de sorcières – qui me lance de la cour: «*Monsieur*

Montmorency, pour votre joli plant, je vous recommande fortement le marc de café! » Hon ! Le plant de pot ! Ben coudonc ! J'aime les plantes, j'aime que ça pousse, alors, le marc de café... Et elle m'explique, en long et en large, de travers et en termes choisis, analyses chimiques et dernières statistiques à l'appui, l'effet génial du marc de café sur le *canabis sativa* de culture domestique...

Je range mes pinceaux, je pars un petit café – question de commencer tout de suite le traitement du plant de pot.

On a fait l'entrevue, elle a écrit le texte. Elle m'a rappelé pour me le lire. C'est très bon ! Le magazine est publié, y a le lancement, on se revoit de plus en plus, on commence par deux ou trois fois par semaine, puis on s'appelle aussi les fins de semaine, et là, on fait honneur à notre plant ! Parce que, ça marche, son marc de café !

Je découvre, à soixante ans, une autre facette de l'amitié. Vous savez, le gars qui va parfois à la taverne prendre une brosse avec son chum ? Ben, je crois que j'ai vécu ça avec elle, avec les bonnes herbes et les bouteilles de rouge et de rosé – c'est pas pour rien qu'elle était rédactrice en chef du magazine *Flaveurs*, elle connaissait ça un peu beaucoup. On se buvait quelques bouteilles et on virait la vie de bord...

Après le *rush* de la première parution de *Flaveurs* et tout ça, elle a besoin de décompresser. Moi, pogné dans mes affaires, j'ai besoin de décompresser itou et je lui dis un bon matin de février :

— *Pourquoi que j'appellerais pas à l'Auberge du Parc, à Paspébiac ? On pourrait faire un papier dans* Flaveurs, *le mois prochain, là-dessus... On pourrait aller là et madame Lemarquand nous inviterait sûrement...*

— *Quelle bonne idée !*

Elle appelle son patron... Il est d'accord sur le principe. Si je réussis à me rendre à Paspébiac avec la rédactrice en chef et à prendre cinq jours de repos et de traitement, je vais faire un bel article là-dessus. Ça marche comme

177

ça, dans le métier, et c'est correct! Alors, on appelle madame Lemarquand qui croit beaucoup à ce genre de publicité, et on part pour Paspébiac, en train, en plein hiver, pour aller nous taper cinq jours de thalasso absolument idylliques!

* * *

Comme l'article est assez amusant, le boss est emballé et il l'inscrit dans ses pages «Les Carnets du voyageur», que je signerai durant deux ans. Pour le prochain article, le voyage de pêche! La rédactrice en chef m'emmène, moi, en voyage de pêche! Remarquez, c'est pas du camping. On a un lac privé uniquement pour nous, un chalet grand luxe en pleine nature, un guide charmant – il ressemble à David La Haye et me fait pêcher trois énormes poissons qu'il faut rejeter à l'eau parce que ce sont des mâles reproducteurs – et le chef exécutif du Château Montebello qui vient nous faire des truites au bleu, arrosées de quelques grandes bouteilles, en plein milieu du bois!

Mais je découvre que ça m'énarve, moi, la grande nature! La nuit, à la campagne, les maudites bebites qui crient, qui se battent, qui baisent, le goéland... non, pas le goéland, l'oiseau qui est sur nos piastres... le huard! Qui te lâche des *wak* amoureux à quatre heures du matin! J'ai ben de la misère! Mais ce qui est intéressant, c'est que si c'est de cette façon-là que je découvre ça, je peux, sans problème, le raconter de la même façon! C'est mon point de vue, celui du voyageur! C'est la vision du gars de la ville qui découvre un coin de pays dans un contexte gastronomico-touristico-ludique et ça me donne accès à une foule d'endroits extra-ordinaires. Et, plus le temps avance, et plus j'y prends goût. Je découvre le Québec, moi!

Puis, énorme choc, arrivent les Îles de la Madeleine! La rédactrice en chef sait bien que ça va me donner un choc. Elle a compris ça, chez moi. En principe, je suis celui qui haït la campagne, qui haït voyager au Québec, qui aime ça partir loin, loin, loin, qui aime ça être dépaysé, faut que je passe une douane, là ! Et, tout à coup, elle m'emmène aux Îles de la Madeleine et c'est la révélation ! Paul sur le chemin de Damas ! Je regarde le paysage et je n'en reviens pas ! « *On a ça au Québec !?! On a ça chez nous ? Ça nous appartient ?* » La table est exceptionnelle, les gens sont exceptionnels ! Moi, je connais les Montréalais, je ne connais pas les gens de province, je ne connais pas les gens des régions, et là, la madame rédactrice en chef, elle fait tourner le vent… elle a ouvert en moi des portes insoupçonnées !

Il y a Montmagny et ses oies blanches, l'Isle-aux-Grues avec Riopelle, les aurores boréales… et la mairesse ! Deux minutes, que je vous raconte la mairesse de l'Isle-aux-Grues. On débarque du traversier après s'être tapé la plus belle aurore boréale de ma vie. Nous, on est des gens importants ! On vient faire un reportage sur l'Isle pour un magazine de prestige. Madame la rédactrice en chef et Monsieur Montmorency arrivent, on ne rit plus ! Et là, y a la mairesse qui nous attend avec son comité d'accueil. Il est huit heures du soir, nous sommes en novembre, il fait noir comme chez le Diable, mais elle a décidé de nous faire faire le tour de l'Isle, en convoi, dans son beau gros char américain à vitres teintées ! Nous, on est affamés ! Et c'est l'aubergiste de l'Isle qui nous sauve en déclarant sur un ton sans réplique : « *Vous pouvez ben y aller, mais, moi, mes pâtés vont chesser !* » La mairesse, très gourmande, se rend enfin à l'argument…

Et il y a la pêche aux poissons des chenaux, à Sainte-Anne-de-la-Pérade, où on emmène Pauline Lapointe, question de mettre un peu de pep dans le party. Pour ça, on peut lui faire confiance ! Ça a swingé fort sur les chenaux ! Déjà, ça s'encanaille assez rapidement lorsqu'on débarque dans les cabanes de pêche, jeu de blocs posés sur la rivière gelée, où le petit boire local met en joie le *mononc'* Ernest, placoteux patenté qui appâte les lignes de ma Pauline tout en nous racontant l'histoire, en trois tomes, du fameux poulamon. Et c'est la pêche miraculeuse, on en a trois fois plus qui raidissent sur la glace que toutes les autres cabanes. Que voulez-vous, il ne sont pas fous, les poissons! Qui d'autre parlerait d'eux dans les médias?

Je commence à être *guerlot* quand on m'annonce: «*Les chiens de Monsieur sont avancés.*» J'oubliais, on va faire du traîneau sur la rivière. Pauline et moi avons chacun un traîneau avec plein de chiens, plus mignons les uns que les autres, et ça jappe, ça, mes enfants! Ça hurle, ça trépigne puis ça part, toi! Pauline et sa meute prennent la tête. Moi, je repère un kodak et, pour immortaliser le moment, je lâche les accoudoirs et je lève les bras au ciel, triomphant! Le traîneau prend à droite, je prends à gauche, la conductrice prend le bord et les chiens pognent les nerfs! Le conducteur du premier traîneau arrête ses chiens et vient à notre secours. L'ancre de son traîneau lâche et voilà ma Pauline, seule à bord, qui prend le chemin de Québec par en arrière des terres! Heureusement, les chiens de mon traîneau, la conductrice et votre humble serviteur sont de retour en piste et nous partons sauver la malheureuse Pauline qui est en péril! Indiana Jones n'a qu'à bien se tenir. Passe alors une magnifique jeune femelle husky que tous mes chiens s'empressent d'aller honorer de leurs ardeurs. Je reprends une débarque! Paniqués, on s'apprête à faire débarquer l'armée pour retrouver notre pauvre Pauline quand elle apparaît, soudainement, rayonnante à bord de son traîneau, sous l'œil admiratif d'un superbe jeune homme qui l'a sauvée *in extremis* d'une mort certaine… On fête ce sauvetage à l'Arrêt du temps, une charmante auberge tricentenaire dont le fantôme nous fera la politesse d'une visite inopinée à la toute fin du repas. Alors que nous buvons à la mémoire de l'ectoplasme en résidence, la lampe à l'huile qui trône depuis deux siècles au milieu de la table, éclate en mille morceaux dans un son de clochettes…!

J'ai voyagé le Québec de nuit quand je faisais de la tournée, je ne connais que les stations d'essences, les salles de spectacle et le truc à pizza avec les copains après le show. De toute façon, les grandes tables étaient fermées à cette heure-là. Il faut dire que, fin des années 50 début des années 60, il n'y avait pas beaucoup de bonnes tables, en région. Il y avait bien un Italien, entre Jonquière et Chicoutimi, la meilleure table du Saguenay. Et il y avait, à Chandler, le motel Fraser qui offrait, entre autres, des cannellonis aux fruits de mer gratinés tout à fait magnifiques! Et la troupe organisait la tournée pour pouvoir aller, les soirs de relâche, y déguster les dits cannellonis.

Donc, l'évolution agroalimentaire du Québec profond, moi, j'ai pas suivi… Et là, j'étais confronté à la révolution du goût au niveau des tables, des produits, des fromages… Quand tu es maniaque de fromages, manger du *Pied-de-vent* en regardant les petites vaches brunes brouter l'herbe salée des Îles de la Madeleine… Aaaaaah, tu veux acheter tous les fromages du Québec le lendemain matin!

Plus ça va et plus j'ai les yeux grands de même quand je voyage, que ce soit en auto, en autobus, en train, et je regarde le paysage, je regarde le monde, je regarde les Îles du Bic, c'est… Je suis complètement ébloui… Écoutez, je suis sur la côte amalfitaine, moi, là! Les pitons rocheux qui sortent de l'eau, j'avais vu ça en Martinique et en Italie, je pensais qu'il n'y avait qu'eux qui avaient ça! Et, on avait ça chez nous! C'était à moi, ça m'appartenait! Et personne ne m'en avait jamais rien dit!!!

J'ai des crocs longs comme ça qui sont en train de me pousser, moi, des crocs de carnassier, parce que je suis en crisse! Je suis fâché noir qu'on ne m'ait pas dit ça! Qu'on ne m'ait pas, petit, appris la beauté de ma terre!

* * *

Puisque j'ai enfin ma grande maison à aires ouvertes, je fais de ma nouvelle cuisine une scène et je peux asseoir 25 personnes dans le salon. Je peux, entre autres, y faire la première lecture de *Ah, vous dirais-je maman*, le scénario de film de Michel Duchesne devenu comédie musicale. J'en ai vendu l'idée à Jean-Bernard Hébert, alors qu'encore une fois, la pièce n'était pas écrite et la musique encore moins ! Pour la première lecture, j'invite tout le monde, dont la rédactrice, Marie-Marthe, Michel, évidemment, les comédiens, le musicien… Ça promet d'être un hit, ce que c'est d'ailleurs devenu…

Et, quand je pars en tournée avec la pièce de Michel, je me rends bien compte que je ne vois pas mon Québec de la même manière. J'ai l'œil de plus en plus fleurdelisé.

* * *

Entre temps, je réaménage entièrement l'entresol où j'ai décidé d'installer ma chambre pour récupérer tout le deuxième étage comme atelier. Je recycle les dalles du jardin — plus la végétation s'étend, plus je retire de dalles dont je ne sais pas quoi faire – de la belle pierre plate de Saint-Chrysostome, toi ! Je fais, depuis l'escalier qui mène au jardin, un grand trottoir autour du bain tourbillon que je descends aussi du deuxième étage. Il sera dans le fond, avec de grands miroirs autour pour que, l'été, les gens qui ont un peu chaud sous le soleil du jardin puissent entrer dans ma chambre en marchant sur les dalles fraîches et se retrouver dans un *bubble bath* éventuel…

Fallait bien, après une pareille mise en décor, que cet ultime *bubble bath* du 4576 serve à quelque chose ! D'abord, j'invite plein de monde, comme d'habitude, pour inaugurer ledit *bubble bath*. L'idée, c'est que tout le monde mange, fume un petit joint, boive un petit verre de vin et qu'on les emmène en bas pour l'inauguration du nouveau *bubble bath*. Précisons qu'en bas, dans la partie arrière, il y a ma chambre, fermée par des portes françaises, et de l'autre côté, la salle de lavage qui redéménage pour une troisième fois.

Comme la plus belle image de ma vie de cinéphile, c'est Esther Williams sortant de l'eau avec des chandelles sur la tête, j'ai rempli la baignoire, installé des haut-parleurs et loué une machine à fumée.

Donc, la gang descend et ouvre les portes françaises de la chambre obscure. Une petite musique démarre pendant que les lieux s'emboucanent peu à peu. Et il y a ben, ben, ben de la balloune, et ben de la fumée… et petit à petit, quand la lumière s'allume en fondu et que la musique atteint son paroxysme, j'émerge lentement des eaux savonneuses, en costume de bain des années 20, vert lime et rose vif. Gros *hit*!

Mais, ce n'est pas tout! Chantal Lacroix m'appelle un matin, on fait une petite émission qui met en scène des anecdotes. Comme je veux faire une fleur à Pauline Lapointe, tant qu'à faire, je transpose sur la rue Saint-André un événement qui s'est produit, 30 ans plus tôt, à Cowansville. C'est l'histoire d'une fille, jouée par Pauline, qui vient me visiter, et d'un gars qui la suit sur la rue et qui entre en même temps qu'elle. Moi, je crois que c'est son nouveau chum. Elle, elle pense que c'est un ami à moi, mais c'est un parfait inconnu qui finit par entraîner Pauline, qui ne se méfie pas, dans le *bubble bath* diabolique. C'est ça, l'idée de base. Mais l'histoire n'a pas d'importance, c'est juste une jolie occasion d'offrir, *on camera*, à ma vieille chum Pauline, une belle grande scène osée avec le beau grand Frédéric de Grandpré à moitié tout nu! Sinon, à quoi ça sert, les chums… Et vous remarquerez que j'avais également pensé à moi!

* * *

J'ai donc un bain hollywoodien extraordinaire, mais je n'ai toujours pas de douche, moi. Même si je ne suis pas du tout un doucheux, je veux une douche à deux pas de ma chambre. Mais, je veux LA douche ! L'ancienne petite toilette est trop petite pour faire ce que je veux faire, alors, deux mois avant de vendre le 4576, je défonce le mur, j'appelle Blondeau et mon plombier, et je vais m'acheter une belle grande douche de 10 000 $ avec 22 pommeaux qui te massent pendant tes ablutions, t'as même une espèce de thermostat… Tu entres dans ta douche et l'eau est TOUJOURS à la bonne température !

Mais, après avoir pris une douche par jour, tous les jours, pendant 15 jours, j'ai encore pas mal de temps pour jongler à autre chose et le dernier grand projet du 4576 Saint-André surgit soudain. Je veux jeter bas tout le mur arrière de la maison, sur les trois étages, et faire une immense serre, avec, au deuxième étage, mon atelier de peintre en loggia donnant sur la salle à dîner et la verrière du jardin… Ça, c'est le dernier projet ! Ça, ça coûte 200 000 $! Juste pour une petite serre standard sans grand intérêt qui ne va pas jusqu'en haut, c'est 40 000 $. Dès que tu dépasses les normes, ça devient du chantier d'experts. Et je me rends compte que ce projet-là ne verra jamais le jour, rue Saint-André.

C'est la première fois qu'un projet ne fonctionne pas dans cette maison-là. La cuisine est à sa place. L'atelier est au deuxième, ma chambre en bas… La maison est très agréable comme ça et il n'est pas nécessaire d'ajouter une serre qui coûterait les yeux de la tête et ruinerait à jamais toute chance de revendre la maison.

Pour une fois dans ma vie, je suis lucide, logique et raisonnable. Mais, c'est pas long que j'ai une petite gorgée sûre qui remonte… Je ne pourrai jamais avoir mon grand mur de verre ! Ça aurait été ridicule, d'ailleurs, vue prenante sur tous les hangars du coin ! C'était complètement fou comme idée !

Mais, sans projet, sans mur à démolir, la vie va être plate !

* * *

C'est à ce moment que j'ai quitté *Sortie Gaie*. Puis, la même semaine, je me retrouve à l'émission *Flash*, un midi, pour enregistrer avec les deux petits, et je leur dis : « *Dans 2 semaines, j'aimerais ça qu'on couvre un déjeuner...* » Je sens un malaise. Ils savent depuis la veille que ma chronique a été supprimée – ça, c'était une bonne décision, il fallait que ça change, on faisait ça depuis cinq ans – mais ils avaient oublié de me le dire... ! Mettons que ça, c'est le mardi... Le jeudi, j'ai une chronique de restaurant dans un poste radio de Laval, où je peux soit me rendre et travailler en direct, soit l'enregistrer de la maison si je les appelle deux heures d'avance. Comme il fait trop beau dans mon jardin pour que j'aille jusqu'à Laval, j'appelle pour enregistrer ma chronique et, là, le gars me dit : « *Ben, ils vous ont pas appelé ?* » Il n'y avait plus de chronique.

Donc, plus de *Sortie Gaie*, plus de *Flash*, plus de chronique radio... Au *Journal de Montréal*, j'ai décidé de prendre deux mois de congé durant l'été, pendant que je joue au théâtre. Mais, entre temps, la direction de la section a changée, et la nouvelle directrice ne m'a jamais rappelé, je n'ai donc plus le *Journal* non plus... Je n'ai plus rien !

Je me dis : « *Ben voyons donc, qu'est-ce que je vais faire dans la vie, moi ? Faut que je gagne ma vie !* » Je n'ai pas de livre en production et les toiles, ce n'est pas avec ça que je vis. Déjà que ça me permet de payer mes matériaux, que j'ai la chance que peindre ne me coûte rien...

Mais là, il faut que je trouve du travail. Je me mets à zapper à la télévision pendant peut-être une bonne semaine. Je zappe, je zappe, je zappe, en essayant de voir ce qui se fait en ce moment et quel producteur est *hot*. Parce que, dans ce métier, il faut envoyer des CD qui présentent ta voix. C'est toujours, toujours, toujours à recommencer dans le métier, surtout rendu à mon âge. On dit qu'il y a moins de travail pour les plus de 65 ans, c'est tout à fait vrai.

Surtout parce qu'il y a plein de nouveaux réalisateurs qui arrivent, de maisons de production qui changent... Et les jeunes producteurs, ils n'étaient peut-être même pas nés du temps de *La Ribouldingue*!

Donc, je zappe, je zappe, puis à un moment donné, je me dis : «*Ça n'a pas de maudit bon sens! Y a rien dans tout ça qui me tente!*» Je n'ai pas le goût, je n'ai plus le goût de faire ça, moi. «*Quelle heure il est? 8h10? Okay, je prends ma retraite!*»

* * *

La retraite, c'est bien beau, mais je fais quoi de ma vie, moi? Le métier ne m'intéresse plus et il n'y a plus rien à faire dans la maison! Ce que j'avais à faire, je l'ai fait. «*Au moins, j'ai réussi une fois! J'ai réussi à finir une maison!*» Maintenant, il n'est plus possible de faire quoi que ce soit... Donc, elle est finie.

Mais, ça, ça veut dire que je vivrai peut-être encore vingt ans là-dedans en voyant les mêmes maudits murs, que je ne connaîtrai plus la merveilleuse odeur du *gyprock*... du vieux *gyprock* cassé dans le coin, ni les heureuses nuits d'insomnie sur mon matelas de 36 pouces jeté au pied du foyer parce que ma nouvelle chambre est encore sous les gravats...

Un soir de déprime du mois de décembre, le téléphone sonne. C'est ma sœur, Fernande. Ma sœur qui a pris la relève de Camille Goodwin, ma pauvre sœur qui fait des crises d'angoisses la nuit, qui n'en peut plus parce qu'elle essaie de faire des budgets et que je lui pète ses budgets à mesure en allant dépenser l'argent que j'ai pas encore reçu. Moi, je m'en fous, du budget! Mais, pas elle! Je suis son petit frère, elle ne veut pas que je sois dans la misère! Et, elle le prend ben mal...

Ça a été l'horreur, d'ailleurs, pour tous les gens qui ont essayé de m'administrer, parce que j'ai essentiellement, tout le temps, fait exactement le contraire de ce qu'ils me conseillaient de faire. Alors, comme on rend hommage aux gens qui ont contribué à son bonheur, je pourrais m'excuser auprès de ces femmes-là, ma tante, ma sœur, madame Goodwin... mais, je ne m'excuse pas, je suis trop content d'avoir fait ce que j'ai fait tout le temps qu'elles m'ont conseillé, je suis tellement content d'avoir tenu mon bout! Parce que c'est ça qui m'a sauvé la vie.

Cette journée-là, ma sœur Fernande décide de faire l'appel qui va, selon elle, briser définitivement ma vie. L'appel qui va me mettre dans un état si épouvantable que je vais avoir le goût de me tirer une balle dans la tête... Terrorisée à l'idée d'affronter mon désespoir, elle prend son courage à deux mains et le téléphone de l'autre pour me dire: «*André, il faut faire quelque chose, sinon tu perds ta maison!*»

OUPS! Heureusement, la phrase d'après est très efficace: «*Te rends-tu compte, André, une grosse maison comme ça, sur le Plateau Mont-Royal, avec l'immobilier en hausse, tu pourrais avoir 400 000$ pour cette maison-là? Te rends-tu compte de tout ce que tu ferais avec ça?*» Oh! Ça, ça va en jeter des murs à terre! Très calmement, je lui réponds: «*Écoute, je vais te rappeler. Je vais réfléchir. Je te reparle demain...*»

Je n'ai pas fait de scène! Elle, elle est tellement contente! Elle s'attendait à ce que ça dure des heures, que je défende mon point de vue pied à pied, que je décide d'aller emprunter quelque part... Or, c'est tout le contraire, je suis très docile. Le lendemain matin, à 8 heures, la pancarte est devant la porte. Je rappelle ma sœur: «*Relaxe Fernande, la maison est en vente!*»

* * *

Mon grand questionnement ce matin-là – parce que ça pouvait compromettre ben des affaires, dont l'achat d'une autre maison, le choix du quartier – c'est concernant Bébé qui a maintenant 12 ans. Comment, lui qui connaît si bien son quartier, sa maison, son jardin, comment va-t-il supporter ça? Je vais l'emmener ailleurs et puis il va toujours vouloir revenir ici... Une horreur!

Sauf que, depuis 6 mois, Bébé se comporte de façon assez bizarres, c'est-à-dire qu'il a comme des quintes de toux, il s'étouffe. Moi, je ne me pose surtout pas de questions. Bébé est invincible. Je vais garder Bébé jusqu'à l'âge de 27 ans! Écoutez, il a seulement 12 ans, il a encore au moins deux vies à vivre avec moi!

Le lendemain soir, Bébé est sorti et je l'ai oublié! Il fait une espèce de verglas... Mon Dieu! Bébé qui est encore dehors! Je me précipite! Bébé est devant la porte et il râle de grands, grands râles... C'est horrible! Je le fais entrer dans la maison et j'appelle la rédactrice en chef parce qu'elle connaît les chats mieux que moi : «*Attention, il a peut-être ci, il a peut-être ça... De toute façon, appelle tout de suite un vet!*»

Finalement, j'appelle l'hôpital, je pogne un taxi, je vais conduire Bébé à Laval parce qu'il n'y a rien d'ouvert, c'est la fin de semaine... Non, pire, c'est entre Noël et le Jour de l'An! En tout cas, je suis obligé de passer par l'urgence, les résultats se font attendre, je reviens à la maison et le soir, tard, on m'appelle : «*Écoutez, il a de l'eau dans les poumons, il a fait une crise cardiaque... si on le sauve, ça va être un chat très diminué alors, vaut mieux l'euthanasier...*»

Bon, est-ce que je fais la *mater dolorosa*, est-ce que je repars en taxi à Laval avec le voile noir pour l'assister dans ses derniers moments? «*Bon, ben, faites ça vite, piquez-le le plus rapidement possible...*»

Le matin, quand je me suis levé, j'ai appelé la rédactrice en chef. «*Enweye, on pogne un taxi. On s'en va à la SPCA. On va en chercher un autre!*» Et Pachagris est entré dans ma vie. Je vous en parlerai, sans doute, un jour...

* * *

En faisant son portrait sous le soleil d'été, j'ai, sans le savoir, immortalisé Bébé. C'est une toile que tout le monde adore et dont fut tirée une très jolie carte postale. C'est une toile fétiche. Je ne m'en séparerai jamais.

Elle a créé une espèce d'aura autour de Bébé, alors j'ai fait d'autres Bébé… Après sa mort, j'ai continué à dessiner Bébé… plein de Bébé dans mes cahiers, sur mes toiles, sur mes murs, sur ma vie…

* * *

L'affiche pour la vente est mise sur le parterre de la maison, 48 heures après, c'est fait! C'est un petit couple qui l'achète, lui est Suisse, elle Américano-française. Ce qui décidera de la vente, c'est la mère de la jeune madame qui *flippe* sur les vitraux de Françoise Saliou – «*On se croirait dans une église!*» – et sur ma fameuse douche à 22 pommeaux. Au moment où je fais visiter l'entresol à ces dames, mère et fille, je disparais dans la douche d'où j'appelle la jeune Américano-française: «*Venez voir quelque chose.*» Je veux lui faire une surprise. Je veux lui montrer mes pommeaux! Elle va triper la petite dame! Elle entre… et elle panique! Elle est seule dans la douche à 22 pommeaux avec un mâle prédateur! Moi! Prédateur! Elle sait pas, elle, qui je suis! Elle recule de trois pas, j'explose d'un grand rire. Les madames, ravies du charmant quiproquo, finissent par convaincre le petit Suisse… Vieux satyre, va!

Remarquez, c'est pas signé encore et ça va être très compliqué parce que le Suisse qui achète, justement parce qu'il est Suisse, il va devoir signer, contresigner, authentifier, faxer, poster un nombre incalculable de bébelles administratives… Presque 6 mois s'écouleront avant que je ne quitte la rue Saint-André, et ça, c'est épouvantable! J'ai trouvé ça insupportable de vivre dans une maison qui ne m'appartient plus! Fallait qu'il se passe quelque chose, et vite!

Parce qu'il s'est toujours passé quelque chose sur le Plateau. Quand je suis arrivé, il était en train d'éclore, le Plateau. Il n'y avait pas de restaurants et, tout à coup, voilà le Misto qui s'installe dans le local du brocanteur où j'avais acheté une belle lampe torchère. Puis, il y a les boutiques, les artisans et les artistes, et les nouveaux restos grecs, africains, puis les spéculateurs et le *jet set*...

J'ai trouvé ça passionnant de vivre au rythme même du quartier, d'évoluer de concert avec lui, d'y trouver un écho, un tremplin, une source au grand chambardement qu'ont subi mes maisons... 20 ans de symbiose, de complicité quotidienne avec le Plateau... Faut dire que, moi, je vis à Saint-Germain-des-Prés! Quand je suis allé jouer à Paris, en 64, j'ai vécu à Saint-Germain-des-Prés. J'allais bouquiner, prendre un café aux terrasses et je me disais: «*Ah, que j'aimerais donc ça vivre ici!*» Eh bien, c'est fait! Avec un rien d'imagination, les Pères du Très Saint Sacrement, coin Mont-Royal et Saint-André, les étudiants qui sortent du métro, le fumet de merguez du nouveau petit bouiboui, l'odeur de café et la beauté des corps de toutes les couleurs, ça vous prend soudain un petit air de Sorbonne...

Je croyais donc que ce serait terrible de quitter le Plateau. Les ruptures, moi, je suis pas capable! Probablement parce que, lorsque j'étais tout petit, mes parents gardaient des enfants, des petits bébés du bien-être social. Dès qu'ils pouvaient s'asseoir dans leur chaise, c'est moi qui les faisais manger... Au bout de six mois, un an, le bien-être revenait les chercher, c'était la déchirure, le drame, à chaque fois... Alors, quitter, j'ai ben de la misère!

Mais, là, j'ai hâte! J'ai déjà fait mes boîtes, je vis en camping au milieu du salon. Et je rêve d'un loft! Enfin, je sais ce que je veux! C'est pour ça que je jette les murs à terre! Je veux, j'ai toujours voulu, un loft! Je ne veux plus monter d'escaliers, je suis trop vieux pour monter à l'étage! J'appelle ma chum la rédactrice: «*Débarque, on s'en va visiter des lofts!* » Je l'emmène au fin fond des anciennes usines, rue Aylwyn, dans l'Est, et, comme toujours, le premier endroit que je visite, je décide de l'acheter, mais je décide trop tard – dans mon cas, c'est bien rare – et je le rate.

* * *

Entre temps, le peintre n'a pas chômé, il n'est pas à la retraite, lui. J'ai maintenant environ 250 toiles, étalées partout dans la maison, il y en a en bas, il y en a en haut, il y en a partout… Il faut que je case tout ça quelque part, parce que je ne pourrai pas apporter toutes ces toiles-là dans un loft.

Une fois mes hypothèques payées, il restera de la vente à peu près 200 000 $ – évidemment, je m'apprête à dépenser 500 000 $, mais ça, c'est autre chose – montant duquel je pourrais prélever un petit 8 000 $ pour une exposition majeure où j'exposerais toutes mes toiles, question de les sortir de la maison et d'en vendre quelques-unes. Alors Marc, le copain qui joue les majordomes et m'aide avec mes finances depuis que ma sœur ne veut plus s'en occuper, commence à fouiller à droite puis à gauche, mais : « *Écoute, André, le budget y passe juste en location… J'ai trouvé un superbe local, sur Sherbrooke, c'est exactement ce que ça prend, mais c'est 10 000 $ pour le mois!* » Bon, ça ne marchera pas. Mais, qu'est-ce que j'vais faire avec ces maudites toiles-là?

* * *

De toute façon, il faut que j'aille avertir Giovanna. Parce qu'à côté de chez moi, sur Mont-Royal juste à l'Est de Saint-Hubert, il y a un petit restaurant qui fut d'abord mexicain, puis salon de thé, puis italien du Nord, puis italien du Sud, vous savez, le genre de lieu condamné où, quoi qu'on y fasse, ça ne fonctionne pas… Ben, j'ai développé une camaraderie très agréable avec la proprio italo-anglophone – mais qui parle français – du Pazzi, le dernier resto de la série. Et pour que ce restaurant puisse enfin fonctionner, j'y suis allé avec *Flash*, et la salle a été remplie pendant six mois – parce que ça durait six mois les retombées d'un passage à *Flash*.

Comme cette femme-là m'aime beaucoup et qu'elle adore ce que je fais, j'ai accroché au Pazzi 3-4 toiles que je dois maintenant récupérer. Ce midi-là, j'arrive, comme d'habitude, vers 11 h 30, bien avant que les clients ne débarquent, mais ça débarque pas fort et je serai le seul à me présenter ce jour-là...

Alors, je m'assois avec Giovanna et je lui parle de mon projet d'exposition et de mes difficultés à trouver un local.

— *C'est ridicule! Pourquoi enlever les toiles? Pourquoi te chercher une place? Pourquoi tu fais pas ton exposition ici, André?*

— *Ben, oui, mais c'est pas assez grand, comment veux-tu que je mette toutes ces toiles-là?*

— *No, no, no! je vas te construire un* greenhouse *en arrière, là, on va faire une grande salle d'exposition* in the garden...

— *Ça te tentes-tu d'ouvrir un resto-galerie?*

— *Certo!* Elle lève la main et claque la mienne avec force. *Ça, in Calabria, c'est un contrat!*

Elle passe un coup de fil à son chum restaurateur qui vit dans le West Island pour qu'il s'amène, on parle de ça tout l'après-midi et, en rentrant à la maison, j'appelle tout de suite tous mes amis pour leur dire que je suis devenu restaurateur!

Écoutez, tout le monde capote! Réaction de Pauline, la môman éternelle: «*Dans quoi qu'il va s'embarquer, encore?*» Ma vieille tante qui m'a élevé: «*Mon Dieu, quéssé? Quoi? Il veut ouvrir un restaurant? Y est-tu fou?*» Ma sœur: «*Tout le monde autour, tous tes amis ont fait faillite avec des affaires de même! Quéssé qui te prend, André?*» Oui, mais moi, c'est pas pareil! C'est pas un restaurant que j'ouvre, moi, c'est un resto-galerie!

On se promène de notaire en notaire, on commence à prendre des avis partout pour savoir quel type de contrat on va faire, quels vont être les pourcentages. Je n'ai pas envie de commencer à signer des papiers parce que j'ai comme un doute que cet engouement soudain pour la restauration ne durera pas jusqu'à la fin de mes jours. Je n'ai pas envie d'acheter de parts ou de trucs comme ça et de rester pogné avec. Tout ce que j'ai, c'est le 10 000 $ prévu pour l'exposition, alors : « *Écoute, Giovanna, je suis prêt à mettre 10 000 $ pour en faire une galerie. Es-tu prête à en mettre autant pour revamper le restaurant et la cuisine ? Avec tout ça, on aura mis 20 000 $, puis, on ouvre, et on se remboursera si ça marche au début –* ça risque de marcher, d'ailleurs, les débuts d'un restaurant, ça marche assez souvent – *puis après, tu me donneras un salaire en pourcentage selon les entrées de la semaine, et moi, je ne suis jamais propriétaire…* » Et c'est comme ça que je n'ai jamais été propriétaire de ce restaurant-là, ce n'était pas le mien, c'était celui de Giovanna. On finit par s'entendre sur ce principe, et là, je mets la machine en branle…

On est fin février, à peine un mois et demi avant le printemps, et il faut que tout soit prêt pour le printemps ! Alors, on n'a pas grand temps devant nous, mais comme le restaurant ne fonctionne pas, c'est le bon *timing*. La décision se prend très vite et moi, je lui dis qu'en gros on va changer les sièges parce qu'ils sont trop vieux, on va peinturer les murs foncés pour que les toiles… Non, des murs blancs ! Ça devait être des murs blancs, au départ. Et là, je ferai… je ne sais pas, des collages, des trucs… je vais renipper la place, en tout cas. Un petit 20 000 $, ça fait beaucoup d'argent pour de la peinture…

« *Qu'est-ce que je peux faire pour aider ? Moi, je suis bonne en rénovation !* » OUPS ! Il va y avoir un drame dans la place ! Si quelqu'un d'autre se met les pieds dans mon *gyprock*, ça ne peut pas marcher, là ! « *Ma belle Giovanna, tu vas me faire plaisir, va-t-en en vacances 15 jours avec les enfants !* » Bon prince, elle dit oui tout de suite – elle a bien sûr le goût de prendre des vacances –, me donne les clés du restaurant et se pousse 15 jours dans le Sud.

* * *

Au restaurant, il y a une jeune Française qui s'appelle Laurence et qui est le bras droit de Giovanna. C'est elle qui va faire les courses, c'est elle qui va chercher l'alcool, c'est elle qui refuse de payer les comptes en retard quand Giovanna est cachée quelque part et que le créancier se pointe... C'est donc la femme de confiance. Cette fille-là débarque tout juste de Paris, c'est son premier job à Montréal et moi j'arrive, moi qui suis sensé être une vedette connue et à qui la patronne a remis les clés avant de se pousser pour 2 semaines, et je me mets à démolir le restaurant drette dans la face de la fille!

Nous avons comme eu des problèmes parce qu'elle ne sait pas qui je suis, cette fille! Personne ne le sait dans la place! Le jeune chef de jour sait au moins comment je m'appelle.

— *Tu faisais pas un show avec des* fefis, *toi, à tévé?*

— *Oui, mon jeune... avec des* fefis!

C'est tout ce qu'il connaît de mon passé, le gars! La seule chose qui, à ses yeux, justifie ma présence, c'est que je suis aussi le monsieur qui parlait des restaurants à *Flash*...

Giovanna les a bien avisés qu'il y aurait du changement mais pas que je mettrais le bordel à ce point-là! Quand ils me voient arriver avec mes gros sabots, et commencer à démolir le bar avec un de mes chums sculpteur qui n'a jamais fait de mosaïque de sa vie : « *T'es sculpteur, toi, ça te tente-tu de faire de la mosaïque!? Viens-t'en, je te fournis les matériaux puis je te donne 10$ de l'heure et tu me fais un beau bar!* » Ben, ça capote dans la place!

Il y a un grand meuble dans un coin, un beau meuble. Ben, un beau meuble... disons un meuble des années 40, un peu égratigné, probablement acheté dans un *pawnshop* de la rue Amherst... Pour la Française, c'est une antiquité, ça, elle le trouve super extra! Moi, je décide de le peindre bleu marine... Hhhhhhha! Elle capote, la Française. Je suis en train de *scraper* son armoire normande! De plus, c'est son coin à elle, alors pendant qu'elle a le dos tourné, je prends le meuble, je le peins en bleu, puis je le mets à côté du bar pour en faire la caisse. Je sors, elle revient, elle aperçoit le meuble, elle le reprend, le remet de l'autre côté, je reviens, je reprends le meuble et je le ramène au bar. Je veux tuer, et elle itou!

Alors je suis obligé de lui dire avec mon meilleur accent parisien: «*Mademoiselle, savez-vous bien qui je suis? Ignorez-vous donc qu'on a retenu mes services comme directeur artistique et que ce lieu béni deviendra...*» Parce que j'ai déjà des projets énormes: théâtre avec moi tous les soirs, récitals de poésie, atelier de théâtre le samedi, atelier de peinture le dimanche... Je suis en train de partir ce qui va me permettre, pour les vingt prochaines années, d'animer ma petite boîte et de faire redécouvrir au monde la «bouffe-pantoufle»... Ce sera mon petit Quat'sous à moi, ça!

Écoutez, pour les plats, on veut mettre de gros bols sur les tables avec des ragoûts, puis de vieilles recettes que j'ai ramassées et des recettes de mon livre, dont le fameux pâté chinois! Mais le pâté chinois, ça marche pas trop fort, parce qu'en cuisine, même si j'ai écrit un livre qui s'appelle *La revanche du pâté chinois*, ils ne comprennent pas que je veuille mettre ce plat au menu d'un restaurant.

Je fais donc une première, je dis bien première, concession et je n'aurais pas dû! D'après moi, si on avait servi du pâté chinois, ce restaurant-là existerait encore.

Mais, je suis intraitable pour le pouding chômeur de Madame Benoît... S'il n'est pas au menu, je rends mon tablier!

* * *

La Française décide d'abandonner le combat et de me laisser enfin faire mes affaires. Mais le jeune chef décide de me demander 10 $ de l'heure pour nettoyer la cuisine – même si c'est lui qui l'a salie – avec toute son équipe de cuisiniers et de laveurs de vaisselle et d'assistants. Ils sont tous venus travailler, à 10 $ de l'heure. Je ne sais pas qu'ils sont responsables d'entretenir la cuisine, et qu'ils l'ont laissée s'encrasser.

Mais, comme Giovanna est partie, moi, je leur donne 10 $ de l'heure, sur mon petit budget de 10 000 $. Vous comprendrez donc comment mon 10 000 $ est devenu 20 000 $, tout comme le budget de Giovanna. On devait mettre 20 000 $ à deux, mais on mettra finalement 40 000 $, qui seront remboursés jusqu'au dernier sou. N'ayez pas peur, je ne perdrai pas ma chemise et je ferai même 8 000 $ de profits dans mon année ! Ça, c'est réglé, on n'en parle plus.

* * *

Je ne resterai pas longtemps au Pazzi, mais ça m'apportera énormément ! D'abord, les lieux. Comme je ne peux plus toucher à la maison – ce n'est plus chez moi – il est certain que je m'arrange pour que le resto me ressemble, avec les couleurs, les tableaux…

Je suis assis au milieu de la place, parmi les ruines du restaurant, avec Émilie Bordeleau, jeune accessoiriste de théâtre bourrée de talent, qui attend mon verdict. *« Mets-moi une couche de blanc ! »* Elle met une couche de blanc, on accroche un tableau. *« Ah ! C'est laid ! Faut que ça soit bleu marine… Va acheter du bleu marine ! »* Elle part acheter de la peinture bleu marine. Deux heures plus tard, le mur est bleu marine, on remet les toiles puis, *« Ah, ça va être beau ! »* mais, *« Oh, faut que tu mettes tout le plafond bleu marine, parce que… HA ! Je viens d'avoir un flash ! On va faire des étoiles en argent, qu'on va vendre et qu'on va donner à ma fondation… »*

Parce que j'ai décidé de créer une fondation, pour financer, à même mes revenus du restaurant, une association qui encourage l'accès à l'Art pour les plus démunis, en faisant des concerts dans le quartier Hochelaga-Maisonneuve, en offrant des billets pour aller au théâtre Duceppe... Je crois encore que je vais bientôt faire 1000 $ par semaine. « *On va faire des étoiles, et je vais vendre une étoile 50 $, une autre 25 $, il va y avoir une échelle, la cliente va aller coller son étoile elle-même...* »

En tout cas, ce n'est pas les idées qui manquent et pendant que Émilie peint le plafond en bleu, j'ai l'humilité d'aller chercher tous mes *scrapbooks* pour couvrir les trois colonnes centrales de mes hauts faits médiatisés. Et le grand Marc – qui a remplacé ma sœur – me suit partout et ne me laisse pas prendre une seule coupure de presse originale sans aller la photocopier, et on beurre les colonnes de colle et on recouvre le tout d'articles « momocentristes ». Puis, je décide d'arranger l'éclairage, je pars en voiture pour acheter des grands rails pour les *spots* du plafond, et j'arrive chez Beacon. « *Avez-vous une gang de spots qui ne sont plus dans le catalogue ?* » Là, je découvre un trésor, des fins de ligne qui me coûtent le tiers du prix, exactement le nombre qu'il me faut pour le restaurant.

Le moment arrive enfin où ce petit écrin prend forme, tout à coup, et je réussis à terminer à temps – Giovanna revient du Sud – parce que, moi, je suis metteur en scène, je connais ça les *deadlines* et quand il y a une première, je suis prêt! Tout est installé, l'éclairage, les tableaux, les nouvelles tables, chaises et banquettes, le bar-sculpture, la bibliothèque, le coin bureau avec ordinateur, le magnéto pour le visionnement, on a même un site Internet en préparation!

Giovanna doit arriver dans l'après-midi, vers 3-4 heures. Je suis au bar, on a allumé tous les lampions sur les tables... C'est beau! Comme le restaurant est assez sombre, les toiles ressortent, l'éclairage est magnifique. J'ai complètement fermé le petit portique vitré de l'entrée, d'où on voyait toute la salle. Le plafond et les murs sont maintenant recouverts d'un ciel bleu avec des nuages… c'est très simple, mais ça ne ressemble pas du tout à ce que c'était avant !

Ça y est, je vois la Giovanna sortir de son taxi, sur l'avenue Mont-Royal. « *Elle arrive !* » Tout le monde prend sa place. Je la vois entrer dans le portique. Mais, comme je n'ai plus de vue à cause de mes nuages, je ne la vois pas. Ça fait un moment qu'elle est là. Même que : « *Coudon ! E'tu allé dire bonjour à la voisine d'à côté ?* » Intrigué, je me dirige vers l'entrée. Giovanna est plantée au milieu du portique et elle flotte dans les nuages ! Elle regarde… Elle s'imagine que c'est ça, la nouvelle décoration ! Elle a les larmes aux yeux… « *Ben, oui, ben oui. Viens-t'en ! Rentre, je vais t'amener dans le milieu de la place. Ferme tes yeux, je vais te faire une surprise…* »

Je l'emmène au milieu de l'espace, puis, elle ouvre les yeux… Elle sera 48 heures sans parler ! Elle chuchote : « *C'est beau, c'est beau, c'est beau…* », elle murmure : « *I don't believe it…* » À sa fille, à son chum, à tout le monde, elle dit : « *C'est beau, c'est beau, c'est beau…* » Elle est sous le choc !

* * *

Maintenant, il faut ouvrir. Je me souviens de mes pâtés chinois et des 600 personnes de chez Archambault… Je me souviens de ma vente de garage où la file se perdait jusqu'au coin de Mont-Royal. Je me souviens d'une de mes premières expositions, rue Amherst, où, un dimanche matin, plus de 180 personnes se sont pointées. Il suffit que je médiatise l'événement pour que les gens viennent et qu'ils aiment ça. De plus, j'ai une nouvelle amie, Marie-Paule Lessard, l'adjointe d'Helen Fotopulos – je ne sais pas encore que dans un prochain moment de crise elle deviendra ma gérante – qui a LA liste du beau monde qu'il faut inviter…

On en parle avec Giovanna, avec le chef, avec tout le monde : il faut décider de ce qu'on fait, du genre de buffet qu'on va servir et évaluer le nombre de personnes qu'on attend.

Normalement, à l'ouverture d'un petit restaurant *cute* comme ça, sans personnalité connue, on peut s'attendre à recevoir environ 125 personnes, entre 5 et 7 heures. Je veux commencer les réjouissances dès 9 heures du matin, avec la radio en direct, mais, finalement, on décide de n'ouvrir qu'à 16 heures, sinon c'est trop long. On se met à calculer et je leur dis de se méfier. S'il y a normalement 125 personnes, il va y en avoir plus cette fois-ci à cause de moi. Giovanna décide qu'il est plus sage de s'enligner pour 200 personnes. J'ai des doutes : « *Non, non ! Pensez plutôt à 500...* » Finalement, le gars qui tranche, le chum qui a un restaurant quelque part dans le West Islans, dit : « *Ouain, soyons logiques, faisons de la bouffe pour 300...* »

Selon moi – il y a toujours des légendes dans ce genre de choses – environ 600 personnes sont venues, mais on m'a dit : « *C'est 900, au moins !* » En tout cas, ça n'a pas arrêté, à partir de 4 heures de l'après-midi jusqu'au lendemain matin, à l'aube... Des amis restaurateurs sont venus, une gang de Grecs du Mile-End qui ont un très bon restaurant, Philinos, sur Avenue du Parc, et qui sont arrivés avec les guitares et les bouzoukis pour saluer le nouveau petit frère restaurant, puis la danse a pogné...

Y a une dame... Une journaliste, je crois... En tout cas, le genre de fille qui arrive aux 5 à 7, à 5 heures moins 5 pour décrisser à 5 heures et 5. Elle haït ça, ces affaires-là ! Ben, elle est encore là à minuit, avec toutes ses chums de filles qu'elle a fait venir au cours de la soirée. Puis, y a des gens que je connais pas. Comme dans tous les 5 à 7 où il est impossible de filtrer les pique-assiette, il y a un bonhomme que personne n'a invité, qui se saoule copieusement la gueule et qui fait un gros trou avec une cigarette dans un des beaux bancs du bar recouverts, tout comme les banquettes qui longent les murs, d'un super tissus en suède jaune moutarde, mandarine, soleil couchant… Pauline Lapointe tripe fort sur mes belles banquettes si jolies et si confortables, mais les banquettes, elles, n'apprécient pas. C'est pas sa faute, pauvre Pauline, c'est l'autre abruti qui est trop orgueilleux pour changer son concept d'attaches. *«Mets un 2 x 4, mets des tapcons à béton, fais quelque chose parce que ça tient pas, là!» «Comment, tu me fais pas confiance?»* Il finit par comprendre, la veille du lancement, quand Pauline, mon courageux cobaye, décroche la banquette pour la deuxième fois…!

Dans le centre, il y a une grande table avec les plats, les pâtes, les trucs, et c'est BON! Les gens aiment ça, ça bouffe, et ça bouffe, et ça boit. Sauf qu'eux, avec leurs 300 personnes, ils l'ont dans le cul! Dans le baba! Une *stationwagon* stationnée en permanence dans la ruelle arrière, part chez IGA acheter des légumes à sauter et des pâtes – y a plus de pâtes dans un restaurant italien, toi! – ou va dévaliser la SAQ pour que le party continue…

Madame Fotopulos coupe le ruban, rue Mont-Royal, devant les kodaks… Les flics gèrent l'embouteillage pendant que Clairette, la marraine de l'endroit, arrive en limousine… Y a tous les vieux amis, tous les nouveaux, enweye donc! C'est magique!

Ce fameux party-là a coûté très, très cher! Mais, ce fut un franc succès. Le lendemain et dans les jours qui suivent, je passe à *Deux filles le matin*, je commence à faire la tournée de promo, la «run de lait» comme on dit, et dès le midi, des groupes de vingt madames qui m'ont vu à la télé arrivent en autobus. Ça vient de Shawinigan, ça vient de Sherbrooke, et de Trois-Rivières, puis y a du monde!

Je suis là dès huit heures et demie le matin, je vérifie le menu et je déprime parce que le chef n'arrive pas avant 11 h 20, mais, quand même, je suis là quand les madames arrivent, je parle avec ellles, je les fais triper et pendant environ un mois c'est vraiment génial. Le soir, ça marche aussi, et je suis là, je ne lâche pas, je monte sur scène, je m'organise.

On prépare des petites soirées à thème – Bernard et Chantal viendront faire un tour, puis monsieur Michaud, le Robin des banques qui vient chanter le *Temps du muguet* ou le *Temps des cerises* – en pensant que les gens vont embarquer, mais les shows, tout ce que je voulais toucher en tant qu'artiste, en tant que metteur en scène, en tant que découvreur de nouveaux talents, y a rien à faire pour les shows, ça marche pas! Les gens viennent pour manger, pour me voir, et le soir, c'est plein, puis c'est le fun!

* * *

Pour moi, les jeunes en cuisine, c'est comme les jeunes comédiens à qui j'enseignais au Cégep, et je décide de les embrigader en apportant tous les fameux livres de recettes reçus grâce au *Journal de Montréal* et à *Flash*. Je suis certain qu'il n'y a pas un restaurant au monde qui n'ait une telle bibliothèque, tous les grands chefs, les Bocuse, les Escoffier, mêlés avec Madame Benoît, les Dames de la Congrégation, la bible du BBQ de monsieur Untel, tout est là! S'il y a un problème en cuisine, s'ils ont le goût de découvrir, s'ils sont en panne d'imagination, ils n'ont qu'à fouiller.

Puis, j'aimerais ben qu'ils lâchent l'architecture sur assiette! Parce que chu tanné, moi. J'ai fait 150 restaurants et la décoration avec le morceau de bœuf dans le milieu et les haricots verts qui font la Tour Eiffel par-dessus, le tout surmonté d'une branche de thym en oriflamme, chu pu capable! Un des premiers jours, ils m'apportent mon steak jonché d'un buisson d'affaires mélangées. «*Je veux voir ma viande!*» que je leur crie, mais je n'ai jamais été capable d'obtenir ça!

J'essaie pourtant d'entraîner le jeune chef avec moi, de le faire saliver devant les recettes que j'aimerais qu'il fasse.

Lui, il tripe ben gros, mais je sens que ça ne passe pas! Parce que, pour lui la gastronomie, ce n'est pas la même chose que pour moi. Alors, tous les matins, j'attends le chef, assis au comptoir avec mon café – on a une belle grosse machine espresso – pour qu'il me dise ce qu'on va manger le midi et que je l'écrive sur l'ardoise, pour qu'il n'y ait pas de fautes, parce que je vois parfois des choses épouvantables s'écrire dès que j'ai le dos tourné. À 11 h 28: «*Ah, qu'est-cé qu'on f'rait ben, à midi...*», s'interroge encore le chef en sirotant son troisième café. Je veux tuer, vous comprenez... Il n'a pas décidé la veille ce qu'il allait faire, le zouf! Lui, il cuisine à partir de ce qui reste, là!

Donc, ce qui sort de cuisine, le midi, c'est parfois n'importe quoi! C'est ce que je découvre quelques semaines plus tard, en arrivant au moment où le jeune chef est en train de faire un pâté au poulet. Dans le pâté, dans l'appareil de poulet et de sauce blanche, je trouve des petits morceaux d'os, un bout de peau, un bout de troufignon...

— *Qu'est-ce que ça fait là? Tu vas les enlever, ces affaires-là. Pourquoi tu les enlèves pas avant?*

— *Ben voyons, les enlever, les enlever... d'la peau, c'est d'la peau!*

— *Wash! Tu laisses de la peau dans le pâté!?!*

— *Hé que vous êtes snob!*

— *Chu pas snob! Je suis gastronome!!!*

Vous voyez, il aurait fallu que je franchisse tout le mur culturel qu'il y avait entre nous et, ça, je n'ai pas réussi.

Lui, il ne sortait pas de l'ITHQ, mais y en a qui arrivent, ils sont deuxième assistant mais ils sont déjà des stars de l'ITHQ, ils vont avoir leur boîte un jour où ils vont être patron, et ça les fait chier d'être obligés de jouer les seconds violons. Puis, y a le gars Montmorency qui vient littéralement d'une autre planète et qui leur sort le livre de Madame Benoît... *Who cares* madame Benoît?

* * *

Je n'arrête pas de leur dire : «*Pour le pouding chômeur, prenez la recette de Madame Benoît!*» Y en a pas un seul qui veut! Quand je parle de pouding chômeur au jeune chef, il me dit :

— *Sais pas c'est quoi, moi, un pouding chômeur!*

— *Comment? Ta mère, elle faisait pas ça?*

— *Ma mère est Française!*

OH ! Je comprends qu'il ne comprenne rien au pouding chômeur ! Ben, raison de plus pour aller voir chez Madame Benoît ! Rien à faire ! Ils m'arrivent avec toutes sortes d'affaires immondes, des gâteaux blancs, des gâteaux jaunes, puis la sauce… En tout cas, c'est pas du pouding chômeur ! C'est parfois de la semelle de botte parce qu'il sait peut-être comment cuire une brochette d'agneau mais il est incapable de faire lever un gâteau, lui ! Il n'est pas pâtissier, le gars. En plus, c'est pas important pour eux, le maudit pouding chômeur ! Un jour, je me tanne et j'en fait un. Et, il était très bon ! «*Vous le faites de même!*» Ils ne m'ont jamais écouté. «*Tiens, prends en note, là, comment je le fais…*» Ils n'ont jamais pris de notes.

Un bon matin, y a un petit nouveau qui arrive, je ne le connais pas. J'en vois passer cinq par semaine, des nouveaux, ça rentre, ça sort… J'ai perdu le contrôle et je suis tellement épais que, parfois, je vais commander des choses au laveur de vaisselle parce que je crois que c'est le premier assistant. Ce midi-là, j'arrive devant une table où des gens sont en train de manger quelque chose d'infââââââme !

— *Quéssé ça que vous mangez?*

— *C'est votre pouding chômeur…!* Je sens le doute dans son regard… La femme n'est pas folle, ce n'est pas du pouding chômeur !

— *Attendez-moi, madame, on va vous servir autre chose…*

Je pars avec l'assiette, j'entre en cuisine.

— *Qui a fait ça?* Le petit nouveau du matin s'avance, tout fier.

— *C'est moi!*
— *Han! T'en as-tu fait beaucoup?*
— *J'en ai fait quatre!*
— *Oussé qu'y sont?*

Sont là, ils les a mis sur la tablette du haut. Je pogne une chaise sur laquelle je monte, je prends les quatre poudings chômeur, je vais les vider dans la poubelle et c'est là que Giovanna m'a pris à part... J'avais une entente avec elle. Moi, j'étais l'*entertainment*, moi je m'occupais du public, moi, c'était l'avant du restaurant... Je n'avais pas le droit d'aller dans la cuisine jeter aux vidanges le pouding chômeur du monsieur. Ça ne se fait pas, là. «*S'il y a un problème, tu parles au chef!*»

* * *

D'ailleurs, on a perdu un chef comme ça. C'est des stars, les chefs, vous ne pouvez pas savoir! Il y eu le jeune, dont la mère était Française et qui ne savait même pas ce qu'était un pouding chômeur, et Ginancarlo, un vieil Italien au bord de la retraite qui était tanné de faire la cuisine! Lui, il ne pensait qu'à retourner voir son père qui se mourrait en Calabre.

Vous savez, le genre de gars qui s'offusque quand je dis qu'il faut un fond de veau. «*Ma, jé lé fé lé fond dé vô!*» Ben oui, il les faisait les fonds! Il enlevait le gras après les côte-lettes, il faisait rôtir ça dans la poêle, il mettait du bouillon de poulet – même pas du Knorr, là! – pour mouiller son gras rance. «*Heille, c'est pas de ça que je parle, là!*» Moi, je parle de la grosse marmite avec les jarrets de veau, et les os, puis les légumes, puis le coup de rouge, puis tout' le kit! Le petit jeune qui veut prendre la place du vieux me dit: «*Laisse-le faire, m'a te le faire, moi, m'a te le faire ton fond de veau. Je sais ce que tu veux...*» Il va en faire un fond de veau... La première semaine! Après ça, il revient à la technique du vieux.

Ça fait 2-3 semaines que le Pazzi est ouvert et le vieux est toujours à la barre. Comme je pense pouvoir réussir à faire quelque chose avec le petit jeune, j'aimerais bien qu'il décrisse, Giancarlo ! Sauf qu'entre temps, il a trouvé le moyen de me faire perdre ma réputation, le vieux crisse ! Je reviens d'un week-end à la campagne, j'ouvre le courriel et je tombe sur le message d'un groupe de quatre qui est venu manger le vendredi : «*Monsieur Montmorency, le décor est absolument extraordinaire, mais la cuisine n'est pas à la hauteur de votre réputation. Nous avons mangé un* mix gril *immangeable et...*»

Ma grande croisade, à moi, c'est que les Québécois apprennent à se plaindre au restaurant. «*Écoutez, je vous ai dit la vérité pendant 5 ans, à Flash, dites-le moi si ça marche pas !*» Mon but, c'est précisément que le monde se plaigne. C'est la seule façon d'avoir toujours de la bonne cuisine. Si les Français n'avaient pas tant gueulé en cuisine, ils n'auraient pas la table qu'ils ont aujourd'hui ! Mais, là...

— *Lis ça, Giovanna !*

— But it's true ! She's right ! *Moi, j'en ai servi 23 du* mix gril, *avant qu'une madame dise que c'était pas mangeable...*

J'imagine la Giovanna débarquant en cuisine... Elle me raconte que le chef, qui ne voulait pas arriver trop tôt, avait fait toute sa mise en place la veille, il avait tout fait cuire, ses côtelettes d'agneau et ses saucisses, il avait tout mis au frigo et, ce que les gens recevaient le lendemain soir dans leurs assiettes, c'était du réchauffé !

Ben, quand je disais que c'était des stars... Le chef, il l'a tellement pas pris de se faire *pitcher* ses côtelettes par la tête, qu'il a rendu son tablier ! Il est parti ! Insulté, toi, parce qu'on lui a dit que son manger était pas mangeable !

* * *

Comprenez-vous que, pour moi qui sortais de *Flash*, il fallait que ce soit bon ! Tout le temps ! Je n'avais pas le choix !

J'étais condamné à la perfection! Évidemment, j'ai écrit à ces gens-là, je les ai invités à revenir le vendredi suivant, ils sont venus manger, on leur a servi de bons vins et ils ont été ravis… Mais ça ne réglait pas le problème! Tout ce que je reprochais aux restaurants dans mes chroniques à la radio, à la télé ou dans le *Journal de Montréal*, il ne fallait pas que ça se passe chez nous!

Ça me mettait dans un état d'angoisse épouvantable. J'avais pourtant été formel: «*Plus de patates congelées! Finies les patates congelées! Moi, je veux des belles patates, je veux des patates aussi bonnes qu'à l'Express! Allez vous informer comment ils les font!*» Tu comprends que Giancarlo – il était encore là, le vieux schnock – fallait qu'en plus il fasse de vraies patates! Alors, un bon midi où je trouve, de nouveau, des patates congelées, je repars en guerre! Je pogne l'assiette de la dame. «*Vous ne mangerez pas ça, Madame!*» J'entre en cuisine avec les maudites patates et je dis au vieux crisse:

— *Vous allez m'éplucher une patate et me faire une vraie patate frite! C'est des patates «maison» qu'elle est sensée avoir, la madame! Je vous l'ai dit, comme à l'Express!*

— *Ma, à l'Espress, cé dé McCain!*

— *Ne blasphémez pas, Môsieur!*

Et, là, il m'a fait une vraie patate! Mais la dame, pendant tout ce temps, elle attend. Quand je reviens enfin de la cuisine avec une patate digne de ce nom, la madame n'a plus faim et elle regarde ça… Vous savez, c'est les patates 'nouvelle mode' avec la pelure au bout? Je pense que le cœur y levait… «*C'est parce que, moi, vos patates de t'à l'heure, j'allais même jusqu'à dire qu'y faut ben venir chez monsieur Montmorency pour manger d'aussi bonnes patates…!*» Je pense qu'elle était pas contente…

* * *

Mais, la restauration, c'est encore pire que ça! Imaginez, un lundi soir, où le jeune chef, le seul qui a un peu de talent, décide de pas venir travailler. Remarquez, ils sont trois en cuisine ce soir-là, il y a sûrement moyen de se débrouiller. Il y a le second, il y a un gars qui fait les légumes et qui vient aider à la plonge, puis il y a l'assistant. «*Ah, mon Dieu, c'est l'Anglo à soir...*» Il n'est pas question de lui faire faire des paillards de veau. Ça, l'Anglo, il ne comprend pas ce que c'est, un paillard de veau!

Puis arrive une gang de mes amis intimes que je fais merveilleusement bien manger chez moi à la campagne depuis des années. Il y a mon vieux chum Benoît Marleau, qui a été propriétaire d'un bon restaurant et dont le plat préféré, c'est, fatalement, le paillard de veau!

Je vais en cuisine et j'essaie de m'arranger pour que ce soit quelqu'un d'autre que l'Anglo qui touche au paillard de veau, peut-être que le second est moins pire... Écoutez, voilà que je dois faire du placement en cuisine selon les gars qui sont rentrés ce soir, pour être certain que les pâtes ne sont pas faites par un tel, ou la sauce par l'autre... Malheureusement, ce soir-là, que voulez-vous, le chef n'est pas là, c'est l'Anglo qui est aux fourneaux, alors le Benoît Marleau il ne mange pas bien, puis il ne revient plus jamais!

* * *

En traversant la cuisine un bon matin, je vois les gars sortir du *stationwagon* dans la ruelle une grande boîte en carton toute tachée de sang avec un gros, gros requin à l'intérieur! Je sais très bien que ce requin-là ne vient pas de chez Waldman, il n'est pas sur la glace. Le jeune chef jubile, «*AAAAAAH! Un requin! Un requin!*» Ben, vous en avez mangé pendant une semaine de ce requin-là! Moi, je n'y ai même pas goûté, j'étais incapable d'y goûter, je disais: «*D'où y vient, ce requin-là?*» Les gars ne le savaient pas plus que moi d'où il venait! C'était un ami de Giovanna qui avait acheté du requin pour son restaurant, et, là, il devait en rester un… Pour moi, il venait de Hong Kong par bateau à trois pour le prix d'un! Alors, tous les jours de cette semaine pendant laquelle je vois des gens manger ce maudit requin-là, je déprime, c'est épouvantable! Dur, dur pour les nerfs d'un gourmet!

* * *

Le dimanche, on a les brunchs. On sait qu'il n'y aura pas beaucoup de monde parce que les brunchs, ça n'a jamais fonctionné. Sur le Plateau Mont-Royal, c'était déjà difficile de faire marcher un restaurant le midi, et moi, je décide d'ouvrir sept jours semaines, plus les samedi et le dimanche midi. Giovanna m'a pourtant prévenu et tout le monde m'a dit que ce n'était pas… Bon, on va ajouter un peu d'attrait, on va faire des ateliers de théâtre puis des ateliers de peinture.

Pour l'atelier de théâtre, une fille s'est présentée – elle arrivait de Vancouver, la fille, et elle voulait, décidément ils ont tous le fixe là-dessus, jouer dans *Watatatow* – alors, ça n'a pas duré longtemps. J'ai fini par comprendre qu'un restaurant, c'est un endroit où les gens viennent pour manger, et non pas pour prendre des cours de théâtre!

J'ai donc commencé à faire de la peinture en direct. J'ai fait de très beaux tableaux, ça j'étais ben content, je faisais ma peinture et, en principe, les gens devaient venir bruncher autour… Eh! bien ça n'a pas levé, mais autrement, avec la promotion, il y avait du monde tous les soirs et les midis de semaine.

Un de ces dimanches, j'arrive vers onze heures moins quart, je fais mon petit café et j'attends. J'attends… La petite serveuse arrive vers 11 h 20 et je vois passer le chef – enfin, je présume, parce que je le connais pas, le gars. Je m'apprête à faire un atelier de peinture et on est tranquillement en train de placoter, la serveuse et moi, au bout du comptoir. Y a pas un chat dans le restaurant.

Débarque tout à coup un groupe de cinq, ils arrivent de Québec. Ils ont fait le voyage et leur premier arrêt, c'est le Pazzi. « *Vous avez parlé de vos brunchs avec de la peinture en direct, à la télé...* » Écoutez, ces gens-là ont fait le voyage, ils s'attendent à arriver dans un endroit plein de monde, où c'est *in*, c'est *hot*, c'est *the top* à Montréal, c'est *Jet Set!* Ils en ont parlé partout à la télévision! Ben, ils arrivent là, et il n'y a pas un maudit chat!

Bon, il faut compenser. « *Bonjour messieurs dames, assoyez-vous!* » La serveuse est en train de finir de mettre son *smock*, et moi, je leur vante les mérites de ma cuisine, je leur raconte le principe du restaurant, je leur décris le gros plat qu'on met sur la table s'ils veulent un plat pour tout le monde. S'ils ont envie de pâtes, on leur fait un graaaaaand plat de pâtes, avec la fameuse sauce Van Momo. Ça réagit bien. Le contact est bon.

J'appelle la serveuse. « *Bon, êtes-vous prêts à commander?* » La serveuse n'a pas décollé du bar. Je lui fais signe, j'insiste, elle me regarde avec de grands yeux de vache morte... Et elle ne bouge pas! Tu ne comprends pas, là? Es-tu gelée ou quoi? Et, là, je vois un petit doigt qui s'agite tout aussi désespérément que discrètement. Je finis par m'approcher... « *Ben, je veux bien prendre les commandes, Monsieur André, mais y vont attendre. Le chef est pas arrivé puis on l'trouve pas!* » Ce matin-là, le chef n'est jamais rentré!

Alors, je reviens voir ces gens-là. Je leur offre l'apéritif et je leur explique : « *Écoutez, ça arrive dans tooooous les restaurants, que le chef ne vienne pas, un jour! Alors, ici, c'est ce matin! De tout ce que je vous ai dit, y a rien qui tient... Je vais vous donner le nom d'un bon restaurant, l'Express, par exemple... Vous ne perdrez pas votre journée...* » Mais, y en a un qui lance : « *En général, le proprio prend les rênes, dans ce temps-là! Puis vous, à part de ça, vous avez écrit un livre de recettes, alors... Vous pouvez peut-être nous concocter un petit quelque chose?* »

Okay, sauvons le show. Je pars en cuisine. Je dis au jeune second de se mettre en train, parce j'ai décidé de faire une belle grosse omelette au fromage! Il veut bien, le gars, sauf que c'est le plongeur! Le laveur de vaisselle! Comme je ne le sais pas, je lui donne des ordres, comme à un second. « *Vas me chercher telle affaire... émince-moi de l'échalote... où sont les œufs...* » Le pauvre petit, il est tout nouveau, il ne connaît pas la cuisine, mais il est trop gêné pour dire quoi que ce soit... parce que, pour lui, je suis une grande vedette! Il court, il sort des affaires puis je finis par ramasser tout ça et je me retrouve devant les huit ronds d'un grand poêle professionnel au gaz, avec des fours... essayez pas de mettre ça à 325 °F puis d'attendre que la petite lumière rouge s'éteigne, ça ne fonctionne pas du tout comme ça. Je me rends compte que j'ai beau avoir tout le talent de la Terre, j'ai beau avoir travaillé 40 ans avec brio dans ma propre cuisine, ça n'a rien à voir!

Alors, c'est le *beginner's luck* total! Je pogne le grand bol, je mets les œufs dedans, je trouve trois croûtes de fromages, et, par hasard, quelques fines herbes, une salade de pommes de terre... en tout cas, je m'organise, je fais une omelette comme je n'en ai jamais fait dans ma vie, parce qu'une omelette pour cinq personnes, moi, je n'ai jamais fait ça, ni dans une grande poêle comme ça...

Ben, c'te maudite omelette-là, là, elle était tellement bonne! Elle était tellement belle! Toute fermée en portefeuille, et ils la voulaient baveuse, en plus, ben elle était baveuse juste comme il faut!

— *Monsieur Montmorency, on vous le dit, là. On va vous faire une publicité monstre, il faut que vous mettiez cette omelette-là à votre menu! Faut qu'on revienne manger ça le dimanche!*

— *Surtout pas, malheureux! Surtout, ne la demandez plus jamais! Y a personne qui peut vous faire une omelette comme ça pour cinq personnes s'il est dans la foulée du restaurant... à moins d'être un très, très grand chef, là, qui entre en méditation pour faire son omelette. Vous ne l'aurez jamais! Ça, c'est vraiment un coup de dés, et ce sont les circonstances...* ce qui a fait que l'omelette est bonne, c'est parce que vous venez de Québec, et que vous m'avez donné une maudite dose d'adrénaline, c'est parce qu'il fallait que je prouve quelque chose! Pis, c'est ça, là!

Thank God, ce fut ma seule expérience de cuisinier, parce que dans une cuisine de restaurant, je perdais tous mes moyens... Je suis certain que je perdrais tous mes talents jusqu'à la fin de mes jours! Je ne savais pas du tout comment ça fonctionnait, cette affaire-là! Essayer de faire gratiner des plats en les mettant en haut pendant que le pâté chinois continue à cuire, ou tu l'as redescendu en bas parce qu'il faut que tu mettes les deux côtelettes de veau qui doivent se détendre en attendant que la sauce soit prête... Moi, je ne sais pas comment ils font et je ne le saurai jamais, et puis je ne veux pas le savoir.

* * *

L'argent n'a pas commencé à rentrer tout de suite le lendemain de l'ouverture, là! Surtout qu'on avait des comptes à payer avec les affaires de dernière minute et le cocktail qui a coûté trois fois ce qu'ils avaient prévu, eux autres. Et, là, je commence à vendre mes tableaux. Je vois les cennes rentrer et je me dis que je vais le toucher, mon 1000 $ par semaine. C'est toujours ça, le but : vivre une retraite dorée en allant, le matin et le soir, faire mon tour au restaurant. Mais, avant de se payer un salaire, faut se rembourser le 40 000 $ investi.

Comme j'ai aussi investi mes tableaux dans l'affaire, quand un tableau est vendu, une partie de l'argent s'en va à elle pour la dette et à moi pour la dette, mais y a des affaires que je ne comprends pas. *« Coudon, c'est moi qui est en train de me payer ma propre dette avec mes propres tableaux ? »*

Et Giovanna m'explique que ce n'est pas comme ça que ça marche, c'est elle qui a raison, mais moi, je ne comprends rien. Quand on commence à parler affaires, moi, je commence à angoisser, j'ai les réseaux qui disjonctent et bloquent de partout…

C'est pas 1000 $, c'est 225 piastres par semaine pour commencer. Ça va, au moins je touche un petit salaire. Mais, en même temps, il faut faire des papiers pour tel montant qui est entré… Moi, il faut que je justifie, que je trouve les papiers, parce que sur mon 20 000 $, quand je suis allé acheter des chaudrons…

Parce que le jeune chef, savez-vous ce qu'il a fait? Il en a profité pendant que la bonne femme était partie en vacances – il l'a repérée, lui, la belle poire qui vient d'arriver – pour m'emmener chez Monas, un gros magasin d'équipements de restaurant. Et il m'a fait acheter un énorme mixeur à soupe qui ne servira jamais!

En plus, j'ai fais réparer son deuxième four à gaz alors qu'il n'en avait vraiment besoin que d'un seul pour commencer. Et le grand Marc, qui a remplacé ma sœur, a donné du *cash* à un tel parce qu'il est venu faire deux heures de peinture. Alors, à un moment donné, il faut que je m'assoie et que je justifie toutes ces dépenses-là, et là, la panique me pogne!

Je découvre, que voulez-vous, que les cours, les shows, ça ne marchera pas. Que je suis vraiment là pour faire ce que Filiatrault m'avait prédit. «*Tu vas serrer des mains, ma Boulotte, pis dire bonjour à du monde, pis te montrer la face parce qu'ils sont venus là pour TE VOIR!*»

La réalité des choses me rattrape brusquement. Alors, comme je commençais déjà à trouver ça *rough*, le matin où on me reproche d'être un parfait inconscient au niveau de l'argent… moi, je craque!

* * *

Petite parenthèse, pour bien comprendre la suite des événements: moi, je m'apprête à déménager. J'ai trouvé un

superbe loft à Pointe-Saint-Charles. Écoutez ! Le loft rêvé !
C'est dans l'ancien édifice de Bell Canada. Du bâti solide,
des murs en brique.

Quand j'entre dans ce loft, j'aperçois à gauche cinq
fenêtres de onze pieds de haut par quatre pieds de large,
orientées nord-ouest et qui donnent sur tout le centre ouest
et la montagne. Au centre, un vaste séjour noyé de lumière
par mes immenses fenêtres. Au fond, une bonne cuisine/
salle à manger bien équipée (surfaces en inox, armoires
ouvertes, bloc de boucher). À droite, la salle d'eau, les ran-
gements et, juste au-dessus, une mezzanine toute en lon-
gueur qui débouche sur la chambre et la salle de bain.

C'est fait avec goût, je tombe en amour. 175 000 $, le
loft ! Y a rien là ! Mais, y a pas de jardin et pas de terrain
pour en faire un…

* * *

Je reviens donc à la maison qui n'est plus ma maison. Je me
retrouve au centre du salon, au beau milieu des boîtes, et je
viens de craquer. Au restaurant, je viens de craquer…

Pendant un mois je n'ai vécu que pour ça, le restaurant,
je ne dormais presque pas de la nuit, je rentrais à deux
heures du matin, j'étais sur place à sept heures, je continuais
à peindre en direct pendant tout ce temps-là, dans un état
d'euphorie totale et, là, je craque !

Mais, je craque au point de brailler toutes les larmes de
mon corps et de commencer à détruire les choses dans la
maison, devant le grand Marc qui est complètement sidéré
de me voir dans cet état-là. J'haïs la restauration !

Je pogne une lampe – une imitation de Tiffany que j'ai
achetée au Club Price et que je déteste depuis le début parce
qu'elle fait *cheap* à côté des lampes de Françoise Saliou – la
maudite lampe, je la *pitche* à bout de bras dans le jardin et
elle va s'écraser sur le cabanon. Là, Marc part en courant
parce qu'il ne sait pas que la lampe est *cheap*, lui, il pense

qu'elle est belle... Il vole à son secours, il essaie de sauver la lampe, elle n'est pas complètement brisée, elle est juste cabossée, il ramasse le verre, replace les morceaux... Je la repogne, je la repitche!

Et à un moment donné, je lui dis: «*Écoute, ça peut pas continuer comme ça! Y a qu'une personne qui peut me calmer, c'est Camille Goodwin!*» Mais, je ne suis plus à l'agence Camille Goodwin. J'ai quitté la maison. Mais, Camille, c'est toujours ma mère spirituelle, et là, je n'ai plus ma sœur pour s'occuper de moi. Alors, il ne reste que Camille.

Elle a fermé son bureau ce midi-là pour me recevoir, elle a fermé toutes les cloches de tous ses téléphones. En moins de 15 minutes, je me retrouve assis devant elle et je sais pourquoi je suis là. Pour le diagnostic et la prescription qu'elle est la seule à pouvoir me faire.

— *Quand tu es dans cet état-là, d'habitude, tu sais ce que tu fais? Tu prends le train et tu t'en vas à Paspébiac chez Madame Lemarquand te reposer. Alors, il n'est pas question... Qu'est-ce que tu fais, as-tu de la télévision, de ce temps ci?*

— *J'ai juste le restaurant...*

— *Tu appelles tout de suite au restaurant, tu ne seras pas là pendant cinq jours...*

Elle prend le téléphone, appelle Via Rail, le billet est réservé, Madame Lemarquand est ravie de me voir revenir, parce que je vais chez elle à peu près à tous les 2 ans depuis 14 ans... et je pars pour la Gaspésie! Dès que j'ai le «OK» de ma chère madame Goodwin, je retourne chez moi, je fais ma valise, je quitte le soir même à 5 heures, le train part à 6 heures et demi...

Je reviens au restaurant dans une forme resplendissante! Avec les valises. La Giovanna n'est pas prévenue: «*Je m'en vais! Bye! Je m'en vais en Gaspésie!*» Surprise, elle est quand même ben d'accord avec moi, parce qu'elle m'a vu aller, elle.

Et, là, je m'en vais vite, vite, vite...

Cinquième maison
19 rue Green

Trajet de nuit sur le train *Chaleurs*, lever de soleil sur la Baie, arrivée à New Carlisle à 8 h 30. L'auto de madame Lemarquand m'attend. Je suis dans un drôle d'état. Après la crise, l'euphorie du départ, la nuit dans le train où je n'ai pas beaucoup dormi, il faut que je m'abandonne le plus rapidement possible aux caresses de l'eau de mer et des algues…

Je vais déposer mes choses à la chambre, je prends le petit-déjeuner et je monte à l'étage pour les traitements. Ça commence toujours par un bain bouillonnant aux algues qui me détend complètement, suivi d'un massage sous la pluie. Et avant mon massage du dos et ma réflexologie, je passe en pressothérapie – ça, c'est des grandes jambières de plastique qu'on vous met autour des jambes et qui font hhhhhhhhha pfiouuuuuuu, ça respire, et ça resserre toutes les veines et c'est sensé aider pour ta circulation.

Je suis donc dans le salon du haut, confortablement installé sur une chaise longue, devant les grandes baies vitrées qui donnent directement sur la mer. Et, devant la mer, y a des sapins. Tout d'un coup, il me vient une envie irrésistible de peindre, j'ai le goût de peindre ce que je vois, chose qui ne m'est jamais arrivée.

Mais, je me rends compte maintenant que, nous, les peintres, on ne voit pas nécessairement les choses que vous,

vous voyez, ou que, moi, je pensais avoir vu ce matin-là. J'ai vu la mer et une forêt de mélèzes noirs tous tordus. Chose étonnante, je n'ai jamais vu de mélèze de ma vie.

J'ai vérifié ce paysage-là depuis, c'est pas des mélèzes pantoute, ce sont de simples petits sapins, mais pour moi, c'était noir, et c'était des mélèzes, et il fallait que je peigne ça un jour!

Je commence, évidemment, à faire des plans... J'ai déjà eu un vague projet avec madame Lemarquand, pour transformer les anciens bâtiments de la Robin, tout en déclins de cèdre, qui bordent la cour de l'auberge.

— *Faut que vous fassiez une galerie d'art dans un de ces bâtiments-là!*

— *C'est un de mes projets, j'en avais déjà même parlé à Danielle Ouimet...*

— *Heille! C'est pas Danielle Ouimet qui va devenir directrice de votre galerie, c'est moi!*

Et là, en pleine pressothérapeutisation, devant ce paysage-là, je me mets à brailler, brailler, brailler... ça coule tout seul. La champelure s'est ouverte, je n'ai aucun contrôle là-dessus, parce que c'est beau, parce que c'est la mer, parce qu'il y a des mélèzes noirs qui ne sont pas des mélèzes, parce que ça me donne le goût de peindre et, en même temps, ça me dit qu'il faut que je vienne peindre ici le plus souvent possible.

Je décide donc que, l'été prochain, au lieu de donner tout mon temps au restaurant, je vais convaincre madame Lemarquand d'ouvrir une galerie, avec une mezzanine incroyable dans laquelle je vais habiter – je suis déjà en train de démolir, moi! – et je vais peindre sur place, je vais être là tout l'été... Ça va être mes vacances du restaurant.

Il faut que j'en parle à madame Lemarquand en redescendant à midi. Mais, en sortant de la pressothérapie, pendant que je me fais masser le dos, je commence à réfléchir. Pourquoi demander à madame Lemarquand de m'héberger? Pourquoi ne pas venir ici d'une autre façon? Y a une équation qui se fait rapidement dans ma tête... C'est où, les endroits où je suis le mieux au monde? C'est le Plateau Mont-Royal, je viens d'y passer vingt années extraordinaires, j'y ai encore un restaurant... Et c'est Paspébiac. Alors, pourquoi ne pas avoir une maison, dans un endroit où je suis toujours venu régler tous mes problèmes? Pour n'importe quelle dépression, n'importe quel coup dur du destin, je m'en viens chez madame Lemarquand, à l'Auberge du Parc, mais je m'en viens aussi en Gaspésie! Je m'en viens à Paspébiac! Peut-être que si je m'achetais un terrain, une maison à Paspébiac, ça règlerait le problème?

Je dois quitter la maison de Montréal. J'ai ce loft qui m'attend à Pointe-Saint-Charles, c'est pas signé encore, j'ai juste fait une promesse d'achat, mais je vis dans les boîtes depuis 3 mois. Pour l'instant, il n'y a pas grand-chose qui me retienne! «*Mon loft me coûte 175 000$ à Pointe-Saint-Charles... Je peux très bien acheter une maison ici pour 135 000$.*» C'est pas les prix de Montréal, je le sais, mais, je ne m'attends pas... vous allez voir.

Au moment où cette idée-là me traverse l'esprit, on me tape sur l'épaule, il faut que je me retourne pour la réflexologie...

— *Stop! Ne touchez pas à mes pieds. Arrêtez tout ça. Je m'en vais m'acheter une maison!*»

—*Ah!* qu'elle me fait la dame, avec un sourire étonné.

Je me lève, je descends en robe de chambre et je m'en vais annoncer ça – parce que je suis incapable de faire quelque chose dans la discrétion la plus totale – à tous les curistes avec qui je me suis déjà lié d'amitié en haut entre les traitements. Quand je viens à Paspébiac, je deviens l'*entertainer* de la place. Ils sont ben contents de me voir. La première fois, la toute première fois que je suis venu ici, j'ai réuni les vingt curistes pour jouer au Dictionnaire, le soir...

Les gens en parlent encore, 14 ans plus tard! Alors, là, moi, j'annonce à tout le monde que je vais m'acheter une maison!

Au fait, quand les gens disent: «*Surtout ne parlez pas de vos projets, soyez superstitieux!*» Pour moi, c'est le contraire, j'ai toujours annoncé tout ce que j'allais faire parce que je trouvais que le seul fait de l'avoir dit obligeait le Sort à mon endroit et m'obligeait, moi, à réussir.

* * *

Je fais donc mon annonce officielle et je pars à pied dans le village, je me rends au Tim Horton… Moi, je veux vivre à Paspébiac, alors, je m'en vais au Tim Horton, ils savent tout, ce monde-là, c'est là que les gens se tiennent! Je vais voir la caissière.

— *Êtes-vous au courant si y a des maisons à vendre… est-ce que vous connaissez quelqu'un qui vend des maisons?*

— *Biiiiin, on va appeler monsieur… Jacques Parent… l'agent d'immeuble!*

On appelle l'agent d'immeuble, mais comme on est le dimanche, on tombe sur son répondeur.

— *Écoutez, je vais vous donner son numéro…*

— *Non, non! Y avait juste à être là! Moi, c'est aujourd'hui que j'achète une maison!*

Écoutez, j'ai comme mandat aujourd'hui d'acheter une maison! J'vais pas attendre demain, j'vais pas attendre que l'agent d'immeuble soit là!

Bon, qu'est-ce qu'on fait quand on veut s'acheter une maison?

— *Y a un taxi, ici?*

— *Oui, monsieur Tardif.*

— *Appelez-le donc!*

Lui, il habite à New Carlisle. Alors, il s'amène avec son taxi, dans lequel je m'asseois. «*Bonjour, monsieur Montmorency!*» Un monsieur adorable, sympathique, et je lui explique mon problème, qu'il faut que je me trouve une maison.

— *Oh, moi, j'veux pas vous faire de peine, on va faire le tour de Paspébiac, mais je pense pas qu'y ait grand chose à Paspébiac… Par contre, à New Carlisle…*

— *Non, non, non ! Oubliez New Carlisle, moi, je veux vivre à Paspébiac !*

— *Ah bon, okay !*

On commence à faire le tour des rues, mais y a pas grand-chose à vendre et, de toute façon, pas ce que je veux…

— *Écoutez, pourquoi vous venez pas à New Carlisle ?*

— *Bin, oui, mais c'est parce que je vais être loin de madame Lemarquand !*

— *C'est juste 8 kilomètres, monsieur Montmorency ! Puis, moi, y a une petite maison, à côté de chez nous, ça serait rien pour vous, 8 kilomètres…*

— *Okay d'abord, amenez-moi donc à New Carlisle.*

* * *

On prend la 132 jusqu'à New Carlisle, on tourne sur la rue Green et on descend la rue Green. En passant il me montre sa maison, on descend encore un peu, on passe la rue Mount Sorrel, là où est né René Lévesque… Bonjour Monsieur Lévesque… Là, y a un stop, et juste après, on s'arrête et il me dit : « *C'est cette maison-là.* » Je regarde à gauche et je vois la maison… Elle fait l'affaire ! C'est exactement ça que je voulais !

Et, surtout, juste au bout de la rue en pente, à cinq minutes de marche, il y a la mer ! Nous sommes en avril, la baie est complètement dégagée, il n'y a pas de feuilles aux arbres, je vois la mer plein sud sur 180 degrés ! J'ai un gros flash ! J'ai 25 ans, je suis à Provincetown, en haut d'une rue qui mène à la mer, avec des boutiques sur le côté et je me dis : « *Coudon, ça serait le fun de finir mes jours avec une petite boutique comme ça, en bord de mer!*» Je n'y ai plus jamais repensé de ma vie… et là! Moi qui crois aux signes, qui crois que la partie du cerveau qui ne sert pas ouvre parfois de petites portes et que, si on est assez rapide pour comprendre le message, on se sent bien et on fait, consciemment, la plus belle folie de sa vie… Cette intuition-là, c'est le gage de la réussite. C'est couper les coins carrés, mais moi, je fonctionne comme ça!

Soudain, tout est très clair. Il faut que j'aille dire au monsieur que j'achète sa maison. Il y a une pancarte «À VENDRE» dans la fenêtre, je ne me trompe pas, là.

— *C'est correct, Monsieur Tardif! Je vais vous rappeler, vous pouvez me laisser ici, j'ai trouvé!*

— *Ben, oui, vous avez trouvé… mais…*

— *Non, non! J'ai trouvé! C'est cette maison-là que j'achète!*

* * *

Je vais frapper à la porte pour savoir combien elle coûte, cette maison-là. C'est un monsieur Legrand (prononcez Legrwande), qui me répond, un de ceux de Jersey, les Anglos du coin, parce qu'ici, à New Carlisle, la population a déjà été anglophone à 90%.

Monsieur Legrand, il ne me connaît pas. Il ne sait pas que je suis un acteur, il ne sait pas que je suis connu, tant mieux!

— *Combien vous vendez votre maison?*

— *65 000$*, qu'il me répond avec une petite hésitation.

Parti avec l'idée que c'était 130 000$ que je pouvais payer, j'entends 165 000$. Pour moi, c'est 165 000$! Je peux pas. Je peux pas aller plus haut que 130 000$ si je veux refaire des affaires… Faut pas que ça me coûte aussi cher qu'à Pointe-Saint-Charles, là!

— *Est-ce que vous pourriez répéter…?*

— *65 000$.*

Alors, là! J'ai 200 000 $ qui traînent à Montréal, quelle belle façon d'être à l'aise, enfin! D'être capable d'acheter une maison et de mettre 100 000 $ dessus pour la restaurer et l'aménager à mon goût... Je lui dis que ça m'intéresse, il m'invite à visiter la maison. Mais, je ne suis pas intéressé à visiter la maison. Je l'ai vue, là. J'ai tout jeté par terre dans ma tête de toute façon, alors, je vais visiter quelque chose qui, *anyway*, sera plus là! Mais, quand même, pour montrer au monsieur que je suis sérieux, je fais le tour de la maison, je découvre les chambres.

En bas, sur le devant de la maison, il y a comme une grande véranda vitrée qui précède l'ancienne entrée rue Green. C'est fermé à double tour parce que l'endroit n'est pas isolé, les carreaux sont brisés, et ça tombe un peu en ruine... Aaaaaaah! petit problème de réglé! Souvenez-vous que je n'ai pas encore signé les papiers d'achat du loft de Pointe-Saint-Charles, mais j'ai déjà commandé, pour les grandes fenêtres de 4' x 11', sept vitraux à Françoise Saliou. Elle a commencé à les dessiner tout de suite parce que ça l'inspirait et, mieux que ça, je les ai payés comptant avec la commande! Les vitraux sont payés pour un loft que je n'ai pas encore acheté!

Que je n'achèterai pas, d'ailleurs. Je viens de décider ça, là, maintenant, parce que je me retrouve ici et que j'achète une maison en Gaspésie. Et, la première chose que je vois en entrant, c'est les fameux vitraux de Françoise Saliou qu'il faudra, bien sûr, repenser pour la maison d'ici. Le message est trop clair, j'achète cette maison.

« *Venez voir le garage* » Je n'ai pas vu qu'il y avait un garage. J'ai vu la petite maison avec une rallonge, derrière, mais je ne me pose même pas la question... Donc, on va voir le garage. On descend un petit escalier intérieur, il ouvre une porte et j'ai soudain, devant moi, une grande pièce de 30 pieds... 25 par 30 pieds, avec des plafonds de 14 pieds de haut et une très large porte de garage, percée de grandes fenêtres plein Sud. Je m'étais dit, quand je pensais payer 130 000 $, que je mettrais au moins 60 000 $ sur un atelier. Là, compris dans le 65 000 $, j'ai l'atelier en plus! Et c'est tout neuf, il a fait ça y a pas deux ans.

Dans l'atelier, pardon, le garage qui peut contenir trois voitures, il y a une Mercedes. Pour moi – j'ai toujours eu les autos les moins chères possible, parce que je n'ai aucun intérêt pour les autos – une Mercedes, c'est un char de 195 000 $! Je ne connais pas ça, et la Mercedes, pour moi, c'est le top du top.

— *Vous ne seriez pas intéressé à la Mercedes?*

— *Non, non, non! Lâchez-moi la Mercedes… je ne veux pas d'auto…*

Je ne sais pas encore, moi, qu'en Gaspésie, il faut avoir une auto. On ressort dehors, face à la mer, et on se donne rendez-vous: «*Comment on fait? On peut-tu se voir demain, chez le notaire, faire une promesse d'achat…?*» On décide de faire une entente verbale. On appelle le notaire. Nous avons rendez-vous le 2 mai, pour signer les papiers.

Nous sommes sur la galerie. Les terrasses descendent en pente douce jusqu'au rivage… Monsieur Legrand me montre, à gauche de la maison, derrière ce qui allait devenir l'atelier, un immense terrain de 120 pieds par 150, sans arbre… Moi, je pense que c'est le terrain du voisin de derrière.

— *Le tas de bois dans le fond, no trouble, je vas l'enlever…*

— *Pourquoi vous allez enlever ce tas de bois-là?*

— *Well, si ça vous fait rwien d'avoir un tas sur votre terrwain…*

— *Ah, parce que ça, c'est mon terrain?*

Et là, je vois le jardin apparaître! Ah, écoutez! Je plante une rangée de peupliers là. Et là, je fais un monticule, je mets le ruisseau là et je bâtis un petit pavillon… je vais enfin lire Proust! Écoutez, ça… pfiouuuuuuu! Drette dans ma face. J'ai un jardin exceptionnel! Y a tout, tout, tout, tout,

tout pour que je m'installe ici ! J'ai perdu mon jardin, mon petit jardin du Plateau Mont-Royal, je m'en allais vivre dans un loft de Pointe-Saint-Charles, sans aucun terrain, c'est de l'asphalte, derrière… Comment ai-je pu songer à vivre sans jardin !

Et là, je retourne chez Madame Lemarquand annoncer à tout le monde : « *La maison est achetée !* »

* * *

Dans l'après-midi, je décide d'aller faire un petit tour d'auto pour revenir voir le coin, revenir voir la rue Green et descendre jusqu'à la plage, j'ai même pas été voir de quoi la mer avait l'air ! Pas loin de la maison, sur la 132, je vois un ancien bar tout *dérinché*, en déclins de cèdre, « À VENDRE » ! Moi qui viens de payer 65 000 $ pour la maison, je me dis que ce *shack*-là en bordure de route ne doit pas être très cher… Je note le numéro de téléphone, j'appelle le monsieur, c'est 40 000 $. Hon ! comme c'est intéressant ! On pourrait ouvrir un restaurant, là, on pourrait ouvrir un Pazzi Gaspésie ! Ils n'ont pas de bonnes pâtes dans le coin, un petit Pazzi… pour 40 000 $, y a rien là !

J'appelle Giovanna à Montréal, parce que nous sommes en bons termes, il n'y a pas eu de chicane. Même si je ne suis pas là, elle s'en fout, le restaurant fonctionne, donc elle est contente… la clientèle baisse un petit peu quand je m'absente, mais ça je l'apprendrai plus tard…

— *Je viens de trouver quelque chose où on peut ouvrir un petit Pazzi en Gaspésie, mais, ça coûte 40 000 $.*

— Who cares ? *Tu mets 20, je mets 20, puis t'as des sous de ce temps-ci, me too, so, on l'achète !*

— *Okay, on l'achète !*

Je prends rendez-vous avec le monsieur et j'annonce à tout le monde en revenant chez madame Lemarquand que, maintenant que j'ai acheté la maison, je m'en vais m'acheter un restaurant ! Ah, là ils rient tous comme des fous, mais il y a, dans la gang, un gars qui fait de l'immobilier. Il est là pour se reposer, lui, mais je commence à lui expliquer que je vais payer 65 000 $ pour la maison, et que le *shack* est 40 000 $.

— *Y a quelque chose qui va pas*, qu'il me dit. *Je suis sûr que ça vaut moins que ça. Permettez-moi d'aller avec vous…*

— *Non, c'est vos vacances! Vous allez pas faire vos vacances à venir voir…*

— *Je vais avec vous.*

Donc, il vient voir le *shack*. Ça vaut 15 000 $! Pas plus! C'est un *shack*! Le gars à qui ça appartient est tout énervé parce qu'il y a, dans cet ancien bar-là, des bibliothèques vides qui ont contenu, jadis, les livres du bureau du père de René Lévesque. Il pense qu'il va vendre ça une fortune parce qu'il y a les bibliothèques vides du papa de René Lévesque!

Mais, je ne veux pas perdre cette occasion-là, je suis même prêt à donner 25 000 $. On s'en fout que ça vaille 15 000 $, 25 000 $, y a rien là! Le gars qui est propriétaire, il me connaît, lui. Il sait que je suis un acteur, il s'imagine que je suis riche, et il est en beau crisse de voir mon petit agent lui péter sa balloune, parce que, quand je l'ai appelé, il s'est dit: «*Lui, j'vas y r'filer ça à 40 000 $!*» Et, finalement, je ne prends pas de décision, c'est pas encore mort, mort, mort, mais… Ce qui ne m'empêche pas, revenu chez Madame Lemarquand, d'annoncer à tout le monde que, ça y est, je vais acheter un restaurant! Et le lendemain, je m'en vais, guilleret, offrir 25 000 $ au monsieur qui, insulté noir, refuse de vendre!

* * *

Le lendemain matin, j'ai le goût de refaire le tour, de revoir la maison à nouveau, alors, j'appelle Tit'Os, un ami musicien, joueur de charrengo, qui habite à Bonaventure et qui connaît tout le monde dans le coin. Je l'ai connu à Montréal avec le nouveau cercle d'amis de la rédactrice en chef. «*Viens visiter la maison que je vais acheter*», que je lui dis. Alors, il vient me chercher, je lui montre la maison et le futur jardin. Monsieur Legrand est là et il nous invite à entrer. En faisant le tour, je montre à Tit'Os deux ou trois affaires qui me fatiguent. «*Inquiète toi pas, mon homme, j'ai drette le gars pour ça!*» Je le préviens tout de suite, j'ai décidé de me calmer le pompon et d'habiter cette maison-là pendant un an sans rien toucher, ou presque, sans rien démolir en tout cas, pour apprendre à vivre dans cette maison...

Arrivés dans le garage, le monsieur se réessaie sur Tit'Os : «*Ça vous tente pas, une Mercedes?*» Moi, j'ai pas de réaction, mais Tit'Os commence à fouiller dans la Mercedes, et plus il fouille, plus il ouvre les portes, et plus j'entends des : «*Heille, est bin belle!... Hhhhhha! est comme neuve!... Hannnnn! tu y as tu vu le moteur!... Wow! C'est entretenu, ça, monsieur!*» Puis, t'as l'autre qui répond : «*Elle a jamais sorwrtiwr l'hivewr!*» Et mon Tit'Os qui reprend de plus belle : «*Ah! Puis, attends!... Bin, gardons ça, puis le cuir... le beau cuir!*» Un vrai gars!

Finalement, je me tanne. «*Ben, coudon, combien vous la vendez, votre Mercedes?*» Et l'Anglo me dit, résigné : «*Hooooo! Je laissewerais pawrtiwre à 15 000 dollawrs...*» Hon! 15 000 $! Un char de 195 000 piasses!!! J'apprendrai plus tard qu'au prix de liste, elle valait 3 000 $ et qu'elle est sur tous les répertoires de tous les détenteurs de terrain d'autos usagées de la Gaspésie et du Nouveau-Brunswick réunis, où, des autos comme ça, tu peux en avoir à partir de 2 500 $. Ben moi, je l'ai achetée pour 15 000 $!

Et je repars chez Madame Lemarquand annoncer à tout l'hôtel, à tous les curistes, que je viens d'acheter une Mercedes! Ces gens-là doivent penser que je suis fou, ce en quoi ils ont bien raison! Puis, la cure se termine.

Thank God! Je n'ai pas acheté le *shack*, mais je serai l'heureux propriétaire, le 2 mai, d'une Mercedes, d'une

maison, d'un jardin en puissance, de tout ce que vous vou-
drez, à cinq minutes de la mer. Ça va devenir mon pied-
à-terre en Gaspésie. Je vais vivre cinq semaines à Montréal,
je vais venir ici un petit dix jours, cinq jours, un long week-
end… par le train, puis je vais faire tranquillement des
projets et, l'an prochain, je quitterai le restaurant pendant
tout l'été pour venir ici faire les travaux…

* * *

C'est rempli de toutes ces belles promesses que je retourne
à Montréal et réintègre le restaurant en annonçant à
Giovanna que j'ai acheté une maison. Elle est très contente
pour moi.

— *Mais, je ne peux pas acheter le loft de Pointe Saint-Charles,
là! Payer 175 000$ à Pointe-Saint-Charles, y en n'est plus ques-
tion! Je vais me louer un pied-à-terre, une garçonnière…*

— *Ha! Je pense que j'ai quelque chose pour toi, André…*

Coin Garnier et Mont-Royal, il y a un immeuble
reconstruit à neuf qui a de la gueule. Et y a un petit appart
à 1000$ par mois, que je vais visiter… Écoutez, vous entrez
là-dedans, et il y a, à droite, un grand espace pour la
chambre. À l'avant, il y a une grande pièce «cuisine avec
îlot comptoir-cuisson/salon/salle à manger» qui donne sur
un beau balcon surplombant la rue Garnier, en plein cœur
du Plateau. En fait, je ne connais pas vraiment ce Plateau-là,
j'ai vécu dans un coin un peu plus retiré… Là, je suis *where
the action is!*

Et je trouve très agréable de penser que je vais vraiment
vivre le restaurant. Que je vais changer d'horaire, redevenir
un peu bohème sur mon vieil âge, soigner mon cardio-
vasculaire. J'irai à pied au restaurant, je marcherai aussi pour
revenir faire la sieste un petit peu chez moi, puis repartirai,
toujours en pattes, faire un petit deux heures de présence
le soir et, je rentrerai enfin chez moi à pied… J'ai pris des
taxis tout le temps que j'ai vécu là!

* * *

Je loue la fameuse garçonnière le jour même où je dois rencontrer la madame du loft de Pointe Saint-Charles chez le notaire. Ma promesse d'achat est toujours valide. En fait, je dois l'honorer et, c'est rendu dans le bureau du notaire que j'annonce à la madame que je n'achète pas son loft. Elle, elle est pas de bonne humeur!

D'autant plus que j'avais demandé au chum de la femme qui me vendait son loft – c'est lui qui avait fait l'aménagement – de continuer le travail en coupant en diagonale l'angle ouest de la mezzanine avec une poutre d'acier, tout comme il l'avait fait pour l'angle Est quand il a construit la chambre au-dessus de la cuisine. Ça ajoutait une quarantaine de pieds carrés de plancher à la mezzanine, de quoi installer mon atelier. Donc, je lui ai demandé ça parce que, lui, ça va lui coûter à peu près 10 000 $, alors que moi, si je le fais faire plus tard, ça va me coûter au moins 25 000 $. Et c'est un pro, c'est un soudeur, le gars. Alors, quand j'arrive chez le notaire, l'ajout à la mezzanine, il est déjà fait!

C'est ben moi, ça. En plus de commander des vitraux à Françoise Saliou pour un loft qui n'est pas encore à moi, j'y fait construire un plancher!

— *André! Arrête, là! Est pas à toi, la maison!* me disent en chœur mes chums.

— *Ben, oui, mais! Voyons donc! Je vais y aller, dans le loft! C'est juste parce que les papiers sont pas signés, là… on va les signer dans deux semaines!* »

Et, là, je dis à la dame que je le prends pas son loft. Je peux-tu vous dire qu'elle, elle le prend pas pantoute non plus!

— *Vous savez que j'ai 10 000 $ de frais!* Je vais lui donner, son 10 000 $, c'est pas un problème, là! Mais…

— *Écoutez, vous avez une plus value, vous le savez que ça vaut plus cher que ça. Vous allez revendre votre loft, avec la mezzanine, moi, je vais vous la payer, la mezzanine…*

Sauf que la femme, elle boque! On passe une heure dans le bureau et elle ne veut toujours pas… Elle veut me poursuivre, la madame. Finalement, elle quitte le bureau en trombe. Je suis devant le notaire qui est aussi découragé que moi. Ben coudon, je me ferai poursuivre…

Mais, là, elle revient à la course. « *C'est quoi le dernier prix que vous avez dit? 25 000$? Je le prends tout de suite!* » Moi, le cave, j'étais allé lui dire que, pour 25 000$, elle pourrait, quand même, faire un petit effort? Et là, elle attrape ça au vol, elle me met au pied du mur et je signe un beau chèque de 25 000 piasses…

Donc, sur les 200 000$ qui restent de la vente du 4576 Saint-André, y a 65 000$ pour la rue Green, 25 000$ pour me débarrasser du loft, 15 000$ pour la Mercedes…

* * *

Puis, vient le temps de quitter la rue Saint-André. J'ai presque honte de quitter le 4576 de cette façon-là!

Les meubles, les plantes et les boîtes s'en vont, soit au coin de Garnier, soit à New Carlisle… La maison est complètement vide. Je suis devant le jardin, je regarde le camion dans la ruelle… J'ai une petite serviette dans les mains, parce que moi, je suis prêt, j'attends juste que le camion parte. Le camion part.

Je me retourne, je traverse la maison, je descends, je sors, je barre la porte, je descends la rue et, en plein milieu de Saint-André, presque arrivé à Mont-Royal, je fais: « *Hhhha! Mon Dieu, qu'est-ce que j'ai fait là! J'ai oublié d'aller faire un dernier tour de maison, j'ai pas dit bonjour à mon jardin, je suis même pas allé… Ben, oui, mais… Ça te tente-tu? C'est fini, cette affaire-là…* » Je suis reparti, c'était réglé. La page était tournée!

* * *

En parallèle, je décore ma garçonnière montréalaise qui fait de plus en plus office de chambre d'hôtel, parce que je mange au restaurant, j'y viens à peine dormir, mais ça devient un endroit de repos merveilleux, tout à fait délicieux.

C'est que, moi, j'ai l'impression que je n'ai rien à payer. L'achat en Gaspésie serait réglé par la vente de la maison de la rue Saint-André. J'allais, c'est ça qui est merveilleux, j'allais pouvoir payer *cash*! Ça ne m'est jamais arrivé dans ma vie de payer quelque chose *cash*! Sauf que, dans ma logique d'homme d'affaires avisé, comme je paie *cash*, j'ai pas à payer... comprenez-vous ce que je veux dire? C'est que j'ai pas de dettes, j'ai pas d'hypothèque, je paie *cash*, alors, cet argent-là, *anyway*, il n'est plus là, donc, c'est réglé. La maison en Gaspésie, elle est réglée! Conséquemment, je peux me permettre de dépenser un bras à Montréal, pour me faire un beau pied-à-terre!

J'achète la grooooosse télévision à 8 000$, le hyper DVD, cristal liquide à haute définition! Je n'ai même pas le câble! J'aurai cette télévision-là chez moi pendant les trois mois où je vais y vivre. Je n'aurai toujours pas le câble, mais j'ai une maudite belle tévé, par exemple! Graaaaande de même!

En plus de la télé, j'achète des meubles. J'écume toutes les boutiques du coin et j'achète des armoires peintes à la main en Indochine, au Pakistan, j'achète des tapis, j'achète... ahhhhh! des lampes! Une belle lampe en nylon qui coûte 395$. Je vois la même, le lendemain, dans une boutique du Queen Elizabeth, elle se vend 800$! J'ai donc économisé 405$ que je m'empresse d'aller dépenser en achetant une autre superbe lampe, avec six belles tulipes en verre – ça tombe toujours par terre, et c'est toujours cassé, mais c'est beau, ça n'a pas de bon sens – qui m'a coûté, je sais pas, moi, 500$? Donc, 500 moins 400... finalement, dans ma tête à moi, elle m'a coûté juste 100$, la maudite lampe-tulipe!

En plus, c'est fou parce que cet appart, c'est une chambre d'hôtel, où je ne mange jamais car j'ai un restaurant ! Je peux manger tous les jours au restaurant et n'avoir qu'un petit frigo grand comme ça pour le beurre de pinottes, les biscuits soda, la pinte de lait, puis *that's it !* Ben, je suis allé chez Corbeil, toi, me faire la cuisine toute en *stainless steel*, poêle, frigo, lave-vaisselle, toute, toute, toute *shinée*, le double du prix des autres ! Je ne cuisinerai jamais et je ne laverai jamais de vaisselle, sinon des cendriers et des verres ! Le proprio, après trois mois, me rachètera le tout, moitié prix !

J'ai fait faire, sur mesure, chez Chez Lucifer ! une crémaillère pour le dessus de l'îlot comptoir avec tous les chaudrons, du plus petit au plus grand que j'ai achetés chez IKEA, la batterie de cuisine au grand complet ! Complètement fou !

En résumé, je me suis débarrassé du loft de Pointe-Saint-Charles, j'ai une maison et un gros char en Gaspésie, et une très confortable garçonnière où je commencerai ma vie idyllique de résidant à temps partiel du Plateau Mont-Royal. À savoir, marcher matin et soir – c'est-à-dire, prendre le taxi – jusqu'au restaurant où je trouve encore le moyen de dépenser 2 000 $ pour créer, à l'arrière, avec la petite accessoiriste Émilie Bordeleau, un jardin totalement kitsch orné de fleurs artificielles, où le Tout Montréal viendra bientôt faire la fête.

* * *

Je ne vivrai que trois mois rue Garnier. Ma garçonnière de rêve est, somme toute, un pseudo loft avec, quand tu entres à droite, une chambre sans fenêtre ; c'est un recoin de maison où il fait chaud l'été, il n'y a pas d'air, parce qu'il est impossible de créer un courant d'air. Si je veux faire de l'air là-dedans, je suis obligé d'ouvrir la porte du palier, pour que ça circule un peu. Je suis obligé de mettre un gros éventail pour tirer l'air dans cette chambre-là et, au bout de ça, j'ai le fameux balcon qui donne sur la rue Garnier.

Or, coin Mont-Royal et Garnier, il y a le *stand* de taxi Diamond où passent, systématiquement, tous les chauffeurs haïtiens de la métropole. A priori, pas de problème, sauf qu'ils commencent à ouvrir leur talkie-walkie à 5 h 30, maximum 6 h, le matin.

— *Aloooors! Titid? Titid sauvé? Là, m'mouri toute moé!*
Ça hurle très, très, très, très, très fort… avec le *dispatcheur* de Diamond qui lui répond sur le même ton.

— *Krrrrchouik! Krrrrrr! Non, monsieur, noKRRiiiiiiiiiich… Titid… Klic!*

Et là, t'as le deuxième chauffeur qui débarque et la chicane pogne avec le troisième qui arrive parce qu'il y a un pro et un anti Aristide…

Moi, je suis en train de capoter! Je ne peux plus dormir dans mon four, ne serait-ce qu'un peu, le matin. Parce qu'en plus, nous sommes en plein été, mai, juin, juillet, et, endessous de chez moi, il y a nouveau nettoyeur Michel Forget, avec des machines qui chauffent terriblement, et je n'ai pas de climatiseur dans mon appartement. Il fait 39 °C dans ma chambre, l'été! C'est invivable!

J'essaie de parler aux chauffeurs de taxi, mais ils ne veulent rien savoir! Eux, ils vivent leur vie! Ils sont sur la place publique de Port-au-Prince! Ils sont très heureux comme ça! Tout ce que je trouve le moyen de faire pour avoir une petite demi-heure de répit le matin, quand il y a deux voitures et qu'ils commencent leurs discours sur talkie-walkie, là, j'appelle, et je donne deux fausses adresses, une ben haut sur Papineau, puis une autre plus bas, et pendant une demi-heure, je suis tranquille. Enfin, je dors!

Mais, quand ils reviennent, ils savent que c'est moi qui leur ai fait le coup! Là, ça gueule encore plus fort! Et ça dure jusqu'au mois d'août!

Je me mets à rêver de ma maison gaspésienne, je la décore déjà, et tous les objets, tous les meubles achetés pour l'appart du coin Garnier trouvent merveilleusement leur place à New Carlisle. Toutes les couleurs, ça marche ensemble... Ils étaient faits pour aller là, faut croire.

* * *

Arrive enfin le fameux 2 mai où je dois venir signer l'achat de ma maison gaspésienne. J'ai récupéré des meubles du loft – deux divans entreposés là pendant que le gars refaisait la mezzanine – et envoyé tout le reste de mon ménage de la rue Saint-André en Gaspésie, puisque, pour la garçonnière, j'ai tout racheté en neuf. Tit'Os est passé à la maison et a réparti les meubles tant bien que mal, pour que, quand j'arrive, ça ait l'air un tant soit peu d'une maison. Quand je signe chez le notaire, ma maison est fin prête à me recevoir.

La moitié des plantes a gelé dans le camion en montant, on s'en fout. Je fais le tour de la maison... Et là, je panique un instant. Il ne se passe rien. J'ai pas encore d'émotion... je devrais exploser de bonheur et... y a rien qui se passe. Remarquez, ça me ressemble, ça, de réagir avec 24 heures de retard...

Bon, il faut que je dorme ici ce soir, tout est prêt en haut... «*Non, non, non! Moi, je reste pas ici tout seul!*» Je marche jusqu'au dépanneur – c'est à deux rues – je demande à la madame:

— *Connaissez-vous quelqu'un qui a des chats à donner, dans le coin?* C'est toujours dans les dépanneurs qu'on sait ça.

— *Ah, bin, Ti-Rouge! Y va vous faire ça, Ti-Rouge! Ti-Rouge, il vit juste...*

Il vit à deux maisons de chez moi, Ti-Rouge. C'est un ancien champion boxeur. Une gloire nationale, paraît-il. Je vais frapper chez Ti-Rouge. La porte s'ouvre et apparaît un colosse d'à peu près 6 pieds et 4. Il a l'air d'une peinture étrusque! Le menton en avant, le grand nez, les cheveux rouge et blanc... Derrière la crinière, épinglées sur le mur, les photos jaunies du temps où il faisait l'affiche avec La Poune au stade Molson.

— *Est-ce que vous auriez... Y paraît que vous avez des petits chats à donner...*

— *Menute!* il disparaît dans la roulotte.

* * *

Ti-Rouge revient avec une chatte longue de même. Ce n'est pas un bébé. Elle a déjà 8 mois, c'est la dernière du lot, elle est toute noire, avec une tache blanche et un petit œil vairon. Il me met ça dans les mains, je retourne à la maison.

J'ai quelqu'un, maintenant, dans la maison avec moi. Alors, je commence à raconter ma vie à cette petite chatte qui a l'air d'être très contente d'être là, elle. Je la regarde avec son petit air verrat, son poil noir... Je lui annonce qu'elle va désormais s'appeler Lady Rose Ouellette, et qu'elle va voir ben du monde ben le fun et on finit la soirée tranquillement tous les deux.

Finalement, nous montons à la chambre... J'ai trouvé la chatte qu'il me fallait. Elle vient tout de suite se coller sur mon épaule et se met à ronronner. Je m'endors. Ainsi se passe ma première nuit à New Carlisle.

* * *

Je m'éveille en sursaut avec une peur épouvantable! C'est encore pire quand je descends l'escalier... La peur de me dire: «*Hon! Qu'est-ce que j'ai fait là!*» Parce que la lumière ne sera pas la même...

Je descends dans la petite cuisine un peu sombre. Il n'y a pas encore les grandes baies vitrées qui donnent sur la mer, il n'y a qu'un petit carreau, mais il y a un balcon... La chatte est heureuse d'être chez elle, elle me précède, demande la porte et descend tout de suite gambader dans ce qui sera un jour l'immense jardin…

Je m'arrête un instant, je regarde la mer, à perte de vue. Et là, c'est épouvantable! La seule chose qui me vient à l'esprit, c'est: «*Hoooo! Noooon! Comment je vais faire pour retourner à Montréal, moi…!*»

Rose Ouellette a faim. Nous rentrons. Je referme la porte. Toute lumière s'éteint. J'avise le ridicule petit carreau qui emprisonne la mer.

Le téléphone est branché. «*Allô! Tit'Os? Fais-tu de quoi aujourd'hui? Bon, ben, appelle ton gars puis amène ta masse, c'est à matin qu'on commence!*»

* * *

Le premier mois ce fut le paradis. Imaginez la frénésie qui s'est emparée de moi quand j'ai commencé à découvrir les planchers d'origine de cette maison, enfouis sous des feuilles de contreplaqué et des prélarts bon marché. Pendant que les murs changeaient de place, je fis un Lenôtre de moi et j'orchestrai le futur jardin. La première journée, 130 trous furent creusés pour recevoir les quelques arbres et vivaces que je m'étais procurés chez l'horticulteur de Paspébiac.

Vous vous souvenez des vitraux que j'avais commandés pour Pointe-Saint-Charles… J'ai tout de suite trouvé la niche rêvée pour mettre en valeur une telle œuvre d'art: l'ancien porche tout en fenêtres à petits carreaux. On enlève tout ça et je fais appel au meilleur artisan en fenêtres du coin, Etienne de la Rosebil. Je commande neuf fenêtres thermos pour le devant de la maison et quatre pour la salle à dîner, fraîchement agrandie vers la mer en recouvrant l'ancien balcon qui sera précédé d'une belle terrasse donnant sur la mer d'est en ouest.

Un gnochon quelconque vient construire cette nouvelle rallonge, sans poser les poutres de soutien nécessaires sous la galerie. Étienne, voyant l'œuvre, s'exclame : «*si vous voulez que vos vitres craquent au printemps, laissez ça comme ça !*»

Un beau jour de juin, les ouvriers s'obstinent sur le fait que le vénéré Tit-os, boss des bécosses, a oublié de *caller* l'électricien avant de fermer les murs. Découragé, je décide d'aller me réfugier à l'extérieur, j'en ai trop entendu.

Quelques minutes à peine après que je sois sorti, un homme tout à fait charmant, dans la quarantaine, traverse la rue Green et arrive chez moi : «*Monsieur, je me présente, je suis votre voisin d'en face. Je travaillais à l'extérieur et maintenant je suis revenu, alors si vous avez besoin d'aide, je suis électricien. J'ai mes cartes pis en plus ça va être gratis : un service entre voisin. En plus, je regardais votre rallonge, là, un de mes voisins m'a dit que vous aviez juste creusé à trois pieds, il faut creuser au moins huit pieds, et pis installer des grandes tubes de ciment. J'vais vous faire ça moi.*» Le sauveur venait de descendre parmi nous. Je lui déroule trois tapis pour qu'il entre derechef dans la maison commencer le travail.

Quelques jours plus tard, tous les autres employés ont été remerciés et le bon samaritain devient contremaître en chef. Sa femme est rapidement engagée pour faire l'entretien de la maison pendant que je deviens Papi Momo pour les deux rejetons du couple, deux charmants enfants de six et huit ans qui vont vite remplir le vide que je vis de ne pas avoir de petits-enfants. Tout va très bien madame la marquise, mais cependant il faut que je vous dise...

Je suis endormi dans le confort de la famille. Quelques signes avant-coureurs auraient dû me mettre la puce à l'oreille quant au drame qui allait se produire, mais je nage tellement dans la création et l'insouciance que je n'allume même pas, tant ma confiance en ces gens m'a blindé contre tout commentaire peu élogieux leur égard.

La femme, secrétaire-administratrice-torcheuse – elle a eu une promotion – ne veut plus faire le ménage et...

torche. Entre-temps, mon « contremaître » devient mon gérant. Certains outils disparaissent, mais le 26 novembre, date de l'ouverture officielle de la galerie, approche à grands pas et le couple me promet le succès. Ce qui fut le cas. Il faut que je vous dise, pour ma défense, que pendant tout ce temps, me sentant assisté, j'ai peint comme je n'ai jamais peint de ma courte vie de peintre.

Noël passe, le printemps arrive vite et j'ai du pain sur la planche : je suis porte-parole pour un salon *Fleurs, plantes et jardin*, je monte mon premier opéra, *Roméo et Juliette* de Gounod, un rêve longtemps caressé.

Les choses avancent rapidement et la transformation de la maison et du jardin s'achève… Tout va bien! Les nouveaux petits-enfants manifestent un intérêt croissant pour le dessin et la création, et papi Momo a la confirmation éclatante qu'il a bien fait d'écouter ses instincts et de s'installer en péninsule Gaspésienne. La solitude des longs mois d'hiver ne me fait plus peur, j'ai trouvé la famille dont je rêve inconsciemment. Le jour où je me suis fait « voler » mon cachet pour une formation donnée à de jeunes comédiens à Saint-Alexis-de-Matapédia, j'aurais dû commencer à avoir des doutes, mais…

J'avais donc été invité à donner une *masterclass* à une jeune troupe de théâtre. On me fournit un chalet pour le week-end et on me paie 400 $ comptant. Mon nouveau gérant profite de l'occasion pour inviter une jeune secrétaire qui vient parfois travailler chez moi, gratuitement, pour m'aider et faire de la recherche en vue d'obtenir des subventions. Elle part avec nous pour continuer sa recherche et m'aider. Au lieu de travailler, elle passe la fin de semaine à subir le harcèlement de mon deux de pique de gérant.

Le dimanche soir, lors du départ, pendant que j'attends dans l'auto, il se rend au bureau d'administration chercher mon cachet et revient me rejoindre en maugréant… « *Ah!*

les tabar... Y ont oublié de sortir le 400, y vont m'envoyer un cheque cette semaine. » La semaine suivante, lorsque je m'inquiète de l'arrivée du chèque, il me dit : « *tout est réglé, je l'ai remis à ma femme. Ça a payé quelques comptes parce que je te dis que ta situation financière est pas rose, rose.* » J'ai su cinq mois plus tard, après une enquête, qu'il avait bien reçu mon cachet le soir du départ, et qu'il avait encaissé plusieurs autres de mes revenus. J'avais également été peindre une fresque pour les jeunes élèves dans une école de Percé, pour laquelle j'avais touché 250 $. Il recevait également les chèques de la station radio pour laquelle je faisais une chronique. Lorsque je demande à son épouse, ma perle de secrétaire administratrice, si les chèques lui ont été remis...

— *Quels chèques ?*

— *Ben, les chèques que ton mari a reçus...*

— *Ah oui, oui, non, ben c'est-à-dire qu'on va régler ça ce soir toute la comptabilité du mois...*

Pendant ce temps, je rencontre Madame Normandeau, la ministre du tourisme de l'époque, afin d'obtenir une subvention pour mes projets culturels. Je rencontre également le Centre local de développement pour obtenir un autre type d'aide financière et je réussis à engager une horticultrice pour mon jardin. Je ne paie que la moitié de son salaire, le reste étant couvert par un programme gouvernemental. Je déteste toutes ces rencontres où je perds mon temps à me faire endormir de belles promesses. Je ne peins pas, moi, pendant ce temps-là ! Je décide donc de confier cette tâche à mon gérant d'estrade. C'est lui dorénavant qui ira rencontrer tout ce beau monde et courir les subsides de l'état.

Un jour, pendant qu'il prépare un rapport pour le CLD local, il vante ses talents d'écriture. Je me penche au-dessus de son épaule pour voir ce qu'il a écrit dans la lettre de présentation et je lis ce qui suit :

« *Monsieur le dirrecteur,*
Dans L'atente de votre lètre j'asimeraio vous faire part de
mon dernier raport... »

Je suis catastrophé, mais bon prince, je lui annonce qu'à l'avenir, je corrigerai toute la correspondance. Il continue quand même à envoyer des lettres en mon nom, sans me consulter, et j'imagine les autorités se demandant pourquoi je fais affaire avec un tel illettré.

Le mois d'avril arrive, et je quitte ma terre d'adoption pendant trois semaines, pour me rendre à Montréal, Rimouski et Québec afin d'honorer mon contrat de porte-parole du salon, et monter mon premier opéra. Un jour où je me trouve dans un hall d'exposition à Québec, il m'annonce qu'il a eu de bonnes nouvelles du bureau de la ministre, et qu'elle cracherait 25 000 $ d'ici un mois. Quant au CLD local, une autre bonne nouvelle... Un montant de 25 000 $ allait m'être versé dans trois semaines. Il me dit tout ça pendant que nous nous baladons dans les allées du hall d'exposition. Il termine son exposé en me disant que cette manne que je vais recevoir va nous permettre de finalement terminer l'aménagement de la cave en galerie, pendant que le garage deviendra l'atelier où j'accueillerai les gens.

Nous nous retrouvons – comme le hasard peut être complice – devant un kiosque Mastercard Canadian Tire, ou l'on nous offre une belle carte de crédit qui nous permettrait de terminer tout de suite les travaux. Et dès que l'argent des subventions arriverait, nous pourrions rembourser la carte de crédit sans même payer un sous de frais d'intérêts.

Vous devinerez que l'argent des subventions n'est jamais arrivé. Par contre, mon gérant, qui est responsable de la carte de crédit, se fait installer une piscine hors terre, achète une Jeep bleu pâle décapotable, un trampoline pour faire plaisir aux enfants, fait teindre le *deck* japonisant de la couleur que je lui avais conseillée, ce qui m'a permis d'en retrouver la facture sur mon compte ouvert chez le marchand BMR du coin.

Pendant qu'il se fait aller la carte, je suis transporté par la musique de Gounod et la réalisation d'un grand rêve.

Début juillet, je regagne mes pénates pour accueillir le public qui visite la galerie à raison de 70 visiteurs par jour. Moments d'euphorie totale, je peins en public, je placote avec tout ce beau monde qui visite le jardin en compagnie de mes chats à qui j'ai enseigné les principes de base de la visite guidée.

Le 4 août 2004, vers 16 h 30, alors que je fais une sieste, je suis réveillé par un long hurlement provenant du rez-de-chaussée. Encore endormi, je descends rapidement pour trouver l'étage vide et je cours vers la terrasse où je vois mon gérant de pacotille fuir dans sa roulotte. Devant la maison, j'aperçois des autos de police, un géant de la SQ, une agente bien charpentée et mon horticultrice, tous de dos... C'est cette dernière qui se tourne la première vers moi pour m'annoncer :

— *Y. est morte dans un accident d'auto.*

— *Les enfants ?*

— *Un des deux est mort aussi, mais on sait pas lequel...*

Le matin même, Y. était effectivement partie avec ses deux enfants dans mon auto pour faire une balade à Percé. Elle était radieuse. Elle qui avait toujours une tête de pitbull quand elle arrivait chez moi pour faire le ménage, ce matin-là elle rayonnait.

Ma réaction en fut une de rage. Je suis rentré chez moi et je me suis mis à peindre. Je l'ai élevée au rang de muse... Je me souvenais que le matin, quand elle arrivait chez moi avec sa face de *bœu*, elle regardait ma production de la veille et passait ses commentaires :

— *Ton ciel serait plus beau bleu !*

— *Finis donc l'ange dans le coin là !*

— *Ah, y a un ange ?*

Et moi, pour satisfaire ses demandes, j'obtempérais… En ajoutant des ailes dorés à cette vague tache qui lui avait suggéré un ange.

Je suis toujours dans un état de rage quand les gens meurent autour de moi. Je ne leur pardonne pas de ne pas avoir voulu vivre vieux. Cela prend parfois des semaines avant que je ne vive une émotion proche de la tristesse. Dans le cas de Y., le deuil fut salutaire et créatif. Je défonce donc un mur sur lequel je décide de créer une peinture-sculpture rendant hommage à toutes les femmes importantes dans ma vie. Je l'imagine voguant sur un petit bateau et son fils, transformé en ange, fendant les flots dans un plus gros bateau. Devant cette image du petit, je craque pour la première fois dans les bras du père qui chiale deux fois plus que moi. Le lendemain, je reçois les livres de comptabilité, les états de compte, le courrier… Il fallait bien que mon zouf me les remette un jour!

C'est alors que je découvre l'arnaque. Cette femme que j'avais encensée dans le chœur de l'église de Paspébiac, dont j'avais fait l'éloge à la radio de New Carlisle en vantant les mérites d'une muse qui allait me guider dans mes futures réalisations, cette femme n'a pas payé un seul de mes comptes depuis 9 mois (taxes municipales, assurances pour la maison, entretien de la voiture…).

Et le compte de banque est vide! Je suis dans la grosse merde et pas à peu près…

Ma copine Marie-Paule, qui est au Nouveau-Brunswick et qui s'ennuie de mes fiestas, débarque en taxi pour une visite de 4-5 jours. Elle est loin de se douter qu'elle vient me sauver la vie. Je lui raconte ce qui s'est passé et elle décide qu'elle va m'aider à reprendre ma vie et ma carrière en main. C'est grâce à elle si je finirai par pouvoir quitter la Gaspésie et revenir à Montréal.

Un mois plus tard, l'escroc qui m'a servi de gérant se pointe et m'apporte une facture pour ses heures non payées et pour les pourcentages de mes cachets d'artiste. Il profite de l'occasion pour me demander de faire un arrêt de paiement pour un chèque de 8 000 $ dollars que nous avons signé. Il s'est acheté une nouvelle roulotte avec un chèque en blanc qu'il m'a fait signer en me disant qu'il s'agit du salaire de l'horticultrice. Depuis la mort de sa femme, il insiste pour que je prenne une carte American Express. Il a fait toutes les démarches, je n'ai qu'à confirmer par téléphone. Pour une fois, j'entends une sonnette d'alarme…

— *Es-tu malade de vouloir me faire prendre une autre carte de crédit ?* lui dis-je.

— *Va falloir que tu me paies mes salaires,* me répond-il, *fa que va ben falloir que t'emprunte que'que part…*

— *Si j'ai pas pu avoir de crédit à la caisse, c'est que mes finances ont été trop mal administrées par ta femme.* Je sens que je vais m'emporter. *Si je me fie aux papiers que j'ai ici, y a ben des transactions qui semblent plutôt bizarres…*

— *OK, OK, c'est ça, t'as été mal administré,* bougonne-t-il, *bon, ben on arrête ça, j'veux plus avoir à faire affaire avec toi. Le 15 000 $ que tu me dois, j'aime autant pas l'avoir. Garde le pis on arrête ça là.*

Et la tête haute, mon ex-gérant prend la porte et je ne le revois plus, sauf parfois chez le dépanneur, où il scrute attentivement le plancher lorsqu'il est en ma présence…

Je vous ferai grâce de mes découvertes quotidiennes en matière d'escroquerie. La liste serait trop longue, mais je vais quand même vous mettre l'eau à la bouche…

Des tableaux volés, des tableaux prêtés à des gîtes sans mon consentement, tous les outils disparus de la remise… Et c'est sans compter le défilé des bonnes gens des alentours venant me prévenir, un peu tard, de la mauvaise réputation de la seule personne, dans toute ma vie, que j'abhorrerai jusqu'à la fin de mes jours. Le pardon, très peu pour moi, d'autant plus qu'il ne m'a jamais fait assez rire pour trouver grâce à mes yeux.

Je vous épargne les meilleurs détails afin de ne pas révéler tout le suspense que vous vivrez en regardant la télésérie que je vais écrire un jour sur cette saga.

* * *

Octobre arrive, et la première neige s'installe à demeure le 15. Je peins énormément, je prépare, pour la fin de novembre, une exposition solo au Château Dufresne.

Jusqu'en janvier, stimulé par ces événements, je vis à nouveau dans une bulle où rien de ce passé récent ne m'atteint. Mi-janvier tout s'arrête. L'exposition est terminée et j'attends qu'il se passe autre chose dans ma vie. Je zappe, je recommence à vérifier la qualité des vins de dépanneur dès huit heures du matin. L'hiver continue son p'tit bonhomme de chemin, je suis en état de dépression, mais une dépression douce, plutôt une sorte d'attente, mais le problème, c'est que je ne sais pas ce que j'attends... Je sais que je suis au bord de la faillite mais je retarde le moment où je devrai y faire face. Je ne réponds presque plus au téléphone afin d'éviter les appels de mes nombreux fournisseurs qui attendent un chèque. Je sais que je vais devoir quitter cette maison, car sans aide je n'arriverai jamais à gérer cet éléphant blanc.

Plus le temps avance et moins je dors, je ne fais qu'angoisser sur le fait que je n'ai aucune idée où j'irai vivre. Par hasard, en zappant, je tombe sur un documentaire sur le Chez-nous des artistes. Je n'en vois qu'un petit bout de cinq minutes. Apparemment, j'ai eu la bonne fortune de ne pas l'avoir vu en entier car jamais je n'aurais voulu aller vivre dans cet endroit que l'on décrivait comme un mouroir. Je ne vois qu'une série d'images où l'on montre le corridor et les portes des appartements des locataires, qui sont décorées, colorées, personnalisées. Je trouve l'idée sympathique. Quelques jours plus tard, je téléphone pour avoir des renseignements. Je fais mettre mon nom sur la liste d'attente et je demande à ma nouvelle gérante Marie-Paule, qui est repartie pour Montréal, de faire un suivi.

Un mois plus tard, nous sommes en juillet. Un après-midi, après avoir braillé tout mon saoul par téléphone sur l'épaule de Pauline Lapointe, je prends l'ultime décision de déclarer faillite. Je saute sur le téléphone et je prends rendez-vous avec le syndic pour le 14 juillet.

Je m'y rends comme si j'allais chez mon médecin entendre le diagnostique d'un cancer généralisé. Il ne me reste que quelques heures à vivre avant de devenir le failli honni de tous. Mais, c'est tout le contraire qui se produit. Je sors du bureau miraculé ! Le frère André et 283 marches montées à genoux à l'Oratoire n'auraient pas fait mieux. J'ai des ailes... Je n'ai plus de dettes, je peux recommencer à zéro. Sauf que je ne sais toujours pas où j'irai crécher. Quand je reviens à la maison, je trouve un message de Marie-Paule :

— *T'as le cul bordé de nouilles. Tu as finalement un appart au Chez-nous des artistes.*

Du coup je ne veux plus y aller. J'ai peur de l'étiquette *has been*. Je me vois dans des pièces trop petites qui m'étoufferaient ; mais après mûre réflexion, je décide d'embarquer. Je ferai de ce lieu un grand atelier. Je camperai, s'il le faut, parmi mes tubes d'acrylique, je ferai un Villeneuve de moi et je peindrai mes tourments sur les murs. Nous sommes le 20 juillet et en payant le premier mois de loyer j'annonce que j'irai y habiter le premier septembre.

Et je me remets à zapper en attendant le grand départ. Ais-je besoin de vous préciser que je ne pouvais plus vivre dans cette maison ? Je passe une semaine à lorgner par la fenêtre la roulotte de mon ex-gérant et à imaginer des scénarios pour qu'il finisse par payer sa dette : une prêtresse vodou aurait frappé à ma porte à ce moment précis, et je lui achetais toute sa panoplie de poupées et d'aiguilles. Plutôt que de continuer à faire des rêves hantés, je retéléphone au

Chez-nous annonçant que j'arriverai le 15 août. Finalement je m'y rendrai le huit.

Deux bonnes âmes, le frère et la belle-sœur de Marie-Paule, à qui elle avait fait miroiter de belles vacances pendant lesquelles ils pourraient m'aider à remplir quelques boîtes, débarquent chez moi le 3 août. Ils regardent rapidement l'état de la maison et surtout l'état du grand Pablo qui ne s'est pas rasé depuis deux semaines, qui a le teint sérieusement ver-dâtre et qui boit son pack de douze dans la journée. Je me souviens d'avoir entendu Jean-François me demander:

— *Tu pars quand d'ici?*

— *Le 14.*

— *Non, non, tu pars avec nous, lundi prochain le 8. On va louer un camion et tu vas rentrer dans ton nouvel appartement lundi soir.*

Pendant les cinq jours qui suivent, je suis comme un zombie. Je vis dans un univers parallèle. Je réponds aux questions...

— *Ce meuble-là, est-ce dans la faillite?*

— *J'voudrais ben! C'est la table sur laquelle j'écris depuis 1960...*

Quelques jours plus tard, Jean-François m'annonce qu'on va faire une vente de garage. Journée inoubliable au cours de laquelle les gens du coin viennent acheter un objet, surtout pour garder un souvenir de moi, qu'ils me disent. Je n'ai jamais reçu autant d'amour. D'autant plus que les gens ont tellement honte qu'un tel voleur fasse partie de leur communauté.

Pendant le trajet du retour de douze heures, les yeux grands ouverts, j'imagine l'appartement que je n'ai jamais visité et j'essaie surtout de comprendre pourquoi je suis allé vivre en Gaspésie. Avec l'arrivée du peintre, j'étais à un tournant de ma vie. Je rêvais depuis longtemps de prendre une année sabbatique, ce que je n'ai jamais fait n'en ayant pas les moyens. J'avais l'impression d'avoir fait le tour du propriétaire dans ma carrière de metteur en scène ; du côté de la télévision, je connaissais assez bien les règles du métier pour savoir qu'après mon départ de *Sortie Gaie*, et la fin de *Flash*, il se passerait quelques années avant que la télévision ne me gâte comme elle l'avait fait. Je voulais également m'éloigner du restaurant. Je me suis donc retrouvé à New Carlisle pour peindre et écrire.

Mission accomplie. J'y ai fait plus 300 tableaux. J'ai écrit ce livre et maintenant que j'ai réalisé ces deux projets, je m'ennuie de mon métier de comédien. Je m'ennuie de ne plus rencontrer mes vieux chums acteurs entre deux portes de studio. Je suis bleu de rage quand en écoutant Super Écran, je découvre qu'ils ont pris quelqu'un d'autre pour doubler Jim Broadbent. Quel bonheur de revenir à Montréal et de renouer dans les vingt-quatre heures avec tout ce beau monde.

La Gaspésie aura été une brèche dans ma vie où je suis allé apprendre des tas de choses. J'ai compris que j'allais transférer mes énergies d'entrepreneur en voyageant. Je vais enfin faire ce voyage en Inde que Jean Cayer me propose depuis 4 ans. Je ne veux plus de maison. Ce petit appartement me convient parfaitement. Dès que j'y ai mis les pieds, j'ai penché la tête à droite et j'ai vu le futur jardin par les portes-fenêtres, et j'ai compris tout de suite que Marie-Paule m'avait menti : le jardin était deux fois plus grand que la description qu'elle m'en avait faite. Instantanément j'ai eu le sentiment d'avoir toujours habité cet appartement. Je m'y sentais déjà bien.

* * *

Je dois avouer que parfois, le soir, je m'assois pour regarder la télé et je regarde autour de moi, en caressant mes deux chats, Mistinguette, la fille de Lady Rose Ouellette disparue mystérieusement au début de l'été, et Gribouille, dite bouille, la petite-fille de Lady Rose Ouellette. Derrière le meuble qui reçoit cette télé, il y a un mur qui sépare la chambre à coucher et derrière cette chambre, un autre mur qui donne sur le bureau. Si je jetais tous ces murs par terre, quel beau loft ça ferait... Non, non, non, oublie ça, tu n'auras pas assez de murs pour garder tous tes meubles. Il n'est absolument pas question que je jette de murs par terre, d'autant plus que le jardin est tellement beau avec ses hémérocalles et ses pivoines. Et j'ai la chance qu'en bordure de mon terrain, vers l'ouest, Rose Aimé, l'ancienne locataire, ait planté cinq arbres, dont un lilas et un pommetier. Merci, Rose Aimée, où que tu sois!

Déjà je caresse le rêve d'avoir une pergola sous ces arbres, mais ne vous inquiétez pas, je n'engloutirai pas une fortune en engageant un ébéniste pour construire ce havre de paix. Je vais acheter quelques outils et je vais la construire moi-même.

Et ce qui serait encore plus écœurant, c'est que je pourrais recouvrir le tout d'une verrière de Françoise Saliou. Ça deviendrait un magnifique jardin d'hiver. La direction du Chez-nous ne pourra jamais dire non. Ce serait une valeur ajoutée pour la bâtisse qui illustrerait enfin son nom. J'ai assez de connexion à la ville de Montréal pour qu'ils acceptent d'écouter ma demande et de me diriger vers les différents paliers de gouvernements afin que je puisse aller chercher des sous. Et quand on va me demander de décrire mon projet pour les subventions, je pourrai répondre: «*achetez mon livre.*» Il faut que j'appelle Luc Forest, mon merveilleux jardinier du Plateau. Lui, en fait, il ne me coûte rien, je le paie toujours à l'automne...

— *Luc, appelle-moi, j'ai perdu ton numéro de téléphone, j'ai un projet de société à te proposer...*

FIN

Table

MEMBRE DU GROUPE SCABRINI

Québec, Canada
2005